Alper Başbay'dan

alan yayıncılık

ALAN YAYINCILIK: 5
Çağdaş Edebiyat Dizisi: 1

MATOMENA ZOMATA
BENDEN SELAM SÖYLE ANADOLU'YA
DİDO SOTİRİYU

Fransızca'dan çeviren:
Atillâ Tokatlı

Birinci Baskı: Ekim 1970
Yedinci Baskı: 1989
Sekizinci Baskı: 1992
Dokuzuncu Baskı: 1993
Onuncu Baskı: 1994
Onbirinci Baskı: 1995
Kapak Düzeni/Filmi: Renk Yapımevi
Baskı: Mart Matbaacılık ve Sanatları
(0 212) 212 03 39 - 212 03 40

ISBN 975-7414-05-0

alan yayıncılık

Çatalçeşme Sok. Torun Han No. 40 K.3 Cağaloğlu-İST.
Tel: (0 212) 511 26 00 • Fax: (0 212) 528 00 69

Dido Sotiriyu

BENDEN SELÂM SÖYLE ANADOLU'YA

alan yayıncılık

DİDO SOTİRİYU

Aydın'da doğdu. Daha sonra Atina'ya geçti. Evli. «Bir kız için eğitimin gereksiz olduğunu» düşünen ailesine rağmen öğretim üyesi oldu.

Ailesinin kısıtlamaları, göçmek zorunda kalmasının yarattığı acılar, Alman faşistlerinin giriştiği katliamlar; Alman işgali sırasında (1940-1945) yeraltı basınında önemli görevler alması yazarın yaşamının önemli noktalarından bazıları.

Dido Sotiriyu kendini şöyle tanıtıyor: «Geç eğitim gördüm, geç yazdım, tutucu bir aile de yetiştim; ve toplumun yasaklarıyla ortaokul sıralarından beri özgürlük, bağımsızlık ve insan hakları için mücadele ederek büyüdüm...»

Eserleri :

— «İnekri Perimenun/Ölüler Bekliyor» 1959, Roman. 1981'de 10. Baskı.

— «İlektra (Anagenisis)/Tekrar Doğuş» 1961, Roman.

— «Matomena Homata/Kanlanmış Topraklar» 1962, Roman. 1982'de 17. Baskı. 1963'de Bulgarca'ya, 1964'de Rusça'ya, 1964' de Fransızca'ya ve Romence'ye, 1970'de Macarca'ya ve Türkçe' çevrildi. (Türkçe'ye 'Benden Selâm Söyle Anadolu'ya adıyla çevrilen elimizdeki kitap daha önce Sander yayınların'da 3. Baskı yaptı.)

— «Mıkrasiatiki Kotastrofi Ke-i-Stratigiki Tuimberyalizmu stin Anatoliki Mesoqio/Küçük Asya Faciası Emperyalizmin Doğu Akdeniz Stratejisi» 1975, İnceleme. 1981'de 3. Baskı.

— «Mesa Stis Floges/Yalımlar İçinde» 1978, Roman. 1982'de 6. Baskı.

— «Episkeptes/Ziyaretçiler» 1979. 1982'de 4. Baskı

— «Katedalfizamethal/Yıkılıyorduk» 1982, Roman. 1932'de 2. Baskı.

Anadolu Rumları atalarının toprağından kopup ayrılalı kırk yıldan fazla zaman geçti.

Bu fırtınayı yaşamış olanlar birbiri ardından göçüp gitmekte ve yaşantılar kaybolmakta... Halk hazineleri ya silinip ortadan kalkıyor, ya da tarih arşivlerine gömülüyor. Ve Anadolu Rumlarının bir atasözü vardır : «Ölü gözünden yaş akmaz» der.

***

Yaşayanların hatırladıklarına işte bunun için eğildim ben ve sevgiyle dayadım kulağımı yüreklerine.

Buradaki hikâyeyi ağzından dinleyeceğiniz Manoli Aksiyotis, Anadolu Rum köylüsünün sembolüdür. 1914 - 1918 arası Amele Taburu'nda bulunmuş, Anadolu'yu Rum istilâsıyla birlikte Elen üniformasını sırtlamış, esaret görmüş ve nihayet Yunanistan'da mülteciliğin zehirli ekmeğine ortak olmuştur. İltica ettikten sonra kırk yıl boyunca dokerlik, sendikacılık yapmış; İkinci Dünya Savaşını izleyen Yunan Millî Direnme Hareketine katılmıştır.

Emekli olunca da, altmış yılı aşkın yaşantısını kaleme almıştır Manoli. Büyük bir sabırla ve cefa çekerek : Çünkü, doğru dürüst okuma yazma bilmemektedir.

Bu romanın dokusunu ben, işte bu denli gerçek tanıklardan süzüp çıkarttım. Bir daha geri gelmemek üzere çökmüş bir âlemi gözlerinizin önünde canlandırmak amacıyla yaptım bu işi. Yaşlılar unutmasın; ve gençler, bütün olup biteni çırılçıplak bir şekilde görsün, öğrensin diye...

DİDO SOTİRİYU

5

Birinci Bölüm

CENNET HAYATI

I

On altı yaşıma basıncaya kadar ne ayaklarım yeni bir çift kundura gördü, ne de sırtım yeni bir elbise... Bir tek kaygısı vardı babamın, eksik olmasın, arazisi durmadan genişlesin isterdi; ve gittikçe daha çok zeytin ağacı ve gittikçe daha çok meyve ağacı ve gittikçe daha çok incir ağacı bulunsun elinin altında... Tam on dört çocuk getirmiş dünyaya anam. Yedisi yaşamış sadece. O yedinin dördünü de çeşitli savaşlara armağan etmek zorunda kalmış garip...

Şöyle bir geriye doğru bakıyorum da şimdi, babamın bana bir horoz şekeri ya da bir ufak simit alayım diye bir tek metelik olsun verdiğini hatırlamıyorum. Bir gün, hiç unutmam, ilk şaraplı ekmek yeme âyininden önceydi, bize biraz para verir umuduyla üç erkek kardeş, gidip günahlarımızı bağışlamasını istemiştik. Günahlarımızı bağışlamasına bağışladı da, hâlâ daha karşısında dikilip durduğumuzu görünce birden küplere bindi. O zaman çaresiz, gidip vaftiz babalarımızın ellerini öpmeye karar verdik : Belki onlardan bir şeyler koparabilirdik, öyle ya! Nitekim her birimizin eline birer kuruş sıkıştırdılar. İçimiz içimize sığmıyordu artık sevinçten... Ve Teodoros diye bir bakkal vardı köyde, her biri nah şu kadar büyük şekerlemeler satan; en küçüğümüz Stamati, doğru oraya koştu. Yorgi ile benimse, büsbütün başka bir rüyamız vardı : Nihayet bir oyuncak sahibi olmak! Ama elden düşme değil, yepyeni bir oyuncak... Ve ilk gördüğü borazanı satın aldı Yorgi. Bense, içimden taşan hırsı gemlemeyi başardım, altını üstüne getirdim dükkânın ve nihayet, tenekeden yapılmış hem de yaylı, boz boyalı küçücük bir fare buldum.

Nasıl da kabarıyordu koltuklarımız eve girerken. Kardeşim, dudakları borazanın ağzına sanki yapışmış, oradan oraya uçuşmaktaydı. Ben fareyi yere koymuştum, karnından çıkan ince ipi çeker çekmez harekete geçen hayvanı her gördüğümde basıyordum yaygarayı :

Oynadı işte! Gene oynadı! Canlı fare bu, canlı fare!

Kardeşlerimizin hepsi de etrafımızda toplanmış, fareyi oynatmak için itişip kakışmaktaydılar. Hayatımda böylesine sevinip. heyecanlandığımı bilmem! Ve gene bilmem bu heyecanı izleyen hayal kırıklığına benzer bir hayal kırıklığı yaşadığımı : Oyunun tam en tatlı yerinde, babamın kaskatı yüzünü gördüm.

— Getirin bana bakayım şu maskaralıkları!

O, daha sözünü tamamlamadan, fareyi kaptığım gibi gömleğimin altına sokmuş ve merdivenleri boylamıştım. Yorgi, ya tehlikeyi sezemediğinden, ya da babama karşı gelmek cesaretini kendinde göremediğinden, orada kalakalmıştı. Oyuncağını uzattı ve yılgınlık içinde bakmaya koyuldu. . Küçük borazan, kocaman kemikli avucunda kayboluvermişti babamın. İyice bir sıkıp burduktan sonra, yamru yumru olan zavallı oyuncağı fırlatıp attı ocağın içine :

— İt alayı! dedi... Paranızı hiç bir işe yaramayan şeylere kaptırmamayı öğrenmiş olursunuz.

Hayatımda ilk defa olarak karşı karşıya kalıyordum iktidarın o basiretsiz körlüğüyle; dehşete uğramıştım. O çağımda nerden bilebilirdim ki ben, bütün ömrüm boyunca, hep bu körlükle savaşacağım?

Yumuşak başlı bir kadındı annem, sabırtaşından farksız. Kocasının bütün huysuzluklarına, dudaklarında hep aynı gülümseyişle boyun eğerdi. «Adam öfkeliyse karşı gelmeyeceksin, derdi hep. O zaman sana kul köle olur.» Babamın ne cins bir «köle» olduğunu, sadece kendisi bilirdi! Gene de bir keresinde karşı geldi babama. Öylesine gözü kararmış bir şekilde dövüyordu ki beni, ağzımdan burnumdan kan boşanmıştı. Gözleri yaş dolu ve kollarını iki kanat gibi açıp gererek, aramıza atıldığını hatırlıyorum :

— Aklını mı kaçırdın, öldüreceksin çocuğu!

Bir ufak metelikti o muazzam dayağın bütün sebebi... Gidip bakkaldan tuz almam için vermişti babam. Kaybettiğim takdirde başıma gelecekleri gayet iyi bildiğimden, terden ıslak avucumu sımsıkı yummuş da tutmuştum parayı. Birden bir çingene çıktı önüme. Yanında maymunuyla. Kıçı kıpkırmızı, akıllı bir hayvan. Öğretmeni, genç kızları, ardından da esrarkeşleri taklit ediyordu. Nasıl da gülünçtü bilseniz! Herkes etrafına birikmiş, gülüşerek seyrediyordu. Ama seyir bitip de sıra parsaya gelince, ortalık boşalıverdi. Ve elindeki dümbeleği bana doğru uzatan maymunla başbaşa kaldık! Şöyle bakıştık bir an. Dayanamadım işte, avucum kendiliğinden açıldı sanki. Ve meteliğin, dümbeleğin üzerinde tınlayan sesi doldurdu meydanı.

Parayı kaybettiğimi söyledim babama. Söyler söylemez de, yüzünü bürüyen öfkeyi görüp, sokağa attım kendimi... O da fırlamıştı arkamdan. Komşulardan biri atik davranıp kolumdan yakaladı ve babama teslim etti beni. O günden sonra ne vakit sinirlendiğini görsem, bir an kaybetmeden ortalıktan toz olmaya koyulacaktım...

Ama bir gün geldi, bütün ettiklerini bağışladım babamın.

İki kudret vardı evde, önünde titrediğimiz! Allah ve babam... Annemiz, ışınları artık ısıtmayan örtülü bir güneş gibiydi. Bizleri şöyle bir okşamaya, dizlerinin üzerine oturtup masal anlatmaya bile vakit bulamazdı. Yıl boyunca şafakta kalkar, ateşi yakar hemen, tencereyi ocağa yerleştirirdi. Ve bu arada daima, durmadan ağlayıp bağıran bir küçük

9

oğlan kardeşimiz olurdu beşikte! Hayvanlara bakmak, hamur yoğurmak, çamaşır yıkamak, ortalığı silip süpürmek gibi işler de, pek tabii ki annemize düşerdi... Bütün köy onun temizliğine, evindeki intizama hayrandı.

Babama karşı da saygı beslerdi köy. Sözünün eriydi çünkü; işinde namuslu, konuksever, çalışkandı. Yakışıklılığının da bir payı olsa gerekti bu saygıda: İnce uzun bir yapısı vardı, dalgalı saçları, koyu mavi gözleri ve bir tek çürüksüz götürdü mezara dişlerini. İşte bunun içindir ki, komşu kadınlar gelip de anneme: «Senin şu oğlun var ya, şu Manoli... hık demiş babasının burnundan düşmüş!» dediklerinde, içimi gurur kaplardı.

Yıldızlar henüz ışırken uyanırdı babam. Küçük takkesini yerleştirir başına, çoraplı pantalonunu çeker, bacak zırhını kuşanır, ayakkabılarını giyerdi. Ve sıra, elini yüzünü yıkamaya gelirdi. Gürültülü bir yıkanma olurdu bu... Sonra ikonaların karşısına geçer, istavroz çıkartırdı. Buğday ekmeği kızartırdı biraz közde, su katılmamış şaraba banıp yerdi ekmeği, birkaç zeytin atıştırdı yanı sıra. Zeytin çekirdeklerini yere salardı hep, birkaç da küfür sallardı uğurluk olsun diye. Ve tarlalara çalışmaya giderdi.

On altı ile on sekiz saat, hiç dinlemeden çalışırdı. Altmış yetmiş *okkalık** yük kaldırırdı da bana mısın demezdi. Çapayla sapan, onun ellerine değer değmez uysallaşır; onu görür görmez, sevgiyle karışık bir korkuya kapılırdı hayvanlar. Ve kendi öz çocukları gibi bakardı hayvanlara.

Gece karanlığı çökerken dönerdi eve. Kahveye uğramadan... Rakı şişesine uzanırdı hemen; bir yandan yemek yer, bir yandan da büyük yudumlarla içerdi... Duruma göre, aramızdan ikisini üçünü bir güzel döver; sonra da yorgunluktan bitkin bir halde uykuya dalardı. Evi yerinden oynatacak şekilde horuldayarak...

Tek lâf çıkmazdı ağzından. Pazar ve bayram günleri bile... Yanında konuşmaya cesaret edemediğimiz için; öfkele-

---

* Orijinal metinde Türkçe olarak yer alan söz ve deyimler, italik basılmıştır.

rimizi, şikâyetlerimizi, kurnazlıklarımızı, sevinçlerimizi, bakışlarımızla birbirimize söylemeyi öğrendik. Hani şöyle bir pazar günü, tesadüfen, meselâ sofradayken,' keyiflenecek olursa, beni ayağa kaldırır ve «Pater Noster» diye başlayan pazar duasını okumamı isterdi.. Evin aydın kişisi bendim babamın gözünde. Ama ezbere okuduğum bu Latince duadan hiç bir şey anlamıyordum ve bir gün anneme sordum ·
— «Pat»ı biliyorum anne, «baba» demek. Ama «er noster» ne demektir, söylesene?

Kardeşlerim arasında en iyi anlaştığım, Yorgi idi. On sekiz ay kadar küçüktü benden Yorgi, daha ağzımı açmadan sezerdi ne diyeceğimi ve daima benimle aynı fikirde olurdu... Alabildiğine duygulu ve narin bir çocuktu. Acayip şekilde ince ve uzun parmakları vardı, bu bakımdan bir tanesiydi köyün ve bütün kızların hayranlığını toplardı... Kütük gibiydi bizim ellerimiz; sert, kemikli, nasırlı, gördüğümüz ağır işlerin izini taşıyan eller

Daima bir kurşun kalem veya bir kömür parçası, ya da bir kireç taşı görürdünüz elinde. Büyüklerin gözünden ıraktaysa, durmadan çizerdi; hayvan, insan, manzara resimleri yapardı durmadan. Bir gün bir yabancı gelmişti de köye, babam, adamı katıra bindirip, yanına Yorgi'yi katmış, Efes harabelerine göndermişti; önüne çıkan bütün mermerlerin üstünü şekillerle donatmıştı Yorgi ve yabancı da ona: «Sen, güzel ressam...» demişti. Adresimizi aldı giderken adam, çok geçmeden de bir alay boyayla fırça postaladı kardeşime. Ve o günden sonra Yorgi, renkli resimler çizmeye başladı : Piskoposlar, ermişler, Meryem Ana'lar, 1821 ihtilâlinin şefleri... Babam bu resimleri panayırlarda, kimi zaman gizli gizli, kimi zaman da açıktan açığa satıyordu.

Dört ağabeyimin dördü de durmadan çalışırlardı. Ekmeğini haketmeyen adam yoktu evde. Ailenin asıl yükünü taşıyan da, en büyüğümüz olan ablamız Sofiya idi... Ablamız değil, ikinci anamız... Saatlar boyunca çamaşır kovasının ya da dikiş iğnesinin üzerinde eğili kalan, ya da tarlada her işe kendiliğinden koşan... Alabildiğine şefkatli, alabildiğine yumuşak... Ve üstelik güzeldi. Ama güzelliğinin hiç bir zaman farkına varmadı garip. Onu kollarının arasına alıp güzelliğini farkettirecek olanlarınsa, vakti yetmedi : İki adam delice sevdi ablamı ve nişanlandılar; biri 1912 savaşında, öteki 1914 harbinde öldürüldü. Ürkek ve alçakgönüllü bir kızdı zaten, acılıkla doldu yüreği. Dünyada kendisine düşen sevinç payının bundan ibaret olduğuna inandı, gözleri hiç bir erkeğin gözlerine değmedi bir daha artık. Kaldı ki, köy delikanlıları da ondan çekiniyorlardı : «Sofiya'yı seven ölür, kaderi ölmektir...» Gencecikken ihtiyar, kuruyup gitti işte...

Sofiya'dan sonra gelen ağabeylerim Kosta, Panago, Mihal, ablamın izindeydiler. Okumak yazmak gibi şeylerle araları yoktu pek, toprağa adamışlardı kendilerini. Babam, durmadan çalışan, her biri bir camus kadar sağlam ve kuvvetli bu çocuklar sayesinde işin içinden sıyrılabildi. Kuru üzüm, incir ve tütün ürünümüz iki yıl üstüste mükemmel oldu. Arazilerimizden birinin borcunu ödedikten gayrı, ikinci, sonra da üçüncü bir arazi daha aldık. Ancak o vakit güven kazanabildi bizim ihtiyar, dudaklarının ucunda gülücükler belirdi, dili çözüldü, yumuşadı biraz. Artık eskisi kadar sert ve ters bir adam değildi.

⁂

Şu yeryüzünde cennet diye bir şey varsa, bizim Kırkıca o cennetin bir parçası olsa gerekti. Ormanlarla kaplı dağlı bir bölgede kuruluydu köy. Önümüzdeki denize kadar göz alabildiğine uzayan Efes ovası... Ve baştan başa yemiş bahçeleriyle, incirliklerle, zeytinliklerle, tütün, pamuk, mısır ve susam tarlalarıyla dolu olan bu ova bizim köye aitti.

Hani, köylüyü iliğine kadar sömüren büyük toprak ağaları vardır ya, bizim orda yerleri yoktu onların. Ve o çağda, tarlaları zorbalığa getirip ipotek altına almak da kolay bir iş değildi. Kendi arazisinin efendisiydi her köylü. İki katlı bir evi vardı köyde herkesin. Ayrıca ceviz, badem, elma, armut, kiraz ağaçlarıyla ve sebze bahçeleriyle çevrili, yazlık bir evi vardı. Ve hiç kimse bahçesini çiçeklerle donatmayı ihmal etmezdi. Ve dört bir yandan fışkıran akarsuların ne kış, ne yaz kesilmezdi türküsü... Buğdayla arpa yetiştiği vakit, tarlalarımız altın yaldızlı bir denizden farksız olurdu. Bizimkiler gibi verimli, dalları ürün bolluğundan yerleri yalayan, özsuyu dolu, yusyuvarlak, simsiyah, pırıl pırıl zeytinli ağaca başka hiç bir yerde rastlayamazdınız. Yavaş ama sağlam bir gelir kaynağıydı zeytinyağı. Ama incir... köylünün kemerini altında dolduran incir! Sadece Aydın ilinde değil, bütün Doğu'da, Avrupa ve Amerika'da bile ün salmıştı incirlerimiz. Derisi var mı, yok mu anlayamazdınız, öylesine inceydi; Anadolu'nun o canım güneşiyle ballanmıştılar.

Tanrının bizleri garkettiği bir başka nimet de, dalgalandığı vakit okyanusu andıran göllerdi. Hacısuluk istasyonunda duran trenden, her Allahın günü, bir alay yolcuyla tüccar, seyyar satıcıların hemen oracıkta mangallar üzerinde kızarttıkları göl balıklarına büyük bir iştahla saldırırlardı... Balık deyip de geçmeyelim, her biri iki üç *okka* tartan balıklar!. Çayırlarımıza bir ebedî bahar havası kazandırıyordu bu bolluk. Hayvanlar nasıl da besiliydi... Otlağın ortasına yayılıp da dinlenmeye koyuldukları vakit, «var mı bana yan bakan» diye çalım satan *beyleri* andırırlardı.

Kırkıca, yazları boşalıverirdi. Sadece birkaç bekçi kalırdı köyde. Bütün ahali, kırdaki yazlık evlere dağılırdı. Ancak, ekime doğru, büyük Aya Dimitri panayırı yaklaşırken köye dönerlerdi. Badanaya, sonbahar temizliğine girişirdi kadınlar. Kap kacaktan başlayıp sokağa varıncaya dek, ellerine ne geçerse paklamayı âdet edinmişlerdi. Ve öylesine aklanırdı ki köy aniden, yollarda yürümeye kıyamazdınız! Tüm dükkânlar, kahveler, iki kiliseyle üç okulumuz ve köyün tek Türk binası olan Zaptiye Dairesi, defne ve mersin dallarından görünmez olurdu.

Küçük büyük, bütün yüzler gülerdi artık. Çünkü ürün satılmış, paracıklar keseye girmiş olurdu. Sonra da, ver elini İzmir derdi aileler: Kış, yani süs eşyası ve çeyiz almaya yollanırlardı. Yepyeni çoraplı pantalonlar diktirirdi erkekler, takke altlığı olarak ipekten mendil satın alırlardı.

Ve bir telâştır kızlarda : Pırıl pırıl atlastan giysiler dikilecek ve heyy! kolay mı? üç sıra fındık altınıyla bezenecek gerdanlar!.

Bu arada, yeni evliliklerin gizli pazarlıkları da tamamlanmış olurdu. Aya Dimitri'de yapılırdı çünkü düğünler. Başlarını kaşımaya vakti kalmazdı artık papazların : Her yıl on beş yirmi çift sırada beklerdi; nişanlı bir kızı çevirip de : «Düğün ne zamana?» diye sordun mu, hep aynı cevap gelirdi : «Aya Dimitri'ye nasip olursa...»

Aya Yani yortusunu da, büyük törenlerle kutlardık hep. Yiğitlik gösterilerinin başı çektiği bir şenlikti bu. Yakışıklı genç delikanlılar, bellerinde tabancalar ve kocaman hançerleriyle, atlarına atlar ve maharet yarışmasına girişirlerdi.

Hele kirazlar iyice kızarıp da, Aya Tria yortusu gelip dayandığında, erkek olan, at üzerinde yalnız mı gezerdi! Boncuk altınlıklarıyla, gerdanlıklarla süslü, hayat taşan mağrur karılarını atların terkesine alırdı yiğitler. Kendine güvenen gelsin de artık Kırkıcalılarla boy ölçüşsün bakalım!

Gece gündüz kırlarda keman, kemençe, dümbelek, santur sesleri yankılanır; ağaçların gölgesinde halk oyunları birbirini kovalardı. Rüzgârın öpücükleri, ay ışığının okşayışlarıyla hızlanan ince zarif vücutlar, gökyüzüne doğru sıçrar dururdu güneş doğuncaya dek. Ve sabahleyin iş elbiselerini giyip, çapaya el atacak vakti, güçlükle bulurduk.

Hiç bir bayram geçmezdi ki sonuna kadar tadını çıkarmayalım! Noel, Yeni Yıl, Epifania, Paskalya... Yeni evliler, Büyük Perhiz'in ilk gününü özel bir şekilde kutlarlardı : Kırda ateş yakar, kestane közleyip, rakı içerek; nasıl tanışıp seviştiklerini, çöpçatanlar işe karışmadan nasıl gizlice buluştuklarını anlatırlardı birbirlerine. Bu meclislerde bekârlara yer yoktu. Ve evli bir erkek, karısını almadan toplantıya gelmişse : «Git de *kepeneğini* getir!. derlerdi. Kepenek yeniyse, aramızda yerin var...»

Anadolu'nun sıcak ikliminden midir, yoksa toprağın verimli oluşundan mıdır ne, türkü söylemeye müthiş yatkındık. Türküler söyleyerek uyanırdık hep; bayramlara olduğu

14

kadar, cenaze törenlerine de türküler söyleyerek giderdik... Evlenmeye karar veren delikanlı, her şeyden önce bir ev yapmak zorundaydı; kaçınılmaz bir yükümdü bu, çünkü kız, çeyiz olarak ev getirmezdi asla. Ve delikanlı evin temellerini kazmaya koyulduğunda, bütün arkadaş ve komşuları kolları sıvar, ona tuğla taşır, harç kararlardı. Bütün bu işlere, tutku ve şehvet taşan türküler eşlik ederdi.

Bahçelerde de, türküsüz çalışma diye bir şey yoktu. Ekimden şubata kadar zeytin toplardık; şubat mart arası, yoz otları ayıklama çağıydı; nisandan temmuza tütüne verirdik olanca gücümüzü, sonra kuru üzüme, sonra incire. Ve dağlar taşlar nağmelerimizle yankılanır, inlerdi... Gündüzler yorucu, geceler boğucu olurmuş; umurumuzda değildi : Ekmek derdimiz yoktu çünkü ve çünkü ölümün dehşetiyle yüz yüze gelmemiştik henüz!

1914'e gelinceye kadar köyde adam öldürüldüğü işitilmiş şey değildi. Sadece bir kere, o da dilberin güzel gözleri için ve tanıklar önünde olmak üzere, iki delikanlı mertçe vuruşmuşlardı.

Köyün yakınında Efes harabeleri vardı. O da umurumuzda değildi, doğrusunu isterseniz. Kendi köy evlerimiz, silmesinden eşiğine kadar, eski devirden kalma süslerle yüklüydü zaten. Kaldı ki, bizim Kırkıca köyü, eski kitaplarda Dağdaki Efes adıyla anılırmış ve bu da, bizim köklü bir geçmişe sahip olduğumuzu göstermekteymiş!

Bütün bunları ben, Pithagoras Lamios isminde Sisamlı bir öğretmenden öğrendim. Yeni gelmişti köye, eski eser delisiydi. Minerva tapınağında, tiyatroda, Bizanslılardan kalma kalede, Zulüm Kapısında, sabah demez, akşam demez dolanır dururdu garip.

Bizim eşeği seçmişti gezintileri için, ama babamın hiç güveni yoktu adama :

— Yürü bakalım sen de şunun ardı sıra. Aklı bir karış havada herifin, hayvanı kaybedecek olursa, acısı bizim keseye çöker. Dediklerine göre, hayalperestin biri... Belirli za-

15

manlarda, güneş doğarken, batarken, ay çıkınca falan, tek başına konuşmaya başlarmış bu! Söylediği şeyler de ne Rumcaya, ne Türkçeye benzemez diyorlar...

Sonunda bir gün, o acayip dili konuşurken ben de gördüm öğretmeni ve sordum :

— Necedir bu konuştuğun öğretmen efendi?

— Eski Yunanca... dedi bir kahkaha atarak. Sizin bir doktorunuz var ya hani, onun ismi nedir biliyor musun?

— İlâhî öğretmen efendi! Doktorun ismini bilmemiş olur muyum hiç! Homeros onun adı...

— Aferin sana! İşte benim bu konuştuğum da, Homeros'un dili...

Ve bizim buralı olduğunu söylediği Homeros'la başlayan uzun ve can sıkıcı bir isim yağmuruna tuttu beni; sonra da eski ve yeni Efes harabelerini gezdirmeye koyuldu. Bu hiç işitilmedik şeyleri kulağımı dört açıp dinledim günler boyunca ve tabii, tıpkı «Pater Noster» gibi ezberledim. Öğretmenin dediğine bakılırsa, bir vakitler ihtişamıyla bütün dünyanın gözlerini kamaştıran Efes Şehri, Atina Kralı Kodros'un oğlu Androkles tarafından kurulmuştu... ama bu nokta gene de o kadar kesin değildi; çünkü buraya ilk gelenlerin, Sisam'da isyan edip de sahiplerinden kaçan bin köle olması da mümkündür. İşin gerçeği bir yana, benim hoşuma giden bu ikinci şekildi ve kardeşim Yorgi ile elele verip harabeler arasında yabani güvercin avlamaya her çıkışımızda o bin yiğit kölenin önümde canlandığını görür gibi olurdum.

Bizans'tan kalma harabelerde de gezinirdik öğretmenle; gerek bu topraklara ilk olarak ayak basan Bizans İmparatorları, gerekse burada Hıristiyanlığı yaymaya başlayan Havarî Pavlos hakkında, bana bir alay hikâye anlatmıştı. Ama ondan öğrendiklerim arasında beni asıl etkileyen, «yedi» rakamı üzerine söyledikleri olmuştur : Minevra tapınağı, dünyanın yedi harikasından biriydi; Bizans'tan kalma Aya Yani kilisesi Apokalips'in yedi yıldızından biri ve bir gün aniden bastıran bir sağanaktan korunmak üzere sığındığımız mağaranın ismi de «Yedi Uyurlar Mağarası» idi!

Öğretmenle dolaşmaya başladıktan sonra, beni saran öğrenme susuzluğu, katiyen hoşuna gitmedi babamın Tarlayı bırakıp da «Gutenberg» mi olacaktım yani? Pitagoras'a bu adı takmıştı çocuklar; çünkü okulda derslerini yapmadıkları vakit, kocaman anahtarıyla kafalarına vurarak : «Sizlere bakınca insanın, Gutenberg, sanki hiç doğmamış sanacağı geliyor!» diye homurdanırdı...

Buna karşılık, Avrupalılarla Amerikalılar, kendilerine özgü giysileri ve konuşma tarzlarıyla Eski ve Yeni Efes'te dolanmaya başladığı ve onların ardından da Yunan bilginleri akın etmeye koyulduğu vakit, başta babam olmak üzere Kırkıcalıların kibrinden mazallah yanlarına varılmazdı!

Memleketimiz, başka yere benzemeyen, apayrı bir memleketti evet! «Zamanı geliyor... derdi papazlar. Taş kesilen kral yeniden canlanacaktır...» Ve ovamızla dağlarımızı Yunanistan'la birleşmiş görmek özlemi uyanırdı içimizde.

Köyümüzde hiç Türk olmadığı ve bazan kendi aramızda bile Türkçe konuştuğumuz halde, Yunanistan sevgisi yüreğimizde sönmez bir ateş gibi yanardı... Kireçli, Havuzlu, Balacık gibi civar köylerde oturan Türklerden hep itibar görürdük; zeki ve çalışkandık onların gözünde. Bu fikirlerini değiştirmelerine de katiyen fırsat vermezdik, ne yalan söylemeli... Tatlı dil, güler yüz, sırası gelince uygun bir «bahşiş»le çantada keklik haline getirirdik onları. Her Allahın günü, dağlardan akın akın Türk köylüleri inerdi pazarımıza. Odun, kömür, kümes hayvanı, kaymak, yumurta, peynir, sözün kısası, Anadolu'nun zenginliğini yapan ne varsa satar; ihtiyaçlarını bizim dükkânlardan alıp akşama dönerlerdi. Kimisi dostlarının evinde misafir kalırdı; bizimle birlikte yer, bizimle birlikte yatarlardı. Türk köylerine kocabaş hayvan, at veya süt almaya gittikleri zaman bizimkiler de oradaki dostlarının evinde ağırlanırdı. Ve dağ yollarında karşılaştığımız vakit, kocaman selâmünaleykümler çekerdik karşılıklı; «Sabahlarınız hayırlı olsun!» derdik.

Aya Dimitri panayırında köy, çok uzaklardan gelen Türklerle, Kirlicelilerle dolup taşardı. İşten ve güneşten kavrulmuş, uzun boylu, iri yarı adamlardı bunlar; bir karış toprağa hasret, yarıcılardı. Büyük arazi sahibi *beyler* tarafından diri diri derileri yüzülür âdeta, kanları emilirdi. Bütün yıl boyunca çektikleri açlıktan bir deri bir kemik kalmış sırtlarında, üst üste yüz kere yamanmış giysilerle gelip elden düşme eşyalar, giyilmekten rengi atmış gömlekler alırlardı.

Hayatlarını nahak yere heder ettiklerini anladıkları zaman, kurtulmaya karar verdiler. Bilek kuvvetlerini kiraladılar köy köy dolaşıp. Her biri bugünün bir traktörü kadar iş görüyordu, inanmazsınız : İki kazma bir tekmeyle dağ gibi meşeleri, servileri, çamları kökleyip devirirlerdi. Kayalık ve koruluklarla dolu otuz kırk feddan arazi verirdiniz ellerine, size ekime hazır verimli bir tarla teslim ederlerdi. Rumlar bu tarlaları bir iki yıl işledikten sonra, fazla zahmet çekmeden, üstlerine tapulatırlardı.

Benim babam, komşularının hasetten dönmüş gözleri önünde, Kirliceliler sayesinde mülk sahibi olmuştu. Onlar tarla açadursun, kendisi tüfeğini sırtlayıp bıçaklarını alır ve yirmi gün, bir ay boyunca avlanmaya giderdi. Vurduğu domuzları sata sata doldurur keseyi ve Türklerin gündeliğini ödemeye dönerdi.

Bizim bayramlarımızla birlikte, Kirlicelilerin de keyfi gelirdi. Onlar için tıkabasa yemek fırsatıydı bu. Ve her Rum ailesi pişirip hazırladığı en güzel yemekleri onlara ikram ederdi... Yeni Yıl günü Kirliceliler çeşmelerin başında toplanırlardı. Ve kadınlar o gün, ellerinde cevizli tatlılar, şambabalar, helvalarla dolu tepsilerle giderlerdi su almaya... Büyük Perhiz'in ilk günü oruç başlayıp da kadınlar, yasak bir yiyecek kokusu bile kalmasın diye tencereleri temizlemeye koyulduğunda; bir büyük sevinçtir sarardı Kirlicelileri : Tepsi tepsi peynirli poğaçalar, yumurtalı börekler, makarnalar, tatlılar yağardı onlara doğru. Yüzlerinde mutlu bir gülümseyiş, selâm dağıtırlardı kadınlara, kızlara :

18

— Çok senelere abla, ablacığım!

İçlerinden bazıları da, hastalıkiarı geçsin ve uzun dönüş yolculuğu boyunca kazadan belâdan esirgesinler diye, Aya Yorgi'nin gümüşten ikonası önünde gizlice diz çöküp duaya dururlardı.

Nisanda Aya Yorgi yortusunda ücretlerini alıp dönerlerdi köylerine. Rumlarla vedalaşırken gözleri dolardı hep :

— Hakkını helâl et usta...

— Helâl olsun! dedi bizimkiler de... Alnınızın teriyle kazandınız. Güle güle gidin hadi. Uğur ola!

II

Babam, kara cümleyi söktüğümü, okuma yazmayı da az çok becerdiğimi gördüğü vakit beni çağırmış ve :

— Elbiselerini hazırla bakalım Manoli, demişti. Seni bugünlerde İzmir'e yollayacağım. Tüccarların, kuru üzüm toptancılarının yanında çalışıp iş öğrenmeni istiyorum

İlk defa olarak, beni büyük adam yerine koyup konuşuyordu, birden cesaretlendim :

— Ne emredersen onu yaparım baba. Yalnız bilmeni isterim ki, ben öğrenim görmek arzusundayım. Hani çok susadığın vakitler, serin bir su içip de şöyle bir oh çekersin ya, her yeni öğrendiğim şeyde, işte ben de öyle bir oh çekiyorum...

— Hımm! diye homurdandı kendi kendine.

Bunun ne demeğe geldiğini pek anlayamadım ama, ertesi gün, dağdaki tarladan eve dönerken yamaçta durdu, bir süre baktı ovaya ve şunları söyledi :

— Elimizin altında işlenecek böylesine verimli bir toprak varken öğrenim görüp de ne yapacakmışsın? Hoca mı olacaksın, papaz mı? Ticaret muamelelerini bilen, şehir piyasasını tanıyan birisine ihtiyacım var benim. Bütün kazancımızı tüccar denilen bu beleşçi takımı cebine indiriyor, bak!. Bu iş için de seni seçtim, çünkü açıkgözsün. İşte bu kadar...

Ertesi pazar sabahı şafakta, babam işleri için Aydın'a gider gitmez, Şevket'i bulmak üzere dağın yolunu tuttum. Unutulmaz bir dostlukla bağlıydım bu küçük çobana. Paskalya tatili gelip çattı mı, koyunlarımızı otlatmaya ben de dağa çıkardım. Şevket'e buluşurduk orada ve en delice oyunlara dalardık. Henüz insan ayağı değmemiş mağaralar bulur, ırmaklarda yüzerdik. Fırtına çıkıp da yağmur ağaçları dövmeye koyulduğunda, göğsümüz bağrımız açık, koşuştururduk ormanda. Garip bir sevincin sarhoşluğu kamçılardı bizi. Kemiklerimize kadar sırılsıklam, sürülerimizi barındırıp yemek pişirdiğimiz mağaraya sığınırdık sonunda. Ve işte o zaman Şevket'in hayal gücünü alır, hamurdan simit yapar gibi yoğurmaya başlardım. Mübarek cumartesi akşamları, benimle birlikte Kırkıca'ya getirirdim Şevket'i. Geceleyin küçük mumların yıldızlar misali yanıp söndüğünü görmekten, çan seslerinin ahenkli çağrısında «Hazreti İsa dirilirdi!» çığlıklarını işitmekten, kestane fişeği patlatmaktan, annemin elceğzinden çıkmış salçalı piliçle buram buram tüten çorbayı bizimle birlikte yemekten, büyük bir sevinç duyardı.

Şevket'in bana karşı beslediği güven, bir olaydan sonra daha da pekişerek arttı. Çoğu Türk köyleri gibi, onun köyü de alabildiğine geriydi; doktorun ve öğretmenin ne olduğunu bile bilmezdi zavallılar. Birisi hastalandığı vakit, yakınları civar kasabadaki şöhretli bir *müezzine* danışmak için üç saat yol tepmek zorundaydılar.

— Nasıl düzelecek bizim bu hasta, *müezzin efendi?*

Ve *müezzin efendi, Kur'an'*ın üzerine eğilir, derin derin düşünmeye koyulurdu. Tarif edilen hastalık cinsine göre bir şeyler karalardı sonra bir kâğıt parçasına; parasını alır, kâğıdı verirdi. Ve adamcağız, elinde beş altı kere katlanmış kâğıt parçası, köyüne döner; hastasına bir güzel yuttururdu o kâğıdı...

Bir keresinde de Şevket'in babası çok ağır hastalanmış, gelip kendisi söyledi bana :

— Babam ölüp gidecek galiba... *Müezzin*'in kâğıtları fayda vermiyor, günden güne eriyor adam.

— Neye bizim köye getirmiyorsun babanı? Bizim orada çok iyi bir hekim var; müşterilerine kâğıt yerine şurup veriyor, hap veriyor, merhem veriyor. Hem bu verdiği şeyleri de mektebinde okumuş bir eczacı hazırlıyor üstelik!

Önce şaşırdı Şevket, sonra inandı; inanır inanmaz da bir günah işlemekten korktu. Ama, gene de ertesi günü sabah erkenden getirdi babasını. Kendinde değildi adam, genişçe bir tahtanın üzerine uzatmışlardı... Bizimkiler tarafından dostça karşılandılar. Hemen bir yatak hazırlandı evde, sonra doktor çağrıldı. Bakım ve ilaç sayesinde çok geçmeden kendine geldi hasta, gözlerini açtı. Sekiz gün sonra da tamamiyle düzelmiş, merkebine binip köyünün yolunu tutmuş bulunuyordu. Köylüleri, öldü sandıkları adamlarının sapasağlam döndüğünü görünce, ağızları bir karış açık sormuşlardı :

— Hangi hamurdan yoğurulmuş bu Rumlar? Allahları hep böyle açıkgöz mü yaratır bunları?.

Şevket birkaç gün sonra gene geldi Kırkıca'ya. Bize bal ve peynir getirmişti teşekkür makamında. Bir ara beni bir köşeye çekti; düğüm üzerine düğüm atılmış mendilinden belki bin kere katlanmış dört kuruşluk bir banknot çıkardı, ürkerek sıkıştırdı elime ve fısıldadı :

— *Bana bir mum yak*. Belki Allahlarımız da bizim gibi arkadaş olurlar...

İşte, şimdi dağa tırmanırken bütün bunları ve birlikte geçirdiğimiz daha nice hoş vakti hatırlıyordum acı acı. Daima konakladığı yere yaklaştığımda, parmaklarımı çatallayıp bir ıslık çaldım. Aynı ıslık sesi yukarıdan cevap vermişti hemen : Şevket beni tanımıştı. Bir an sonra da, elinde sevinçle salladığı değneği, bir dağ keçisi gibi kayadan kayaya atlayarak koştuğunu gördüm.

Daha soluk alıp, selâm vermesine fırsat komadan yapıştırdım haberi :

— Gidiyorum Şevket! Babam İzmir'e gönderiyor beni...

Değneği elinden düşmüş, bembeyaz olmuştu rengi. Yatıştırmaya çalıştım onu :

— Akıllı ve açıkgöz bir çocuk olduğumu söylüyor babam. İşte bunun için de ticaret öğrenmeli, tacir olmalıymışım...

— Tacir mi? Ne demek tacir?

— Yani... tacir olunca... başkaları senin malını çalacağına, sen onların malını çalıyorsun.

— Ama senin baban namuslu adamdır, nasıl oluyor da oğlu için böyle namussuz bir iş seçiyor?

— Yanlış anladın Şevket... Beni hırsız yapıp hapse attırmak değil tabii babamın muradı! Nasıl desem... Hani Avrupalılar gibi giyinmiş adamlar var ya, şehirden kalkıp bizim köylere geliyorlar ve toptan satın alıp gidiyorlar ürünümüzü. İşte o adamlar hep tacir. Yani tüccar... Bizden kuru üzümü, inciri, zeytini, tütünü ucuza alıp şehirde pahalıya satıyorlar... ve böylelikle kolayca zengin oluyorlar, anlıyor musun?

Bu çocuksu konuşmayı kim bilir kaç kere hatırlamışımdır hayatım boyunca!

Bir yıl daha köyde kalmamı istiyordu annem. Tesadüf sayesinde bu arzusu gerçekleşti : Komşu köylerden birine, Güzelceköy'e çalışmaya gittim. Molla efendinin çiftliği vardı orada. Oğullarına miras kalmıştı şimdi. Hüseyin ve Ali beyler vur patlasın, çal oynasın yaşamayı seven, cömert, çalışmaktan olduğu kadar, siyasetten de haz etmeyen kişilerdi.

Anesti isimli, alabildiğine kurnaz bir Rum almışlardı vekilharç olarak : «Fakir ve muhtaç Rumları topla, bura-

da çalıştır... demişlerdi. Tuttuğunu altın eder onlar.» Anesti'
nin de istediği buydu zaten. Yetkiyi eline alınca Kırkıca'ya
gelmiş, muhtaç çiftçilerin arasından en iyilerini seçmişti.
Toprağı ekip biçen, masarayla uğraşan, ağıllara bakan, odu-
nu yaran, peynir yapan... hep bunlardı.

Binde bir gelirdi beyler çiftliğe. Her defasında bir alay
çalgıcıyla fahişe getirirler, babadan kalma konağı açıp iş-
rete koyulur ve bir hafta ayılmazlardı. Ve Anesti'nin uzattığı
hesap defterlerini açaçına imzalayıp terkederlerdi çiftliği.
Ali beyin dikkatini çekmiş bir gün :

— *Bre* Anesti! demiş... Bu sütun dolusu hesapları tek
başına mı tutuyorsun sen?

— Tek başıma efendim.

— Peki be avanak, neye yanına birini yardımcı alıp da
işini hafifletmiyorsun? Hem belki farkında olmadan yan-
lış yapıyorsundur da, öteki düzeltir...

Beyin bu sözlerinde gizli bir ima sezen Anesti, hemen
pirelenmiş ve Kırkıca'ya gelip babamı bulmuştu :

— Senin Manoli'nin hesap işlerinden anladığını söylü-
yorlar Dimitro. Onu Güzelceköy'e yolla da bana biraz yar-
dım etsin, senin de cebine fazladan birkaç kuruş girmiş olur
fena mı— Ali bey bu yıl çiftlikte kalacağını söylüyor, defter-
lerin kız gibi olması lâzım...

Babamın, o sıralarda paraya müthiş ihtiyacı vardı, ku-
ru üzüm alımında oyun etmişti tüccarlar kendisine. Teklifi
uygun karşıladı. Böylece ben de, dört bir yanı ormanlarla
çevrili, cömert topraklı yemyeşil Güzelceköy'de buldum ken-
dimi.

İlk zamanlar ağzından bal akıyordu Anesti'nin. Ama bey-
den yana rahatlar rahatlamaz değişti. Beni haddinden fazla
zeki buluyor ve çevirdiği dolapları anlamamdan korkuyor-
du herhalde. Aslında haklıydı, çünkü iğreniyordum tutumun-
'dan : İşçilerin ücretini çalıyor, yiyeceğimizi kısıyor ve bir
hiç için, söz gelimi, su sökmeye gittiler ya da arklardan bi-
rine fazla su akıttılar diye akıl almaz cezalar kesiyordu. Zen-

gin olmayı koymuştu kafasına sözün kısası, aynı zamanda da patronlarının servetini bir kat daha arttırmayı!

O kadar ki, bir akşam, ihtiyar Stefani kendini tutamayıp :

— Ayağını denk al Anesti! dedi. Çok günah yükleniyorsun sırtına, Allah bunu senin yanına komaz...

Ertesi gün cumartesiydi ve Anesti, ihtiyara haftalığını ödedikten sonra yol verdi. Sebebini soran çiftlik sahibine de bir yalan kıvırdı hiç sıkılmadan :

— Sabah akşam sarhoş, bey! Üstelik de ihtiyar, eli ayağı titriyor. Çalışıp yediği nimeti haketmiyor ki, alakoyayım...

Ama genç bir çocuğa, bundan da kötüsünü yaptı Anesti. Çiftlikte ilk haftamdı. Kuyumcu köyünden üç çocuk vardı yanımızda çalışan... Canlarını çıkarıyordu bütün gün boyunca ve ücret olarak da topu topu günde bir tabak yemek veriyordu... Zenciler yaşardı Kuyumcu'da. Eskiden köleymiş bunlar, sonra hükümet tarafından azat edilmişler ve kendilerine bir kulübe yapmaya yetecek kadar toprak verilmiş. Bir soğan tohumu ekecek arazileri bile yoktu zavallıların; buna karşılık, pırıl pırıl bir gülümseyişleri vardı. Bembeyaz ve düzgün dişlerini gözler önüne seren bir gülümseyişleri...

Söğüt dallarıyla örülmüş ince çubuklardan kuruluydu kulübeleri ve tezekle sıvanmıştı. Gece gündüz eski sahipleri için ter döken bu adamlar, azat oluşlarını Tanrının kendilerine lâneti olarak görmekteydiler : Kurtulmuşlardı da ne kazanmışlardı sanki! Gene aynı şekide bitap düşüyorlardı her gün, üstelik şimdi bir de iş bulma kaygısı vardı cabadan, çoluk çocuğu aç bırakmama kaygısı vardı.

İşte bunlardan biri, tatlı ve ürkek yüzlü bir delikanlı, hırsızlığa başvurmak zorunda kalmıştı. Hem de Anesti'nin burnunun dibinde... Mısır tarlasında çalışırken, arada bir küçük bir başağı çitin arka tarafına atıyor; akşam, o bir kucak yükü sırtlayıp, hasta yatan annesi ve orda burda dilenen genç kardeşleri için evine götürüyerdu. Yakalandı tabii sonunda. Ve Anesti, çocuğu bir çınara tepesi aşağı bağlattı; ibret olsun diye de öylesine dövdü ki, akşam evine döner dönmez uyuyan çocuk, bir daha uyanmadı. «*Oldu bir yanlışlık!*» dedi, Türk asılzadeler olayı öğrenince, affettiler Anesti'yi.

Ama Güzelceköy'de hayat birdenbire değişti : Artemisa isimli küçük bir işçi kıza deli gibi vurulmuştu Ali bey, çiftlikten ayrılmıyor ve kızın hoşuna gitmek için elinden geleni ardına koymuyordu... Kız beğenir kaygısıyla bize verilen yemekleri az bulmaya ve Anesti'ye durmadan çıkışmaya başlamıştı :

— Ulan hergele, sen bu insanları, karınlarını bir güzel doyurmak şartıyla işe almadın mı? Neden her Allahın günü bulgurla fasulye sürüyorsun önlerine? Et de vereceksin anladın mı? İyice doyacaklar, en ufak bir şikâyet işitmeyeceğim!

Gözleriyle genç kızı okşamaktaydı bunları söylerken. Ve nasıl güzel bir yaratıktı Artemisa yarabbi! İnsana süzük süzük bakan iri gözler, ayak bileklerine kadar uzanan saçlar, buğday rengi ince ve biçimli bir vücut... Çabucak anladı beyin kendisine vurgun olduğunu ve müthiş ürktü. Ama işten ayrılmaya karar veremiyordu bir türlü. Desteğe ihtiyacı vardı babasının, on bir boğaz onun eline bakıyordu! Kaldı ki bey, en ufak bir kabalık yapmadan dönüp duruyordu kızın etrafında. Kahvesini hazırlatıyor, elbiselerini ütületiyordu o kadar; kılına dokunmuyordu kızın. Türk yüksek tabakasına mensup hanımlardan tutun da, köylüler ürünü sattığı vakit köylerde kol gezen zavallı şarkıcı kızlara varıncaya değin sayısız kadınla ülfet etmiş olan Ali bey, şimdi bu küçücük kızın karşısında, tecrübesiz bir mektepli olup çıkmıştı...

— Gizli bir dert var efendimizin içini durmadan kemiren... Sabah kadar kemençe çalıyor. Konağa kadın ayağı dokunmaz oldu. Boğalar gibi böğürüyor tek başına...

Hizmetine bakan asker işte böyle diyordu.

Herkes her şeyi görüp işitmekteydi aslında; ama işlerini kaybetmekten korktukları için, hiç biri ağzını açıp tek kelime söylemiyordu. Sadece kadınlar, gizliden gizliye dedikoduya başlamışlardı : «Felâket çökmekte gecikmez kardeş, görürsün! Dininden dönüp de Türk olan Hıristiyanın günahı, en büyük günahtır...»

Bir gün, Artemisa'nın orada bulunmadığı ve köylülerin çınar ağaçları altında dinlendiği bir öğle üzeri, Katinyo, şeytanî bir buluşla, «kocasını bırakıp bir zaptiye subayıyla gittiği için, her iki kenarı da keskin bir bıçakla öldürülmesi şart olan» Eli'nin türküsünü okumaya koyuldu. Herkes bıyık altından gülüyordu türküyü dinlerken. İçlerinden sadece «Yekçesim» diye adlandırdığımız tek gözlü ihtiyar Parliyarena, gençlere şöyle bir gözdağı vermek için yanıp tutuşmaktaydı ve türküyü fırsat bilip, «Allahın emrini unutarak iki çocuklu bir Türke, Nizam'ın dul karısına âşık olduğu için çok ağır cezalara uğrayan» Teodoros Delimanoli'nin hikâyesini anlatmaya başladı...

«Ah, ah!. dedi sözümona acıklı bir sesle... Delimanoli'vi bir o vakitler, bir şimdi gören bilir günahının cezasını ne biçim çektiğini!: Delikanlılık çağındayken, kadınlar onun şöyle bir at üzerinde geçişini seyretmek için bile cehennemde yanmaya razı olurlardı. Ya peki neden düştü o kötü aşk yoluna? Değirmen kurmak için dağa, Tira'nın yanındaki o Türk köyüne gitmişti, lânet olsun! İşte orada tanıdı zaptiyenin dul karısını ve orada aklı başından uçtu... O lânetli kadın da sevdi bizim delikanlımızı, iki erkek çocuğuna rağmen, kudurmuş gibi sevdi! Gece gündüz Delimanoli'nin değirmeninden çıkmaz olmuştu. Sonunda değirmen taşları sürtünmez olup, onlar başladı birbirlerine sürtünmeye kumrular gibi... Ama tıpkı servet gibi, aşkı da uzun süre gizlemenin mümkünü yoktur... «Hadi! dedi kadın günün birinde... bu aşk bizim hayatımıza patlayacak. Hadi gidelim bu diyardan...» Delimanoli de onun aklına uyup Pire'nin yolunu tuttu, orada onu vaftiz ettirdi, Allah saklasın! Angeliki oldu kadının adı ve evlendiler. Kırkıca'ya dönüp yerleştiler sonra da. İkisi erkek, ikisi kız, dört çocukları doğdu..»

«Ama Allah unutmaz! İlk erkek çocukları büyüyüp de annesinin kendi köyü hakkında anlattıklarını işitince, âdeta büyülendi ve Tira'ya gitti yerleşmek için. Değirmeni kiralayıp çalışmaya koyuldu. Sonra ne oldu bilir misiniz? Aradan bir ay geçmemişti ki, tam yüreğine saplanmış bir bıçak darbesiyle odasında ölü buldular oğ!anı!»

Bir an sustu İzmirli ihtiyar Parliyarena, sonra karşısındaki genç kızları tek gözüyle birer birer süzüp ekledi :

— Böyle hikâyeleri sadece kan temizler... sadece kan! Artemisa'ya da söyleyeceğim bunu, ayağını denk alsın!

Parliyarena'nın bu tehdidi üzerine, Artemisa için bayağı korku duydum ama, gidip de kendisine söylemek cesaretini bulamadım bir türlü kendimde. Parliyarena da söylemedi üstelik, hiç kimse söyleyemedi. Beyi yumuşatan, iyi yürekli ve cömert kılan bu aşk, aslında herkesin işine geliyordu.

Bir pazar akşamı, Kırkıca'dan çiftliğe dönerken, Güzelceköy ormanında Artemisa ile beyi sarmaş dolaş bir halde gördüm. Kan tepeme sıçradı birden, o güne kadar hiç bilmediğim duyumlar sardı vücudumu. Hemen oradan uzaklaştığım halde, ayaklarımın ucuna basa basa dönüp, görülüp sırtıma bir kurşun yemek pahasına, bir daha baktım. Ve o gece sabaha kadar gözümü kırpmadım, sıtma tutmuşçasına ihtilâçlar içinde kıvrandım durdum. Her titreyişten sonra da, ben de bir büyük günah işlemişim gibi ağlıyordum...

Bu olay, Anesti'nin tutumunu daha da haksız ve iğrenç gösterdi bana ve kendiliğimden gidip, çiftlikten ayrılmak istediğimi bildirdim ona.

Böyle maceralara pek ender rastlanırdı bizde. Ve bu yola sapanlar, ister Ali Bey gibi Türk, ister Delimanoli gibi Rum olsun, önünde durulmaz bir aşka düşmüş demekti. Çevremizdeki bütün Türk köylerinde buna benzer bir hikâye daha olduğunu hatırlamam. Sadece, Kuyumcu'da, zencilerin yaşadığı köyde...

Kuyumcu zencileri, bizim köyle pek iyi geçinirdi. Aramızdan da en çok, benim amcalarımdan çobanbaşı Votanoğlu'ya itibar ederlerdi. İsmini bile yazmaktan aciz olan amcam, dünyanın en büyük bilginiydi onların gözünde... Nitekim, günlerden bir gün, Kuyumculu Yusuf deli gibi koşup gelmiş kendisine :

— Aman çobanbaşı, demiş, söyle bana... Bir kara koçla çiftleşen kara koyundan ak bir kuzu doğar mı?

Amcam, kafasını kaşıyıp uzun düşüncelere daldıktan sonra :

— Doğar Yusuf... diye cevap vermiş... pekâlâ doğar. Kara koçun veya ki kara koyunun ruhu akpaksa, çocukları kimi ak, kimi kara doğar...

Aslında, biliyormuş amcam, emrindeki çobanlardan Vuzyo'nun koyunları sulamak için ırmağa her inişinde, Yusuf'un genç karısı Fatma'yla buluştuğunu... Yusuf, amcamın sözlerine iyice kanmamış olsa gerek ki, yeniden sormuş :

— Güzel ama *arkadaş*, nasıl olur da siyah bir şeyin ruhu bembeyaz olur?

— Evet tuhaftır, Yusuf oğlum... demiş amcam. Tuhaf olmasına tuhaftır amma, kitaplarda yazılıdır. Ve kitaplar aldanmaz. Ruhlar, bir vücuttan bir vücuda aktarma ederken, derinin rengini hesaba katmazlarmış. Demek ki nadiren, beyazların ruhunun siyahlara, siyahların ruhunun da beyazlara geçeceği tutuyor...

Yusuf deliye dönmüş sevinçten, sarılıp ellerini öpmüş amcamın :

— Aman arkadaş, demiş, büyük bir cinayet işlemekten kurtardın beni : Karımın gebe kaldığını görünce, Allah bize lütufta bulunuyor diye düşünmüştüm; ama bembeyaz bir oğlan çocuğu doğurduğunu görünce de, aklım başımdan gitti doğrusunu istersen, ne yapacağımı şaşırdım kaldım...

Böylelikle kara koç, ak ruhlu kara koyunun koynuna yollanırken, Vuzyo da köyün ihtiyar heyetinin huzuruna yollanıyor ve bir daha dönmemek üzere memleketi terketmek emrini alıyordu...

III

İzmir'e ilk defa olarak 1910 yılının eylül ayında girdim. Koca kentin ortasında, kendimi tek başıma bulduğum vakit, nasıl korktuğumu dün gibi hatırlıyorum. Ne merhaba diyebileceğim bir kimse vardı, ne de bana hoşgeldin diyebilecek birisi... Kökünden kopmuş bir ağaç gibi duyuyordum kendimi.

İçinde, annemin doldurduğu yedek giysilerle yiyecekler bulunan, at kılından örme zembili bir hana bırakıp, yanında çalışacağım kuru üzüm tüccarını aramaya yollandım. Elimde adres; ayaklarımda, bana bir cehennem azabı veren ilk kunduralarım ve üstümde, ince uzun bacaklarıma çok kısa gelen Avrupaî bir pantalon... ürkek, şaşkın ve beceriksiz, yürüyordum. Gene de gurur duyuyordum bu yeni kılıktan ve ikide bir, parmaklarımın ucuyla fiskeleyerek ayakkabılarımın tozunu almak için durup eğiliyor; bir yandan da, hem nerede bulunduğumu, hem de yoldan geçenlerin bana dikkat edip etmediklerini anlamak amacıyla, etrafa gizli bakışlar atıyordum.

Rıhtıma gelince, her şeyi unuttum. Yepyeni ve dayanılmaz bir tatlılık kapladı içimi. Nereye bakacağımı, ilkin hangi hazzı duyacağımı şaşırmış gitmiştim... Denize mi? Hiç batmadan suyu yarıp giden ufacık *Hamidiye* vapurlarına mı? Kafesli balkonları esrar dolu kocaman mermer binalara mı? Kaldırım döşeli caddede, ahenkli bir gürültüyle uzaklaşan arabalara mı? Atlı tramvaylara mı yoksa? Yoksa hiç çalışmıyormuşçasına bir bayram havası içinde kulüplere ve kahvelere girip çıkan şu neşeli, gürültücü, kaygısız insanlara mı?

Mendireğin üzerinde durmuşum, sokmuşum ellerimi cebime, büyülenmiş gibi kalakalmışım bir an.. Dalgalar kalkıp iniyor, kocaman kaldırım taşlarını yıkıyorlar. Bu ne hoş koku böyle! İskeleleri tutan demir kirişlerin üzerine milyonlarca istiridye yapışmış salkımlar halinde. İngiliz İskele-

29

si, Yeni İskele, Uzun İskele... Kocaman limanın işleyen elleri bunlar : Tahmil tahliye buradan yapılıyor... Buradan gidiyor Anadolu'nun mübarek yemişleri yabancı diyarlara ve yabancıların altını buradan içeri giriyor. «Altın Tiftik hikâyesini bilir misin Manoli?»* O gün cevap vermedim sana öğretmenim, ama şimdi anlıyorum bunu niçin sorduğunu. Bana anlatmış· olduğun bütün o hikâyeler yavaş yavaş gerçeklik kazanıyor. Ve o hikâyelerle birlikte, köy çalgıcısı Hristo' nun İzmir hakkındaki masalları da oynaşıyor işte gözlerimin önünde. Panayırlarda kemençe çalıp türkü söyleyerek anlatırdı o masalları ve çocuk yüreklerimizi derin bir özlem bürürdü : «İzmir'i bir görsem!»

Üzerleri çiviler ve parmaklıklarla süslü, kalın ahşap kapılı galerilerde dolaşıyordum oradan oraya. Akşamları kapıları kapatıyorlar. Bugün galeri delikleri olan bu dehlizlerde bir vakitler şövalyelerle maceracılar yaşarmış. Franklar, Venedikliler, Cenevizliler, Maltalılar... Hristo'nun deyişiyle İzmir' de «karaya oturan» bu üstadlar, Frank-Hangar'ları yapmışlardı. Sayısız taş duvarla payandalanan bu dehlizlerde, hazinelerini gizliyorlardı. İpekliler giyinip, elmaslar takınmış beylerle hanımların ayağı yere değmezdi, derdi Hristo. Kölelerin omuzlarında taşıdığı üzeri örtülü koltuklarda seyahat ederlermiş ve vakit akşamsa bir hizmetkâr. elinde bir fenerle aydınlatırmış yollarını...

Homeros'un, Sponti'nin, Tenekidis'in, Spartalis'in, Anastağa'nın, Rum Kulübü'nün, Alyotisin, Yusufun, Amaltis'indi artık bu galeriler; Avrupalıların olmaktan çıkmıştı.

Rum unsuru, bütün İzmirde olduğu gibi, buraya da damgasını vurmuştu. Herkes Rumca konuşuyordu burada; Türk-

---

* Altın Tiftik (Toison d'or) : Yunan mitologyasında, üvey anneleri İno'dan kaçan Friksos ile Helle'yi havada taşıyan kanatlı ve tanrısal koçun yapağısı. Yolculuğun sonunda Friksos, koçu Zeus'a kurban edip, tiftiği bir dragona muhafaza ettirir. Daha sonra, İolkos Kralı Pelias, tiftiği bulmak için, yeğeni Jason'u gönderir. Ünlü Argonotai seferi böyle başlar... Bugün Altın Tiftik, elde edilmesi güç, sınırsız bir hazine sembolüdür.

lerle Şarklılar, Yahudilerle Ermeniler bile... Ama Avrupalıların mahallesinde, «Comptoir», «Louvre», «Bon Marche», «Paradis des Dames» gibi hiç anlamadığım isimler taşıyan büyük mağazalar vardı. Ve kadın şapkalarına takılan cennetkuşu tüylerinden tutun da mini minnacık iskarpinlere kadar, ne ararsanız buluyordunuz bu mağazalarda!

Oradan doğruca Aya Fotini kilisesine gittim, küçük bir mum yaktım annemin tenbihine uyarak, sonra mermer çan kulesini seyre koyuldum. Yirmi metre yüksekliğinde dört katlı bir kuleydi bu. Üzerinde, Hazreti İsa'yı kuyu başında Sameralı ile konuşurken tasvir eden bir kabartma vardı. Rus grandüklerinin hediyesi olan çanlara baktım ve kubbenin tepesindeki, güneşte pırıl pırıl parıldayan altın yaldızlı haça. *Reaya*nın tesellisi ve desteğiydi bu haç; yüksekliği, Hisar camiinin minaresi üzerindeki hilâlden fazlaydı ve *reaya*nın göğsü kabarıyordu bundan ötürü.

Aya Fotini'nin hemen yanındaki Vaiz Mektebi'ni de gördüm tabii. Bir zamanlar en büyük rüyam, orada okumaktı; öğretmenim Pitagoras Larios da beni teşvik ederdi durmadan. Ve babam, bu yüzden, tersleyip geçmişti bir gün adamcağızı : «Kusura bakma bay öğretmen... demişti. Ben oğlumun tembelin biri olup çıkmasını istemem. Köylüyüz biz, el emeğine ihtiyacımız var..»

Aya Fotini'nin çanı on ikiyi vurduğunda, birden aklım başıma geldi : Ne çabuk öğlen olmuştu! Hemen fırlayıp işe koşmam gerekiyordu aslında. Ama hiç kimseye hesap vermek zorunda olmadığımı düşündüm birden ve delice bir sevinç kapladı içimi. Karıştım pazarı dolduran kalabalığa, yeşilli kırmızılı şerbetler içtim. *«Buz gibi kekik suyu!»* Anamın usulcacık cebime koymuş olduğu kuruşları zevkle savuruyordum. Sonra bir şey tuttu beni : Binbir meşakkatle kazanılmış paranın değerini, köylüden iyi bilen var mıdır? Bir an tartıp kararımı vermiştim : Kir Mihaliki Hacistavri' nin mağazasına yollandım.

✣

İşi başından aşkın bir halde buldum tüccarı. Köylülerin

ürünlerini satmak için dağdan indikleri günler, öğle tatili verilmiyordu. Ardarda tezgâhların sıralandığı ince uzun ambara girer girmez, üzümle incirin keskin tatlı kokusu doldu ciğerlerime. Hacistavri, ambarın ortasında tartının başındaydı. Avluya açılan küçük kapıdan, semer yüklü ırgatlar girip çıkıyordu; develeri, merkepleri, arabaları ve kağnıları avluda bırakıyorlardı. Göğüsleri kıl içinde iki yalınayak hammal, tartının demir kolunu omuzlarına almış kaldırmaktaydılar. Yuvarlak karınlı, çifte gerdanlı, kırmızı parlak yanaklı bir adam olan Hacistavri, okkaların sayısını haykırıyordu oturaklı bir sesle. Kurnazlık taşan gözleri velfecr okuyordu. Vücuduna oranla ipince kalan elleri ve ayaklarıyla, daha çok bir kurbağaya benziyordu. Hareketlerinden, çevikliğinden, tavırlarından, onun da bu işe çırak olarak başladığı belliydi. Sonradan öğrendiğime göre, gerçekten de öyle olmuştu; çıraklıktan başlamış, ama eline geçen fırsatları iyi kullanarak Selim Bey'in ortağı durumuna gelmişti. İkisi elele, herkesin gıpta ettiği bir düzen kurmuşlardı : Yüreklerini boşaltıp, keselerini doldurmaktaydılar.

Kir Mihaliki'ye kim olduğumu, nereden geldiğimi söyledikten sonra, köy ihtiyarlarının tavsiye mektubunu tutuşturdum eline. Müthiş kabardı mektubu okuyunca, ileri gelenler tarafından itibar görmek hoşuna gidiyordu. İçimi okumak istercesine uzun uzun baktı bana :

— Evet... dedi. Biliyorum, başkaları da senden söz etmişlerdi. Türkçe konuşman iyi. Seni işe alıyorum. Yarın sabah erkenden gel de bir deneyelim, ücretini sonra konuşuruz.

Dışarı çıkınca, sevinçten zıp zıp zıpladığımı hatırlıyorum. Artık adam olmuş görüyordum kendimi. Ve artık, hayatımın ilk —ve tek— serbest gününün keyfini çıkarabilirdim.

Pazar yerlerinde ve dar sokaklarda dolaştım durdum akşama kadar. Havagazı lambalarını yakıyordu işçiler; arabalar içinde süslü hanımlar geçiyordu; kulüplere, gece davetlerine, «avansupe»lere gidiyor olmalıydılar. Açık giyinmiş genç kızlar, neşe içinde, delikanlılara gülücükler dağıtarak geziniyor; elele çiftler çiçek satın alıyordu. Müzik çalınıyordu kahvelerde; genç İstanbullular şarkılar söylüyor ve garsonlar, sürahi ve meze yüklü tepsilerin altında yalpalayarak oradan oraya seğirtiyorlardı. Rakı, salatalık, kızarmış et ve deniz ürünü kokmaktaydı rıhtım. Herkes bir şeyler kemirmekteydi: Çekirdek, leblebi, taze badem. Dondurma, tatlı, elma şekeri satıcılarından geçilmiyordu.

Uzak mahallelerdeki evler bile tıklım tıklım doluydu; kapı önlerine oturmuştu aileler. Daha yeni tanıyordum İzmir'i ama, on altı yılımın on altısını da bu şehirde yaşamış gibiydim. Deli gibi oradan oraya dönüp durdum yatağımda, İzmir'e aşk ilân ettim :

— Canım İzmir! Nasıl da güzelsin bilsen, nasıl da güzelsin!.

Biliyordum ki, hakarete uğrayıp dayak yemeden, canımın istediği kadar hayal kurabilirdim burada...

Ertesi sabah şafak sökerken koştum işe. Mihalaki Hacistavri, benden de erkenciydi. İşçilerinden önce gelmiş, mağazayı açıyordu.

— Uyuşuk bir çocuğa benzemezsin... dedi. Seni yanıma, teraziye alacağım.

Daha geceden gelip mağazanın önünde konaklamış Türk köylüleri vardı. Uzun yolculuktan iyice sersemlemiş olarak, ürkek ürkek giriyorlardı içeri ve patron tarafından büyük dostluk gösterileriyle karşılanıyorlardı. Böyle günlerde özel bir kahveci kiralıyordu patron. Hoşgeldin deyip, hal hatır sorduktan, kahve ikram ettikten sonra, çuvalları açıyor, üzümün kalitesini muayene ediyordu. Sonra da başlıyordu satışların kötülüğünden şikâyet edip tüccarın omuzlarına çöken masrafın ağırlığından dem vurmaya :

— Ah, ah arkadaşlar! derdi hep... Eğer sizi düşünmemiş olsam, dükkânı çoktan kapatmam gerekirdi. Tek kuruş kazanamadığım bir yana, derdi yanıma kâr kalıyor bu işin!

Ve zavallı köylüler de «ah» çekip şaşkınlık içinde dinlerlerdi. İşte o vakit pazarlığa girerdi patron. Değerin iyice altında bir fiyat verir, aldığı tepkiye göre de metelik metelik yükselmeye başlardı.

— Kuzum Mihalaki efendi... diye yalvardı köylüler... Gel sen birkaç kuruş daha ilâve et şuna... Gündüz gece anamız gevriyor, bilmez değilsin. Allah senden razı gelsin, hadi!.

Çok geçmeden, patronun imansızın biri olduğunu anlamış bulunuyordum. Tartıya çuvalı astığı vakit, gözlerini köylünün gözlerinin içine dikip :

— Doksan beeeşşş! diye haykırıyordu.

Oysa terazi, yüz onu göstermekteydi!

«Herhalde yanlışlığa geldi...» demiştim ilk defasında ve tam uyarmaya hazırlanıyordum ki, bakışı, beni tuttu... Aynı şey ikinci köylüye de tekrarlanmıştı : El terazide, gözler adamın yüzünde geziniyor ve okkaların sayısı azaldıkça azalıyordu... Bir an geldi tutamadım kendimi; tartıda bir bozukluk olup olmadığını, niçin köylülerin gözünün içine baktıktan sonra yanlış bir rakam söylediğini sordum...

— Farkına varıp varmadıklarını anlamak amacıyla bakıyorum gözlerinin içine... dedi. Çoğu ayakta uyuyor, sıfır okka desem kabul edecek haldeler!

Pek memnun görünüyordu hilesinden, bense neredeyse kusacaktım... Farkına varmış olmalı ki, hemen kendini haklı çıkarmaya girişti :

— Ticaret yapan adamın kafası sağlam olmalı, kafan sağlam değil mi, halin dumandır! Bak, bizim köylülerimize nasıl açıkgözdürler... Elindeyse bir Rum köylüsünü uyut bakayım! Kölelik insanı uyuşukluktan kurtarıp kurnaz hale getirir... Türk Devletinin beni soyup soğana çevirmesi yanında, benim bu avanaklardan çaldığım birkaç okka nedir ki? Ortağım Selim Efendi'yi gördün mü hiç? Görmedin değil mi? Ömrün boyunca da göremezsin her halde. Ama aynı Selim Efendi her ay başında kazancımın yarısını söküp alır elimden...

Ne kendi kişiliği, ne de ticaretin aslı hakkındaki fikrimi değiştiremezdi bu sözler : Köylünün nasıl çile çektiğini biliyorum çünkü ben ve yüreğim ondan kanıyordu.

Biçare bir Türk köylüsü çıkıp geldi mağazaya günün birinde, bütün çoluk çocuğu arkasındaydı. Urla'dan geliyordu, yırtık pırtık içindeydi, kundura yerine keçe sarmıştı ayaklarına, ermişler gibi çöküktü yanakları, ağzında diş kalmamıştı. Yirmi çuval kuru üzüm getirmiş, sabırla sırasının gelmesini beklemekteydi. Nice emek verip uğrunda çile çektiği bal rengi üzümünü okşuyordu durmadan nasırlı kuru elleriyle :

— Hey benim sarı kızım! diyordu türkü söyler gibi. Nazlım benim, kehribarım! Ciğerimi söktün ama değdi doğrusu... Önümüzdeki yıla da kısmet böyle olur inşallah!

Kir Mihalaki ürünü tartmaya başladığı an, köylünün oğlu çıkageldi soluk soluğa; omzunda kırk okkalık bir çuval vardı. Gözleri parlamıştı adamın :

— Şu çuvalı da ekleyelim Mihalaki efendi... dedi. Allah bağışlasın, altın yürekli bir oğlum vardır benim. Çoluk çocuk kışın yesinler diye bir çuval üzüm vermiştim kendisine; amcasından borçlandığımı işitince koşup getirmiş bak!

Fedakâr evlâdı hararetle övdü Mihalaki; ama kırk okkayı da iç etmekten geri kalmadı: Tartının ölçmeyen koluna asmıştı son çuvalı!

Hacistavri misali dolandırıcılıklara tenezzül etmeyecek kadar büyük tüccarlar tanıdım sonraları; ama onlar da, üzümün ne demek olduğunu bilmiyorlardı. Çekmemişlerdi çilesini; asmaların daldırmasından, aşılamadan, budamadan, kükürtlemeden, filokseradan haberleri bile yoktu. Koruk suyu olgunlaşıncaya, bağbozumuyla birlikte salkımlar söğüt sepetlere konup tahtalar üzerine serilerek kurutuluncaya kadar çekilen cefa! Küçücük bir bulut belirdiğinde yürekleri boğan yağmur korkusu! Sonra ayıklamanın harmanlamanın getirdiği yeni endişeler : Teker teker seçmek iyi taneleri, susuzları ayırmak, çöpleri ayıklayıp atmak ve rüzgârda çürümesin diye, hasırlarla çuvallarla örtmek üzümü... Emek vermemişlerdi ki bilsinler!

Bir hafta sonra ücretimi almaya gittiğimde :

— Beni başka bir işe ver patron... dedim Mihalaki Hacistavri'ye. Tartı işi bana göre değil, seni mahçup etmekten korkarım...

Anladı hemen... Dönüp şöyle bir baktı bana; gözlerinde hem şaşkınlık, hem de hakir gören bir eda vardı :

— Yazık... dedi. Ben de seni akıllı bir şey sanmıştım!

Eğdim başımı önüme, küfretmemek için dişlerimi sıktım ki, neredeyse ufalayacağım :

— Elden ne gelir Kir Mihalaki... diye holmurdandım. Üzümleri tarttığın gibi tartmışın beni de!

Ertesi gün yeni bir iş peşinde İzmir sokaklarını arşınlıyordum. Ekimle kasım, incir aylarıydı; Zahari'nin ambarında biraz para kazanmak böylece mümkün oldu. Usta eller isteyen bir işti bu; yalnız Rumlara emanet ediliyordu birinci kalite yemişler. Türkler, bizden ayrı, düşük evsaflı incirlerle uğraşıyorlardı. Memleketin en iyi incirini, Avrupa ve Amerika'ya ihraç edilmek üzere küçük sandıklara yerleştirmekle görevliydik. *Lokum* gibi, dört köşe bir incirdi bu... Ve ırgatbaşları, üst sıralarla alt sıraların aynı cinsten olması için, başımızda zebani gibi dikiliyorlardı.

Aydın'dan ilk incirleri getiren trenler, defne ve mersin dallarıyla süslü olurdu hep. Tren, Funda istasyonuna girince askerler selâma durur ve kuru sıkı ateş ederlerdi. Yeni incir şerefine yeni sikke keserdi hükümet : Yeni sekiz kuruşluklar ve gıcır gıcır *mecidiyeler* kaplardı piyasayı... Coşkunluk içinde, sevinçle çalışıyordum ben de... Yanımda çalışan işçi :

— Hey delikanlı! Yavaş git bakalım biraz... dedi bir gün.

Gonya idi ismi; bazan yemiş bahçelerinde çalışırdı; Tabakhane panayırlarında cambazlık yaptığı veya marangozluğa özendiği de olurdu zaman zaman...

— Şöyle bir sigara yak bakalım sen de yumurcak! diye ekledi sonra. Bu gidişle yarına kadar elde incir kalmayacak; seninle birlikte bizi de atacaklar sokağa!

Bir ay sonra anladım ne demek istediğini Gonya'nın : İş bitmiş, mevsim işçilerine yol verilmişti; o sokak senin, bu sokak benim dolanmaktaydım.

Karanlık bir dönem oldu bu. Bir çörekçinin yanında çalıştım önce; kılı kırk yaran cinsinden tedirgin bir adamdı. Sonra bir meyhaneye girdim; başka bir Hacistavri idi bunun da sahibi. Bir fırıncıya çıraklık ettim ardından, epeyce dayak yedim. Bunu bir tabakhane izledi, neşter darbeleriyle morardı parmaklarım. En son olarak da Kervan Köprüsün'deki bir nalbant dükkânında buldum kendimi...

Ve ben bunca sevdiğim bu şehrin, kapılarını yoksullara ardına kadar açtığını sanmıştım. Sanmıştım ki, lütfuna ermek için, körebe oynar gibi, gözlerini kapayıp elini uzatmak yeter...

Altı ay böylece geçti. Nihayet Yanakos Luludiyas'ın hanında hem dolgun bir ücret buldum, hem karnım doydu, hem de sırtım rahat bir yatak yüzü gördü. Türklerin «zalim köpek» adını taktığı eski bir kaçakçıydı Yanakos. Bu lâkabın sebebini de bir türlü anlayamıyordum. Benim gözümde mükemmel bir adamdı çünkü; cimrilik nedir bilmez, parayı kazandığı kadar kolayca harcardı. Yoksulların ve acizlerin her derdine ilkin o koşar, katiyen de böbürlenmezdi .. Genç yaşında ölmüş olan karısına verdiği söze uygun şekilde, her cumartesi akşamı, peynir, et, yumurta, tatlı dolu bir sepet yollardı muhtaç komşulardan birine ve bu ikramın gizli kalmasını da şart koşardı...

Uzun boylu, az çok gürbüz bir adamdı. Yumuk gözlerinin üzerindeki kalın kaşları, kaytan bıyıklarının bir yankısı gibiydi. Kruvaze bir yelek giyerdi daima, başına da kalın ipek püsküllü bir fes takardı. Bazan önüne doğru sarkıtırdı püskülü. Bu, hiç kimse yanına yaklaşmasın demekti; canından çok sevdiği beş kızı bile... Ölmüş babasının armağanı olan, uzun kırmızı bir hançer asılıydı belinde ve «zalim köpek» isminin sebebi bu hançerdi. Hançeriyle bir alay Türk hakladığı söylenirdi Yanakos'un; bundan gurur duyardı. Kızlarını büyüten bekâr kızkardeşi Margisa'ya göre, Yanakos'un adam öldürmesi zalimliğinden değil, Hazreti İsa'ya duyduğu bağlılıktandı. «Hiç bir Hıristiyanın kılına. dokunmamıştır... diyordu Margisa. Ve her Türk öldürüşünde Aya Vasil'e gidip koskoca bir şamdan yakar, diz çöküp dua eder. «Tanrım, bu mel'unlar günah işlemekten bıkıp usanmıyor bir türlü... der. Ateş yağdır başlarına, kahret onları."»

Luludiyas, cüretkârlıkta; her akşam bir zaptiye veya jandarma öldürüp, ertesi sabah erkenden Bella Vista'ya giderek kılına bile dokunamayan resmi memurların göz önünde bıyıklarını bura bura kahve içen, İzmir'in ünlü kabadayısı Stelyos Tirlalas'ı aşmıştı.

Yanakos dayının gözünde kaçakçılık, yurtseverliğin bir parçasıydı. Bunun için de, adamlarının gizlice getirdiği kayıklar dolusu kaçak tütünü, rahatça boşaltabilmek uğruna, İzmir rıhtımlarındaki gümrük memurlarını atlatmaktan ve hattâ sırası düşerse haklamaktan çekinmezdi katiyen.

Mağdur durumda kalan Hıristiyanlar, kendilerini İngiliz Adası'na, Sisam'a, Sakız'a, Midilli'ye ya da Oniki Ada'ya kaçırması için hep ona başvururlardı. Büyük meblâğlar isterdi servet sahiplerinden; ama yoksullar için, tek kuruş almadan denizin ortasında boğulmayı bile göze alırdı. Ve Luludiyas'ın himayesini sağlayan kimse, Türk zaptiyesinin eline düşmemekten artık emindi.

Her başarıdan sonra büyük bir ziyafet çekerdi Luludiyas : Yüksek orospu takımıyla çalgıcılar dolardı hana. Gazinoların gözde yıldızı şarkıcı Katina, Türk kemancı Memetakis ve santur üstadı Yanovakis, bunların başında gelirdi. Günlerce sürerdi âlem; Yanakos her gün yosma değiştirirdi. Ayıldığı vakit, kadınlarla çalgıcılar toz olurdu ortadan. Cepleri altın liralarla dolu giderlerdi tabii. Ve o vakit, Margisa ile hizmetçiler dönerdi hana; beş küçük kız Annetula halanın evinden alınıp getirilir, odalar buhurdanlanır, Aya Yani'ye dualar edilip dört bir taraf afsunlanırdı.

Bu arada Yanakos, karısının hep kilitli duran odasına kapanır, yirmi dört saat çıkmazdı. Kimse bilmiyordu odada ne yaptığını. Bazılarına göre uyuyordu; bazılarına göre de dua ediyor, hovardalıklarını bağışlaması için yalvarıyordu karısının ruhuna... Ölümünden bu yana on iki yıl geçmiş olduğu halde, Pari, handa yaşamaya devam ediyordu sanki; hâlâ yuvada ve Yanakos'un kalbinde saltanat sürmekteydi. Margisa bile, «Parisa'mız» derdi hep; sonra ürpererek ekledi : «Parimiz yaşasaydı Yanakos kaçakçı değil, piskopos olacaktı.»

Luludiyas'ın hanında tanıdıklarımı imkânı yok unutmam! Hele bunlar arasında bir şarkıcı Ogdontaki vardı ki, rüyalarıma girerdi hep... Uzun boylu kupkuru bir delikanlıydı bu. Genç kızları andıran kadife gibi bir teni vardı; anlamlı gözleri ve tatlı sesiyle en yırtıcı hayvanları bile munisleştirebilirdi. Luludiyas'ın ısrarı üzerine başlardı şarkı söylemeye. Şarkıdan çok bir âyine benzerdi bu : Dua eder gibi gözlerini yumar da dinlerdiniz. Sapsarı kesilirdi Yanakos; öylesine sıkardı ki kadehi avucunda, nihayet kırardı. Ve durmadan kesesine atardı elini, her seferinde bir altın lira çekip şarkıcının alnına yapıştırır :

— Seni Allah saklasın Ogdontaki! derdi. Anadolu bülbülü, seni Allah saklasın!.

Günün birinde Türkler, Ogdontaki'yi tutuklayıp hapse attılar : Bir hanım kendisine âşık olmuş, bizimki de yüz vermemişti; bunun üzerine hanım, casus diye ihbar etmişti Ogdontaki'yi!

Haber gelince perişan oldu Luludiyas :

— Ya ben de zindanı boylarım, ya da en geç yarından sonra Ogdontaki, İngiliz Adası'na geçmiş olacak!. diye haykırdı.

Ama iş o kadar kolay değildi. Günler geçti, aradan, elimizden hiç bir şey gelmiyordu. Nihayet bir gün şarkıcının, yargılanmaksızın ölüme mahkûm edildiğini ve yakında asılacağını öğrendik...

İnfaz günü sabahleyin şafakta hanın kapısı açılıp da Ogdontaki içeri dalınca nasıl şaşırdığımızı, bir türlü unutmam! Cehennemin kapısından geri dönmüşçesine bembeyazdı yüzü ve deli gibi atıldı Luludiyas'ın boynuna. Sevinç çığlıkları içinde ağlaşmaya koyulmuştu kadınlar:

— Ermişler kurtardı seni! Ermişler yetişti imdadına!.

— Bir saat önce serbest bıraktılar... dedi bir solukta.

Sonra bitkin bir halde bir iskemleye bıraktı kendini. Luludiyas, iki bardak rakıyı arka arkaya dikmişti. Gözlerini elinin tersiyle kuruladıktan sonra Ogdontaki'nin kadehini doldurdu:

— Nasıl oldu bu iş anlat.

— Dün ikindi üzeri gardiyan Memedi geldi hücreme. Elindeki tepside biraz yemek, biraz da rakı vardı. Utanır gibi bir edayla: «Bak arkadaş dedi. Ne olur bana kızma, kötü bir haber getiriyorum diye... Yarın sabah gün doğarken asacaklar seni!» Sırtım ürperdi birden, ama renk vermedim. Belki de beni sınamak istiyor, diye düşündüm içimden, şakaya vurdum işi: «İnsan hayattan bıkmaz Memedi... dedim. Ama ölüm de insanlara mahsus bir iş. Üstelik, bir Türk'ün elinden ölen Hıristiyan ermiş olup, dosdoğru cennete gidiyor...» Demesine böyle dedim amma, tek başıma kaldığım vakit öyle bir keder kapladı ki içimi, sormayın! Dayandım rakıya, dayandıkça açıldım, başladım hafiften bir şarkıya. Aynı anda avluya Süleyman Paşa girmiş, tesadüfe bakın siz... Benim hücrenin altında durup şöyle bir dinlemiş, sonra da: «Vay vay vay! demiş... Kim bu yahu?» Süleyman Paşa dediğin, hapishaneler müdürü. Hem de başmüdür ki, astığı astık, kestiği kestik oluyor! Yakapaça götürdüler beni karşısına. «Bu kadar güzel şarkı söylemeyi nerede öğrendin, pis gavur?» dedi «Şarkı benim ruhumdur Paşam... dedim. Öbür dünyaya uçmadan önce bıraktım şöyle bir konuşsun, veda etsin bu dünyaya...» Güldü: «Otur oğlum şuraya... dedi. Otur da bana şarkı söyle, söyle de dinleyim...» Ben söyledikçe canavar yumuşadı. «Hey Ogdon-

40

taki! dedim kendi kendime. Ölüme külâhını ters giydireceğiz galiba!» Ve de öyle olmaz mı! Bizim Paşa kurtken kuzu kesilmiştıi : «Böyle bir sesin kaybolup gitmesi günah... dedi. Seni bağışlayacağım, merak etme. Yarın bir ziyafet veriyorum, gelir orada şarkı söylersin. Gerisini bana bırak.» Bileğimde kelepçeyle götürdüler evine. Bir alay paşayla bey vardı, büyük salonda oturmuş yiyip içmekteler. Başladım orada şarkı söylemeye... Ama ne güzel söyledim, bir bilseniz kardeşler!. Sonunda yaveri gelip çözdü bileklerimi. *«Git! Git!»* dedi. Kulaklarıma inanamadım önce. Gitmek mi? Ya arkamdan ateş edip devirecek olursa?. Korktuğumu anlayan yaver, kolumdan yakalayıp kapıya kadar getirdi beni. «Hadi Ogdontaki! dedi. Bir an önce uzaklaş buradan... Ve eğer yaşamak istiyorsan, canın gerçekten tatlıysa, bir süre ortalıkta gözükme... Paşa böyle söylüyor..»

Hemen o akşam Luludiyas, Sisam'a yolladı Ogdontaki'yi. Ama, Süleyman Paşa'nın aklını başından alan şarkıyı, ertesi gün bütün İzmir öğrenmiş, hep bir ağızdan söylemekteydi :

Aman Memo
Şekerim Memo
Cilveli Memo...

IV

Babamdan gelen kısa, fakat sert bir mektup, handan ayrılmama yol açtı :

«Mektubumu alır almaz Luludiyas'ın yanından ayrılacaksın. Ben seni İzmir'e kaçakçılık ya da sahte yiğitlik öğrenesin diye göndermedim. Tüccar Şeytanoğlu ile anlaştım, onun yanında çalışacaksın...»

Bu değişiklik hoşuma gitmedi değil aslında : Zaten ayrılmayı kafama koymuştum. Homeros Şeytanoğlu ile çocukları benim için yeni bir şeydi üstelik. Büyük tecrübe sahibi, tanınmış tüccarlardı. Mihalaki Hacistavri cinsinden adamlara benzemiyorlardı. Müşterileri, bütün Doğu'nun zenginliğini elinde tutan yüksek şahıslardı hep...

Karantina'da mermerden yapılmış hakiki bir sarayda oturuyorlardı. Palmiyeler, gecesefaları, nar ve limon ağaçlarıyla çevriliydi köşk. Ayrıca, bahçede çiçek dolu tarhlar, bir tenis kortu, bir ahır, bir sunî gölcük ve Şeytanoğlu'nun çocuklarıyla karılarının dinlenmesi için bir çam ormanı vardı. Köşkün birinci katında oturma ve çalışma odalarıyla muazzam bir kütüphane ve uçsuz bucaksız bir yemek salonu yer almıştı. Öyle ki, içerde yüz kişi hora tepse, saray gene de bomboşmuş gibi bir duygu uyandırıyordu insanda! Baştanbaşa ceviz kaplama duvarlarda en pahalı halılar ve altın yaldızlı çerçeveler içinde asık ya da güler yüzlü ata resimleri asılıydı...

Şeytanoğlu, bir ziyafet ya da bir briç partisi verdiği günler, hizmetçilere yardım edeyim diye beni de eve yollardı. İlk defa olarak içeri girdiğimde şaşkınlıktan donup kalmıştım.

— Bu gördüğün daha bir şey değil! demişti hizmetçiler.

Trenler gibi uzun masaların üzeri, yemek takımlarıyla doluydu; işlemeli keten örtüler ve o güne dek hiç görmediğim yemeklerle yüklü çini tabaklar. Siyah havyar, balık yumurtası, jambon, çeşit çeşit turşular, tavuk ve hindi dolmaları, kızarmış kuzu etleri, istiridyeler, çağanozlar, istakozlar, mayonezli balık etleri ve bembeyaz dilim dilim ekmekler... Acayip içki şişeleri vardı: Mantarları patlayarak açılıyor ve bol köpüklü sarı bir içki taşıyordu içlerinden. Kristal kadehler parlıyordu.

Fraklı ve silindir şapkalı adamlar iniyordu bahçeye àrdarda sıralanan arabalardan; çoğunda kelebek gözlük vardı. Yabancı konsolosların yanı sıra bankacılar, tacirler, büyük toprak ağaları, mirasyediler, doktorlar, avukatlar, gazeteciler, hattâ iki piskopos vardı gelenler arasında... Ve bir alay da kadın : Taze, dolgun, işveli. İpekliler içindeydi hepsi; saçları, gerdanları, parmakları elmas yüklüydü. Geçtikleri yerlere, ilkbaharın bütün çiçekleri bir araya gelse çıkacak kokudan daha da bol, daha da baş döndürücü bir koku saçıyorlardı...

İş biter bitmez dinlenmek için mutfağa koştum. Orada, patronun arabacısı Yakumi amcaya rastlayınca, büyük bir sevinç duydum. Takkesini kaşlarını üzerine yıkıp oturmuş, içki yudumluyordu. İki arkadaş gibi olduğumuzdan, hemen yanına ilişip sordum :

— Demek patronlar hep böyle yaşıyor Yakumi amca? Peki ama bu kadar çok masrafın altından nasıl kalkıyor bunlar?

— Tasalandığı şeye de bak şunun! dedi. Patronların korkacağı bir şey mi var sanıyorsun Manoli?. Bu akşam burada bir el değişimlik kâğıda, incir yüklü koca koca vapurlar, pamuk, deri, tütün balyalarıyla dolu vagonlar satılacak. Sen kendi derdine yan oğlum! Onların dağları var; köyleri, madenleri, fabrikaları var onların... Ve devlet umurlarında bile değildir! Parayla ifsat ederler memurları, rezaletlerine göz yumulsun diye... Paşa beşlik banknotlarını okşar, zaptiye mecidiyelerini, Türkiye'nin kısmetine de mışıl mışıl uyumak düşer ay oğlum... İyi rüyalar, zavallı memleket!.

Bir an sustuktan sonra homurdanarak ekledi :

— Bizim asıl düşmanımız Levantenlerdir; bir de, Türkiye'nin kanını kaynağından emen Avrupalı sülükler... Tâ nerelerden gelip çöktüler bağrımıza, yapışıp geçirdiler dişlerini rahatça... Bit bunlar bit, Allah belâlarını versin! Ve göreceksin, felâket Türklerden değil, bize onlardan gelecek...

Bir sigara yuvarladı Yakumi, bir dikişte bitirdi rakısını, biraz daha istedi hizmetçilerden. İçi içine sığmıyordu, belli.

— Bakalım halimiz ne olacak.. dedi homurdanarak.

— Neye Yakumi amca? Bir şey mi çıkacak diyorsun?.

— Bir şey çıkacak tabii bu gidişle. Belki de... kan çıkacak!

Bir dinleyen olup olmadığını anlamak için döndü, güven getirdikten sonra beni kendisine doğru çekip, içki ve tütün kokan soluğuyla boğarcasına :

— Bu akşam:... dedi... burada çok önemli şeyler konuşuluyor. Yunanistan ayaklanmış diyorlar, herkes silâha sarılmış... Hürriyet nizamı geliyormuş! Ve benim aslan oğlum, anavatanda hürriyet demek... Allahın da yardımıyla, burada bizler için esaret demektir. Şimdi anlıyor musun?

Gerçekten de, 1912 Balkan Harbi patlak vermekte gecikmemişti... Jön-Türkler kaynıyordu. Dervişler, beyler, Yunanistan'dan sürülmüş mülteciler, köşe bucak dolaşarak halkı bizlere karşı kışkırtmaya koyulmuşlardı.

İki ağabeyim, Panago ile Mihal, Türkler tarafından askere alındı. Ama Mihal kaçmayı başarıp Yunanistan'a geçmiş ve Yunan ordusuna iltihak etmişti... «Mukaddes bir iş yaptı!» diye kesip attı babam. Köyle bütün papazlar, öğretmenler, ihtiyarlar, onu örnek diye gösteriyorlardı.

Reayada yüzlerce yıllık kurtuluş özlemleri uyandıkça, Jön-Türk hareketi de gelişmekteydi. Bir zamanlar Girit için bağırdıklarını şimdi Makedonya için bağırıyorlardı :

— Bizim Makedonya!

Ve bu mesele onlar kadar bizleri de ilgilendirmekteydi... Jön-Türkler : «Uyan ey uyuşuk ahali!» diyordu halka; ama «uyuşuk», ha deyince uyanmıyordu, dürtüklemek gerekiyordu onu; dürtükleme görevini de, Hıristiyanların mağdur edilmesi ve hattâ katledilmesi görmekteydi.

Şeytanoğlu'nun oğlu Tino, tam bu sıralarda döndü Orta Doğu gezisinden :

— Sana kötü haberler getiriyorum baba... dedi. Türklerde borca sadakat diye bir şey kalmadı. Bir alay Alman, İtalyan, Fransız ajanı, durmadan kafaları karıştırmakla meşgul! Beyrut'ta Nuri Bey'e rastladım, bütün Orta Doğu'da dağıtılan bir broşür verdi bana. Oku bak..

Yaşlı tüccar, siyah bir şeridin ucunda sallanan altın çerçeveli gözlüklerini vakarla taktı gözüne. Daha ilk satırdan itibaren dudak büküp, favorileriyle kısa düzgün sakalını sinirli bir şekilde okşamaya koyuldu. Broşür şöyle diyordu :

«Eğer biz Türkler açsak ve ıstırap çekiyorsak, bunun bütün sebebi, servetlerimizi ve ticaretimizi ellerinde tutan gâvurlardır!. Bunların istismarına ve küstahlığına daha ne kadar zaman göz yumacağız? Gâvur mallarını satın almayın. Onlarla her türlü ilişkiyi kesin... Ne ihtiyacınız var dostluklarına? Onlarla sözümona kardeşçe geçinmek size ne kazandırıyor? Siz samimî olarak onlara sevgi ve servetlerinizi ikram ediyorsunuz ama onlar...»

— Bu alçaklık ve yalan dolu vesikayı bütün Orta Doğu'da dağıtan kim, biliyor musun baba?

— Jön Türkler tabii. Başka kim olur?

— Boşuna yorma kendini, Jön Türkler değil : *Deutsche Palestine Bank* dağıtıyor. Evet evet, Filistin Alman Bankası! Şimdi anladın mı durumu?.

Tilki gözlerini şöyle bir yumdu ihtiyar Şeytanoğlu, uzun süre sessizce düşündü. İşini bilen bir tüccar olarak, yabancı sermayenin Türkiye'de tek başına at oynatabilmek için hasmını bertaraf etmeye giriştiğini anlamış bulunuyordu...

— İsviçre ve Fransa'daki ihtiyatlarımızı artırmak lâzım... dedi. Allah kusurumu affetsin ama, korkarım, kötü günler bekliyor bizi! Bizim bildiğimiz Türkiye olmaktan çıktı bu memleket...

Doğruydu. Ama bir halkın yanında kardeşçe yaşamış olan bir başka halkın değişebilmesi için, büyük bir kin birikimine ihtiyaç vardır. Nitekim, propagandanın zehrinden uzakta yaşayan Türkler, daha yıllar boyunca, bizlere kardeş muamelesi yapmakta devam edeceklerdi..

Tina Şeytanoğlu'nun dönüşünden bir ay sonra, babası onu, mirasçı bırakmadan ölen bir amcasının sabun fabrikasını işletmek üzere görevlendirdi. Tino, yeni işinde yardımcı olmam için beni de götürmüştü yanında.

Bir sabah bir Türk girdi içeri. Hafifçe eğilip Türk usulü, elini göğsüne, ağzına ve alnına götürmek suretiyle selâm verdikten sonra :

— Ben Bursalı İsmail Ağa'yım... dedi. Yorgaki Efendi nerede?

— Öbür dünyada... cevabını verdi patronum.

— Öldü mü? Ne diyorsun! Vah vah!. Yerine kim bakıyor peki?

— Ben bakıyorum *efendim*. Emriniz?

— Ödemek için geldim... dedi Türk

— Neyi ödemek için İsmail Ağa?

— Eski bir borcum vardı da onu. Şimdi biraz para geçti elime, geciktiğim için özür dilerim...

Aramaya koyulmuştu patron, sonunda yorulup :

— Defterlerin hiç birinde borçlu gözükmüyorsun ağam... dedi. Merhum, senin ismini silmiş olmalı...

— İyice ara *oğlum*, gözlerini dört aç da ara. Lâf bolluğuna kapılma hemen. İntizamlı bir adamdı Yorgaki Efendi... Üstelik ufak bir meblâğ değildi benim borcum, mutlaka bulacaksın.

Şeytanoğlu, elinin altındaki bütün çekmeceleri karıştırıyor, dosya ve defterleri yokluyor ama bulamıyordu.

— Bir de aşağıdaki ambarda eski defterler var... dedi sonunda. Yarına kadar müsaade et de bakayım...

Ertesi gün, Türk gene karşımızdaydı.

— Buldun mu? diye sordu. İşini kolaylaştırmak için ben sana kendi defterimi getirip geldim işte...

— Lüzum yok İsmail Ağa, buldum. İşte...

— *Aferin!* Tastamam yazılmış, gördün mü!..

Geni deri kuşağından bir kese çıkarıp çözdü, ipini havada raksettirerek, bir avuç altın lirayla mecidiyeler çekti içinden, mermer tezgâhın üzerine atıp saymaya koyuldu :

— *Bir, iki...*

Borcu kapanmış olduğu halde saymaya devam ediyordu Türk.

— Ne yapıyorsun! dedi patron. Al bu paraları, fazla bunlar...

— Bunlar faizi... Para dediğin yumurtlar. Bence borcumu vaktinde ödemedim. Nankör olmadığım gibi, namussuz da değilim...

Sadece İsmail Ağa değildi böyle davranan. Aslında Türkler de bizim dostluğumuza muhtáçtı. İki halk, aynı toprak üzerinde bir arada doğup büyümüştük ve yüreğimize sorarsanız, ne onlar nefret ediyordu bizden, ne de biz onlardan nefret ediyorduk...

Tam bu sırada İzmir'e babam geldi. Yüz yirmi altın Türk lirasına sattı ürününü.

Kış ihtiyaçlarını alıp tamamladıktan sonra bir sinemaya götürmek istedim onu. «Pathê» sinemasının önünden geçiyorduk ve birden gelmişti fikir. Girip hemen iki bilet aldım :

— Biraz eğlenmeyi hakettin baba. Gel buraya girelim...

— Neresi burası? Tiyatro mu?

— Gel de görürsün. Gel hele!

— Olmaz öyle şey! diye homurdandı, utançtan kıpkırmızı kesilerek. Yirmi yıldır İzmir'e iner dururum, tiyatro denen yere adım atmadım daha... Kendi girmediğim yere çocuğum mu sokacak beni!

Bütün namuslu ailelerin, bu seyre bayıldıklarını kendisine anlatıncaya kadar akla karayı seçtim... Sonunda girdi tabii ve çıktığımızda büyülenmiş gibiydi :

— Önümüzdeki yıla Allah kısmet eder de sıhhatte olursak, anneni getirip bu harikayı ona da göstereceğim...

Gösteremedi zavallı. Birden çullandı hastalık üzerine ve tam yetmiş yaşında bir tek çürük dişi, bir tek ağarmış kılı bulunmayan bu sapasağlam vücudu devirdi geçti. Ölümü kedere boğdu beni : Çocuk, ölmüşlerinin sadece iyi yanını hatırlar. Kaldı ki, son günlerinde ihtiyar Aksiyoti, alışılmadık derecede iyi davranıyordu herkese... Hattâ bir gün, geçmişteki sertliğini mazur göstermeye bile girişti : İlk defa olarak, babasının kendisine, çocukken neler çektirdiğini anlattı bize; anası, o daha küçükken ölmüştü ve üvey anasının zulmü yüzünden sekiz yaşında evi terketmek zorunda kalmıştı...

Başlarımız önümüzde, hiç konuşmadan dinliyorduk; bu sessizliğin hangi anlama geldiğini anlamış olmalı ki :

— Babamın kötü taraflarını almış olmak istemezdim... diye devam etti. Ama kötü yanları öylesine çoktu ki! Bendeki iyi yanları almanızı isterim çocuklarım; kötü yanları bırakın mezara götüreyim... Allahı sevin ve annenizi... Resmî makamlarla dalaşmaktan sakının. Paraya değer verin; çünkü yoksullar bugün hor görülmekte... Buna karşılık, para için ruhunuzu şeytana teslim etmeyin... Unutmayın ki, hiç bir zaman namussuzluk etmedim ben, şerefimi her şeyin üstünde tuttum...

Ya ihmalcilikten, ya da birdenbire öleceğini hesap edemediğinden, köy geleneğine uygun olarak malının büyük kısmını ilk oğluna bırakmıştı! Büyük ağabeyim Kosta'yı iyice hırçınlaştırdı bu; çünkü topraklarımızı değerlendirmek için hepimizden fazla o çabalamıştı. Büyük tüccar rüyalarını bir yana atarak, gelip tarlada çalışmamı bildirdi bana. Köy hayatına dönüş hoşuma gitmiyordu gerçi ama, çarnaçar boyun eğdim. Boş durmayıp yenilikler getirmeye çalıştım tarım düzenimize... «Biz babalarımızdan böyle görmedik!» lâfını işitince de köpürüyordum tabii. Katiyen ağabeylerimin anlayacağı cinsten şeyler değildi bu yenilikler :

— Çalışmamak için uyduruyor bunları! diyordu Panago benim için.

Hiç bir zaman onlarsız edemiyor, ama hiç zaman da onlarla aynı fikirde olamıyordum. Yorgi hariç, hepsi gülünç buluyordu beni :

— Kendini bir şey sanıyor! Öğretmen Lariyos'tan sonra İzmir'de Luludiyas'la Şeytanoğlu'lar şımartıp bu hale getirdi bunu...

Hem köylü olup, hem ilerlemeyi arzu etmenin kötü bir şey sayılmayacağını, boşu boşuna anlatmaya çalışıyordum onlara. Ama, bir ara ahbaplık edip kendisine çok şeyler öğrendiğim bir Türk dilencinin dediği gibi : «Körler mahallesinde ayna satıyordum...»

Hepsinin dışarıda olduğu bir gün, kapı çalındı. Açtım : Bir Türk zaptiyesi vardı karşımda; derhal komiseri görmem gerektiğini bildirmeye gelmişti. Endişe içinde gittim karakola. Ama, Türk subayı, kibar bir adamdı :

— Otur oğlum...

İçim rahatlamıştı.

— Seni neden çağırdığımı biliyor musun?

— Nereden bileyim efendim? Sadece bana kötülük etmeyeceğinizi biliyorum o kadar...

— Peki bunu nereden biliyorsun bakalım?

— Buraya şimdiye kadar sizin gibi âdil ve iyi bir komiser gelmediğini söyler köylüler hep, Kerim Efendi..'

Hoşuna gitmişti bu sözler :

— İyi olmasına iyiyimdir ama, iyilerle iyiyimdir... dedi. Ve siz bu iyiliği haketmiyorsunuz.

İçime kurt düştü ama renk vermedim. Devam etti :

— Kardeşlerinden biri kaçmış askerden. Kaçıp Yunanistan'a gitmiş. Oradan size mektup gönderiyor. Mektubunda ne yazdığını bilmiyorum. Yalnız... sansür bu mektubu tutup ayırdığına göre, içinde kanuna aykırı bir şeyler vardır sonucunu çıkarıyorum...

Sözlerimi iyice tartarak cevap verdim :

— Kardeşimiz çekip gittiyse, bizim suçumuz ne efendim? Ancak bu deliliği yapan vermeli bunun hesabını, biz değil...

— Korkma *ulan*... dedi subay. Kardeşinin yaptığından seni sorumlu tutacak değilim. Aldığım emri yerine getiriyorum ben...

Sözleri güven vericiydi gerçi ama, aldığı emirler ne olsa gerekti? Beni tutuklayıp Kuşadası'ndaki sorgu yargıcına göndermek emrini almıştı belki. Ve belki de orada zindana atacaklardı beni...

— Sana beş kuruş ceza kesmişler... dedi. Beş kuruşu verir, mektubu alırsın. Üzerinde para var mı, yoksa gidip getirecek misin?

. Birden rahatladım : Emir buydu demek. Bir yarım mecidiyelik çektim cebimden, uzattım :

— *Teşekkür ederim efendim*... dedim.

Paranın üstünü vermek istedi ama, almadım tabii : Sağlığıma bir kahve içmesini rica edip ayrıldım... Eve dönüp de Mihal'in mektubunu okuyunca anladım ki, Türkiye henüz uyanmamıştır... Nasıl kaçtığını, Yunanistan'a nasıl geçtiğini, nasıl Yunan ordusuna yazılıp Yanya'da savaştığını ve kaç tane Türk esir aldığını mektupta bir bir anlatıyordu alçak!

Aradan yedi sekiz ay geçmişti ki, yağmurlu bir akşam, şimşekler çakıp, gök gürülderken Mihal çıkıp geldi eve. O ne heyecan, o ne ağlayış çığırıştı yarabbi! Başından geçenleri kısaca anlattıktan sonra, miras payını Türk lirası olarak almaya geldiğini söyledi. Neye uğradığımızı şaşırmış kalmıştık. Uzun bir sessizlikten sonra en büyüğümüz Kosta şöyle konuştu :

— Bre Mihal, buraya gelebilmek için hayatını tehlikeye attığını söyledin. Bütün bunları, bu saçma sapan şeyleri söylemek için mi göze aldın yani!

Kendini mazur göstermeye girişti Mihal :

— Yunanistan'da hayat zor... dedi. Toprak yaşatmıyor, öldürüyor adamı : Çakıltaşı dolu, üstelik batak! Sözün kısası, bir leblebici dükkânı açmak için paraya ihtiyacım var...

Ötekiler çıkarlarının nerede olduğunu biliyor, ama dertlerini anlatamıyorlardı. Bana döndüler :

— Konuş! dedi Kosta.

Panago da başıyla tasdik etmişti. Bir bardak rakıyı bir dikişte yuvarladıktan sonra, kelimeleri tartarak :

— Dinle Mihal... diye başladım. Biz bir banka değiliz ki, hazır paramız olsun. Senin hisseni alelâcele satmaya kalkacak olsak, hem sana, hem de kendi topraklarımıza kötülük etmiş oluruz... Ama madem ki hayatını tehlikeye atıp buralara kadar gelmişsin; eğer ötekiler de kabul ederse, köyden bir miktar borç bulmaya gayret edelim de, eli boş göndermeyelim seni...

Sıra, verilecek paranın miktarını belirlemeye geldiği zaman tartışma hararetlendi : Mihal elli lira istiyor; ötekilerse, faizi ona ait olmak üzere, sadece on lira teklif ediyorlardı. Birbirlerini boğazlamak üzereydiler!

— Durun yahu!.. diye bağırdım. Ne bağırışıp duruyorsunuz, susun biraz! Şeytanoğlu'nun malı mı var elinizde de bölüşemiyorsunuz? Kısın sesinizi, komşular işitecek. Ayıp denen bir şey var, utanın biraz!

Mihal gürlemeye koyulmuştu :

— Mahsus bağırıyorlar ki, jandarmalar işitsin ve gelin öldürsün beni... Böylece benim payım da onlara kalacak çünkü!

Ötekiler iskemlelere yapışmışlardı :

— Kıs çeneni!

— Yeter! diye bağırdım yeniden. Ne yapıyorsunuz siz? Oturun şöyle! Kardeş gibi konuşalım, hayvanlar gibi değil! Hiç kimsenin hakkı yenmeyecek, anladınız mı! Mihal bugün güç durumda, ona yardım etmemiz lâzım. Yurdundan uzakta yaşamak kolay değildir ve ona tutup da on beş yirmi lira verecek olursak, kıyamet kopmaz her halde! Faizleri ben öderim, merak etmeyin. Yarın harp bitip de barış yapıldığında, Mihal aramıza dönecektir elbette; mirası o zaman paylaşırız...

Annemin gözleri dolu dolu olmuştu :

— Allah senden razı olsun!. diye mırıldandı yavaşça. Allah senden razı olsun...

Üç gün sonra gitti, Mihal. Fırtınalı bir geceydi. Emin bir yelkenliye bindirdim onu ve ertesi gün öğle vakti köye döndüm. Yorgunluk ve heyecandan bitkin bir haldeydim. Gene de tarlaya koştum hemen, köyde eğlenmedim. Yorgi geldi yanıma, utanç dolu bir sesle :

— Hiç bir ailesi kavgası hatırlamıyorum ki... dedi... sonunda ceremesi senin sırtına yüklenmiş olmasın! Ve kimse de tutup bir teşekkür bile etmez sana...

— Kim dedi teşekkür beklediğimi? Benim sırtım sağlamdır, boş ver!.

İkinci Bölüm

AMELE TABURU

V

Gün henüz doğmuştu. İki metre boyunda, gözleri deve gözü gibi patlak bir insan azmanı olan tellâl Kosma, çıngırağını durmadan sallayarak köy sokaklarını arşınlamaya koyulmuştu. Yataklarından fırlayan köylüler kapılara, pencerelere üşüşüyorlardı. Reayanın yüreği titriyordu.

Rumlar kadar Türkler de bayılırdı Kosma'ya. Duruma göre, bir merak ya da heyecan uyandırma, güldürme veya ağlatma tarzı vardı. Resmî emir ve kanunları, ölüm ve evlilik haberlerini bile, atasözleri veya taşlamalar halinde ve daima kafiyeli olarak ilân ederdi.

Ama bu 1914 sonbaharı sabahında, bakışları karanlık, sesi acınacak şekilde titremekteydi Kosma'nın.

— Kosma Sarapoğlu!. diye bağırdı ihtiyarlardan biri sert sesiyle. Maskaralığın sırası değil, uzatmadan söyle söyleyeceğini. Ne var, ne oluyor? Daha yıldızlar parlarken neye böyle sokağa uğradın?

— Çok büyük, çok önemli şeyler oluyor... Harbe giriyoruz, harbe! Allah uzun ömürler versin, Sultanımız efendimiz, Kayzer'in yanında yer almış bulunmaktadır. Avusturya ve

Almanya ile elele verip İngiltere, Fransa ve Rusya ittifakına karşı cihad açmıştır!.

Donup kalmıştı herkes. Neye varacaktı bu harbin sonu? Bizim, Rumların, halimiz ne olacaktı?

Köylülerden biri tellâla yaklaşıp fısıldayarak sordu :

— Peki ya küçük devletler *bre* Kosma? Yunanistan meselâ? O kiminle beraber?

— Orasını bilmem... dedi Kosma. Türkiye'nin tellâlıyım ben, Fransa Dışişleri Bakanı değil! Hükümetimiz tarafından sizlere bu haberi vermek emrini aldım, hepsi bundan ibaret...

Bir anda etrafını çevirdiler :

— Neye kızıyorsun be? Korkuyor musun yoksa? Senin gibi bir yiğit de korkacak olduktan sonra! Bir şeyler saklıyorsun sen bizden!

— Sizden ne saklayacakmışım kardeşler? Harp harptir işte! Düğün değil ki bu, tutup da şakaya vurayım... Gençler perişan olacak, dere gibi kan akacak! Kimisi gidecek okkanın altına, kimisi kârlı çıkacak bu işten... Allah fakir fukaraya yardımcı olsun, başka ne desem boş!

Birkaç gün geçti aradan. Kosma yeniden dolandı sokakları. Çıngırağını sinirli sinirli çalıyordu bu sefer; yerlere balgam atıyor ve baldıran zehri içmiş gibi suratını buruşturuyordu. Kocaman kunduralarıyla toprağı kazmak ister gibi yürüyor ve hep önüne bakıyordu yürürken... Boğuk bir sesle bağırdı sonunda :

— Kötü haber yurttaşlar! Allah uzun ömürler versin Sultanımız efendimizin emirleriyle, yirmisinden kırkına bütün Osmanlı kulları silah altına alınmış bulunmaktadır! Ne mutlu kız babalarına! Beş oğlum var, beşi birden gidiyor... Lânet olsun böyle zamana!

Bir ölü evine dönmüştü köy. Ne bir tek kelime çıktı erkeklerin ağzından, ne de iç geçirdiler; başlarını önlerine eğip işlerine döndüler sadece. Bir anda kurumuş gibiydi hepsi. Analar, çocukların eski elbiselerini yıkayıp, onarmaya koyuldu. Bütün ermişlere dua borcu bir tamam eda edildi o gün. Henüz tadını alamamıştık, ne olduğunu kesenkes bilmiyorduk ama, seziyorduk ki, müthiş bir şey başlamaktaydı. Ama henüz, hayal edebildiğimiz felâketlerin bizleri bekleyen felâket karşısında pek cüce kaldığını kestiremiyorduk.

Her akşam tıklım tıklım doluyordu kahveler : Köylüler, ırgatlar, gençler, ihtiyarlar, papazlar, kısık sesle tartışıyorlardı. Haberler boğuntu vericiydi. Dendiğine göre Türk Hükümeti, Hıristiyanlara katiyen güvenmiyor ve onlara ne silah, ne de üniforma vermeden Amele Taburu denilen özel çalışma birliklerine yolluyordu. Bu özel birliklere, «ölüm taburu» demek daha doğru düşerdi.

Bir akşam, iş için İzmir'den gelmiş olan tüccarlardan biri :

— Böylelikle çocuklarımız... dedi. Hiç değilse silahlarını Müttefik dostlarımızın üzerine boşaltmaktan kurtulmuş oluyor!

Öfkeyle atıldı ihtiyar Stassino :

— Şu söylediğine ciddî olarak inanıyor musun yani Antonaki Mihali? Biz inanmıyoruz... Sen işini uydurmuşsun maşallah! Birini bir Alman şirketine yerleştirmişsin oğullarının, birini de demiryollarına; üçüncüsü zaten papaz okulundadır... Ama biz böyle mi ya! Kaptıkları gibi götürüyorlar bizimkileri! Benim Temistokles'im askere alınalı daha bir ay geçmedi, kaçacağım diye haber uçurtuyor bana, tahammülü kalmamış... Can düşmanının etmeyeceği kadar işkence ediyorlarmış. Harp esirleri onların yanında *bey* gibi kalır diyorlar! Açlık, bit, pislik kokusu, günde on sekiz saate kadar uzayan bir çalışma... ve aklını şaşırıp da isyana kalkarsan, kırbaç ve türlü işkence!. Sadece yemeklerini veriyormuş Devlet, onu da köpekler bile yemez diyorlar! On beş yirmi asker aynı pis karavananın içinden yiyorlarmış; kirli çamaşırlarını da gene onun içinde yıkamak zorundalar! Yedikleri de ne? Ağza alınmaz bir çorbayla leş eti! «Midesi geniş olan birkaç kaşık yutabiliyor... diye yazmakta oğlum. Ama kibarlığa vurup da tiksinecek olursan, mahvol-

54

duğunun resmidir; çünkü aç kalırsın. Ve tiksindiğin lokmayı ağzından kapmak için, arkadaşını öldürecek kadar gözün dönmüştür!»

— Tam bir şeytan işi bu Amele Taburları!. dedi papaz Ziso. 1912 harbinde böyle pislikler yoktu. Türk'ü bu derece zalim kılan kim?

— Menfaatiyle Almanya! diye haykırdı tenekeci Jako havlar gibi.

— Türk'ün menfaati bizi yanına almasındadır. Beyni bizizdir çünkü... Çoğu bilir bunu ve bizi severler.

Dayanamayıp atıldım :

— Severlerdi demen lâzım öğretmen! Şimdi bizden nefret etmeyi ve bizsiz yaşamayı öğrenmekteler... Bak bu yıl, Kirliceliler bile ortalıkta yok!

Cesaret vermek için :

— Durum öyle feci değil... dedi Mihali. Şehirlerde Türkler hâlâ elimize bakıyor; bize ihtiyaçları var. İşte size bir örnek : Avgula isimli bir dostum, bir bey sayesinde, sadece ordudan yakayı sıyırmakla kalmadı; para da kazandı ve üstelik bir ay sonra bir dükkân satın aldı kendine! Mehmet Bey kaçak diye arıyormuş onu : «Hangi deliğe girdi bu çarıklı Avgula yahu? Onun iyiliği için arıyorum vallahi!» demişti bana. «Gizleniyor... dedim. Sakal koyuverip papaz kılığına girdi.» «Mutlaka bul bana hergeleyi. Bir tabiiyet belgesi aldım ona, kendime ortak edeceğim : Sineğin yağını süzer o, akıllıdır...» diyordu.

— Bütün bunlar sizler için geçerli... dedi ihtiyar Stassino. Biz yoksullar için de Amele Taburları ile dar ağaçları var...

— Ben onu bilir onu söylerim, dedi Jako. Türk bu kurnazlığı, Alman'dan aldı. Bugün, Alman, Türk'ün sırtına binmiş durumda, o kumanda ediyor...

Doğru söylüyordu Jako. Türkler, Küçük Asya'nın tek başlarına efendisi olmaktan çıkmışlardı artık. Beyin, Alman' dı : Türk'se, kol... Biri tasarlıyor, öteki yapıyordu... Çok geçmeden İzmir'e bir Alman şefi geldi. Prusya üniformaları içinde fatih edalı kupkuru bir adamdı bu; Liman von Sanders'ti adı. İzmir metropoliti Krizostomo bu adam için: «Adını andığınız her seferinde gargara yapıp ağzınızı temizleyiniz...» demişti. Bir uğursuzluk gibi çökmüştü Küçük Asya'nın üzerine. Bizi toptan imha edip, Altın Tiftiği elimizden koparıp almak için gönderilmişti. Ve Türkiye, tam bir Prusya sömürgesiydi.

Harpten çok önce memlekete bir Alman «uzmanları» akını başlamıştı: Tüccar, asker, polis, arkeolog, sosyolog, iktisatçı, doktor, rahip, öğretmen kisvesi altında durumu incelemeye, bizim aslımızı, geçmişimizi ve halimizi, istidat ve servetlerimizi öğrenmeye geliyorlardı. Hepsi de aynı ürkütücü sonuca vardılar: Biz, şeytan zekâlı Rumlarla Ermeniler, burada fazlaydık; kendinden geçmiş beylerin tüm ticaret hayatını reayaya bıraktığı, uyuyan bir Türkiye'de, haddinden fazla kilit noktası tutuyorduk elimizde...

Türkiye, Almanya'nın tarafında yer alır almaz, kıyı bölgelerinde oturan Rumlar da sistematik şekilde topraksızlaştırılmaya başlanmıştı. Birkaç saat içinde, iç bölgelere göç etmek zorunda kaldılar.

— Niçin? Niçin ama? Suçumuz ne bizim?

— Suçlusunuz o·kadar! Suçlu! Müttefikler bir zafer kazanınca gözlerinizin içi gülüyor!

Analar, bebeklerini beşikten çıkarıyor; ihtiyar ve hastaları yataktan kaldırıyorlardı. Kollarının gücü yettiğince eşya yükleniyordu erkekler. İşlerini, mallarını, evlerini bırakıp, küçük topluluklar halinde, Anadolu rüzgârlarının dövdüğü yollara atılıyorlardı. Dağlarda kar altında iki büklüm, kurak bölgelerin boğucu sıcağında susuzluktan inleyerek yürüyorlardı hep. Yüzbinlerce Rum ve Ermeni böylece telef oldu...

Kosta ile Panago da gittiler Amele Taburuna. Bir gün öncesinin akşamı, iki kere yorgun döndük tarladan; sessiz ve bıkkın oturduk sofraya. Bir vakitler bayram günlerinde de böyle birlikte olurduk... Veda yemeği için iki besili tavuk kesmişti annem. Sessizdik, ama içimiz içimize sığmıyordu aslında. Annem, Kosta ile Panago'nun tabaklarını yeniden yeniden dolduruyordu :

— Yiyin... diyordu hep. Yumurtalı salça koydum. Hem de tam sevdiğiniz gibi, mayhoş!

Kosta, tarlalar için üzüntülüydü :

— Perişan olacak topraklar... Bir gün Manoli'yi de alacaklar askere. Arkasından Yorgi'yi ve hattâ Stamati'yi... Ay benim anacığım, Sofiya ile sizin haliniz o zaman neye varacak! Bunca alınteri, göz nuruyla kurduğumuz ne varsa, yerle yeksan olacak...

Bütün yemek boyunca, aşılanacak ağaçlardan, ayıklanacak tarlalardan, kuru üzümden, tütünden, çift hayvanlarından konuştuk durduk... Ağabeylerimin ellerini ellerimin içine alıp, bıraktıkları her şeye kendi gözüm gibi bakacağımdan emin olmalarını, endişe etmemelerini yalvarmak istiyordum; istiyordum ki, sevgi ve sadakat aksın kelimelerimden. Ama cesaret edemedim bir türlü. Kosta ile Panago'nun belki de : «Çek şu ayaklarını!» diye homurdanarak benimle dalga geçeceklerinden korktum.

O gece de her zamanki gibi erken yatmıştık, kâbuslu rüyalar içinde çalkalanıp durduk hep. Annem uyumuyordu. Ağabeylerimin giyecekleriyle uğraşmaktaydı hâlâ. O kasabada köylü gömleklerini, çocuklarının hayatı buna bağlıymış gibi, büyük bir âyin ciddiyeti içinde ütülüyor da ütülüyordu durmadan.

Çok geçmeden kalktı Panago. Uyuyamamıştı. Heyecandan, belki de korkudan, boğuluyor gibiydi. Hıncını annemden aldı :

— Ne oluyor be ihtiyar, ne böyle hayalet gibi dolaşıp duruyorsun ortalıkta? Git yat hadi!

Hiç cevap vermedi annem; elinden geldiğince sessiz, giyecekleri yerleştirdi ve mutfağa yöneldi. Ama çoktan pişman olmuştu Panago :

— Ne kafanı bozuyorsun sanki? dedi tatlı bir sesle. Kader böyleymiş, elden ne gelir! Allah nasip ederse bir gün döner, sana bir alay torun yaparız...

— Amin... dedi annem. Merhamet sendendir Aya Panaiya!

Çıktı odadan. Ağlamaya gidiyordu...

Şafak sökerken, paketleri yüklenip Hacısuluk istasyonuna kadar gittik onlarla. Geceden yığılmış bulutlar vardı gökyüzünde; öylesine alçaktan uçuşuyorlardı ki, boğulacak gibi oluyordu insan... Etrafta bir alay kadın ağlayıp bağırıyordu. Saçlarını yolanlar, yüzlerini tırmalayanlar vardı aralarında. Kupkuruydu annemin gözleri. Ama tren sarsıldığında, dayanamayıp boşandı :

— Hayırlı yolculuk... diye hıçkırdı. Aya Panaiya sizinle birlik olsun...

Daha sonra, titrek adımlarla yanımda yürürken, yüz yaşında gibiydi...

— Söktüler işte ciğerlerimi... Bir gün gelip, bana bunca erkek evlât verdi diye Allaha yakınacağım aklımın ucundan geçer miydi hiç!

Savaş şöyle bir dokunup geçmişti bize. Bir ufak tırmık yarasıydı bu henüz. Sırada hançer vardı... Böyledir yüreği insanoğlunun : Küçücük bir felâkette duracak gibi olur, sonuna kadar dayanır büyük felâketlere.

Amele Taburundan kaçmak, bıçak gırtlağa dayanıp hepten çaresiz kalınca yapılacak şeydi ancak. *Tavan Taburu* deniyordu asker kaçaklarına ve bunlar, av hayvanları gibi durmadan kovalanmaktaydı. Kuyu diplerinde, lâğımlarda, dam aralarında gizli sığınaklar kuruyorlardı kendilerine ve yıllarca kapalı bekliyorlardı... Hava kararır kararmaz, koca bir kadınlar ordusunun şehir ve köylerle savaşı başlıyordu : Oğullarıyla kocaları asker kaçağı olan analardı bunlar. Dört yıl boyunca bu kadınlardan hiç biri uykusuna doymadı, şöyle rahat bir yemek yemedi hiç biri... Çoğu bütün geceyi bir iskemle üzerinde, kulakları kirişte, her an : «Geliyorlar!» korkusuyla sıçrayıp, dehşet duyarak geçiriyorlardı.

Tellâl Kosma Sarapoğlu'nun karısı, işte bundan ötürü delirdi... Odalara sığmaz cinsinden levent yapılı üç oğul saklıyordu. Hem ufacıktı evi kadıncağızın; üç devi iki göz odaya nasıl sığdıracak! Ama yok başka çaresi : Amele Taburundaki iki büyük oğlunun yaşayıp yaşamadıklarını bilmiyordu... Baskın olduğu akşamlar, hendek ve lâğımlara atıyordu kendilerini Kosma'nın oğulları. Ve anaları, kapıyı açıp, ellerini titremesin diye göğsünde bastırarak zaptiyeyi beklerdi. Duygusuz bir sesle :

— Buyrun... dedi. Arayın.
— Nerede saklanıyor oğulların?
— Bilir miyim? Bildirirler mi hiç bana?

— Gene de yakalayacağız, şüphen olmasın! Kurtulamayacaklar elimizden. Ve yakaladığımız vakit, senin gözlerinin önünde boğazlayacağız!

Ve küfrederek ayrılıyorlardı. Çatlayacakmış gibi çarpıyordu yüreği. Eli ayağı buz kesiyor, soğuk terler döküyordu... Tehlike uzaklaşıp, çocuklar eve döndüğünde, sessiz sessiz ağlamaya, diz çöküp dua etmeye koyuluyordu. Ve bir gece, ardı arkası kesilmeyen bir gülüşle gülmeye başladı. Çocuklar başlangıçta şaşırmışlardı. Koşup aynaya baktılar hemen; yüzlerini çamura bulanmış, diken yaralarıyla kanlı görünce onlar da gülümsediler, yıkandılar sonra ve sofraya oturdular. Ama anneleri durmak bilmiyor, gittikçe daha hızlı ve daha yüksek sesle gülüyordu. Ses dışarıdan işitebilirdi. Kocasının sabrı tükendi sonunda, yumruğunu masaya indirerek :

— Yeter, Allah kahretsin, yeter!.. diye gürledi. Ne oluyor sana? Jandarmaların her an geri dönebileceğini bilmiyor musun!

İşitmiyordu ki kadın, anlamıyordu ki... Gülüyordu sadece... Ve çocuklara bir zararı dokunmaması için elini kolunu sımsıkı bağlayıp ağzını tıkamak zorunda kaldılar.

Baskın geceleri akıl almaz bir dehşet havası eserdi. Jandarmalarla zaptiyeler bir kaçak yakaladılar mı, öldüresiye döverler, işkence ederler, hattâ bazan düpedüz öldürürlerdi. Ve bitmek tükenmek bilmeyen uluması başlardı köpeklerin. Hiç kimse uyumazdı evlerde, beklerdi herkes...

Bu durumu kazanç yolu haline getiren birtakım adamlar türemişti : «Para ver kurtaralım...» diyorlardı. «Ver ver, daha ver!.» Bir kere verdiniz mi, isteklerin ardı arkası kesilmiyordu artık ve canınıza tak deyip de reddettiğiniz vakit tehditler başlıyordu :

— Nerede saklandığını biliyoruz sizinkilerin!.

İster istemez açıyordunuz gene kesenin ağzını... Sayısız paşa, yüksek rütbeli memur, zaptiye müdürü, basit jandarma ve muhbir, böyle zengin oldular.

Yeni bir soygunculuk ve cinayet harmanı getiriyordu her yeni gün. Bütün bunların, aslında polis tarafından tertip edildiği biliniyordu ama, mahkemeye başvurup failleri ihbar edebilmek için ölümü göze almak gerekiyordu. Bizim diyebileceğimiz hiç bir şey kalmamıştı artık; kendi benliğimiz bile. Herhangi bir Türk, istediğini yapabilirdi bize... Devlet, askerî giderleri karşılayabilmek için, vergileri durmadan arttırmaktaydı. Askerlikten bağışıklık bedeli, yirmi beşini aşmışlar için 40, aşmamışlar içinse 60 altın lira olarak tesbit edilmişti. Altı, yedi çocuk sahibi bir aile, nasıl ödeyebilirdi bunu!

Köy karakolunda sekiz jandarma vardı harpten önce; şimdi ise kırk taneydiler. Satte iki baskın yapan ve kasabaların altını üstüne getiren zaptiye memurlarıyla askerî polis mensupları da ayrıydı. Umutsuzluğa kapılıp dağa kaçıyordu insanlar. Orada, Türk köylüleri yardım ettiği takdirde kurtuluş imkânı vardı. Yardım görme ihtimali iyice zayıftı, yalnız : Türk köylerine de öğretmişlerdi bizden nefret etmeyi... Müezzinlerle Yunanistan'dan atılmış mülteciler, gâvurların zehirli birer yılandan farksız olduğunu ve onları bağrında saklayanların felâkete uğrayacağını belletmek için seferber edilmişti... Silip süpürmek gerekiyordu bir an önce bu kâfirleri. Allahın emri buydu.

Ama asıl can düşmanlarımız, Türk asker kaçaklarıydı. Aynı kadere ortak olmamız birleştirebilirdi bizi; ne var ki Devlet, mümkün olduğu kadar fazla Hıristiyanı ortadan kaldırmaları şartıyla, onları bağışlıyordu. Ve tabii onlar da, bir sigara, bir tek kuruş, bir lokma ekmek için, nerede olursa olsun ve kimi olursa olsun devirmeye hazırdılar...

Bir gün öğleye doğru Şevket gelmiş Beylik'teki evimize. Annem, ablam, Yorgi ve Stamati evdelermiş.

— Manoli nerede? Burada değil mi yoksa? diye sormuş soluk soluğa...

Gözünü kırpıyormuş durmaksızın sinirden. Barbatanın üzerine oturmuş. Sapsarıymış rengi, alabildiğine üzüntülüymüş... «Yoksa Manoli'nin başında bir belâ dolanıyor da onu mu öğrenip haber vermeye geldi?» diye düşünmüş annem. Dağdaki kaçaklara silah bulan bir yeraltı teşkilâtıyla ilişkim olduğunu bildiğinden, korkmuş.

— Ne var oğlum Şevket? demiş. Annen, baban mı hastalandılar yoksa? Yoksa davarınızın başına bir şey mi geldi?

Hüzünle başını sallamış Şevket ve müthiş kederli bir sesle cevap vermiş :

— *Ah anacığım! Ah kardeşlerim!* Keşke başımıza gelen bir hastalık olsaydı, hekime varır kurtulurduk. Keşke davarımız uğrasaydı belâya, yeniden davar sahibi olurduk... Başımıza gelen öyle bir şey ki, ne kurtulmak mümkün, ne atıp yerine koymak!

Sonra bir göz atmış etrafına dinleyen var mı diye ve Türk köylerinin Rumlara karşı nasıl ayaklandığını anlatmaya başlamış. Onun o sakin küçücük köyü bile hücuma hazırlanıyormuş. Girit'ten, Makedonya'dan, Epir'den atılmış mültecilerle Jön Türkler'in *dervişleri* ve öteki *sarıklılar*, «vebadan bin kere beter pis gâvur köpeklerine karşı» kin saçmaktalarmış yüreklere...

— Başlangıçta, demiş Şevket, kimseyi zehirleyemediler. *«Haydi canım!* diyordu köylüler, bunlara mı inanacağız, kendi gözlerimize mi? Rumlarla yıllardan beri dostluk içinde yaşadık biz, aramıza neye kin sokalım?»* Tatlı söz, yılanı deliğinden çıkarır amma, yalan söz de kuzuyu kurda döndürür. İnsan dediğin zayıf mahlûk. Köye gelenler de bizim menfaatimizin, sizleri ortadan yok etmekte olduğunu söylüyorlardı. «Gâvurlar ortadan kalkınca, arazileriyle malları bizim olacak, diyorlardı. *Hadi bakalım!*» Bu iş hoşlarına gitti köylülerin, kafalarını bozar gibi oldular. «Akıllarını da alacak mıyız bunların, akıllarını?» diye sordu dilenci Ali. «Alacağız, dediler. Neleri varsa bizim olacak!» Bu yetmezmiş gibi, köydeki kaçaklara haber üstüne haber uçuruyordu jandamalar : «Hıristiyanları temizlerseniz, kılınıza dokunmayacağız...» diye. Birkaç gün önce Hafız'ın evine tüfekle fişek getirip yığmışlar. Amcam köyün muhtarı, sebebini savıp sordum. «Yeğen sen ayakta uyuyorsun, dedi bana. Bütün bizim köylerin silahlandığını anlamadın mı daha? Bundan böyle gâvurlar, hadlerine düştüyse evlerinden dışarı bir adım atsın bakalım!» İyice canım sıkıldı, bir isyan bürüdü içimi. Hemen babamın yanına vardım, bir tamam anlattım olup biteni ve sordum : «Ey benim canımdan pahalı babam! Şimdi ben bunları gidip de arkadaşım Manoli'yle ailesine bildirecek olursam, Allaha ve de memlekete karşı günah mı?» Babam bir gün istedi düşünmek için. Bugün sabahleyin erkenden çağırdı beni : «Git hemen arkadaşına haber ver... dedi. Bizimkiler yanlış yolda, günaha giriyorlar. Allahtan başımıza bir belâ dolanmasa...»

Şevket'in kara gözlerinden yaşlar boşanmış bunları söyleyince. Annem eğilip öpmüş gözlerinden :

— Allah senden razı olsun evlâdım! demiş. Dokunduğunu altın etsin! Git bul Manoli'yi de konuş onunla...

Konuşamadık bir türlü. Ve Şevket'i askere aldılar. Savaşın getirdiği kinle vahşet, daha güçlü çıktı dostluk ve arkadaşlıktan... Ve temiz yürekler, düşman toprakları üzerinde unutulmuş bayraklar gibi kaldı.

Strati Kseno da bizim dağların reisi olmuştu. Çeliği bükecek kadar kuvvetliydi ve korku nedir bilmezdi yüreği. Strati'nin, düğününün ortasında, karısını bir kere bile öpmeden ziyafet masasında bırakıp, tüfeğini omuzlayarak dağa çıktığı geceyi bütün köy hatırlar.

Oysa herkes biraz eğlenebilmek, yiyip içip oynamak ve gülmek için, Strati'nin düğününü beklemekteydi... Pazar giysilerini kuşanıp ellerinde hediyeler ve çiçeklerle şenliğe koşmuştu köylüler. Strati'nin ailesi baskıya uğramamıştı hiç. Türkler onun yiğitliğinden ürküyor, topraklarına pek yaklaşmıyorlardı. Bedel bile istememişlerdi ondan. İzmir'e inmiş, ürününü iyi fiyata satıp, keseyi doldurmuş ve kendiliğinden vermişti bedeli : Kuş gibi hürdü artık.

Düğününde herkes sonuna kadar eğlensin istiyordu. Yıllar boyunca herkes hatırlasın istiyordu nasıl evlendiğini. Kuzular çevrilmiş; kestaneli, çam fıstıklı, siyah kuru üzümlü hindi dolmaları hazırlanmıştı. Tam beş kadın yemek işiyle uğraşıyordu. Et tuzluyorlar, köfte ve balık pişiriyorlardı. Tereyağlarıyla, sütlü tatlılar, baklavalar, çeşit çeşit böreklerle doluydu çanaklar ve tepsiler.

Gencecik, çok güzel bir kız olan yeni gelin, evlendiği yakışıklı yiğitten ayıramıyordu gözlerini. Evlenme çağında kızı olan analar birbirlerine gıptayla onu gösterip : «Talihliymiş»! diye fısıldaşıyorlardı. Ve Strati, karısını belinden kavrayıp dansa çekmişti. Üç sıra Venedik ve İstanbul altını geçirmişti gerdanına. Ve kemanlarıyla udları sabaha dek susmak bilmesin diye, çalgıcıların alnına beş Türk lirası yapıştırmıştı.

İşte tam o sırada, kurşun sesleriyle çığlıklar yükselmişti. Oğulları kaçak olup da gizlenen anneler, dehşete kapılmışlardı.

— Ne oluyor gene yarabbi! Ne var?

Karanlıkta gölgeler koşuşuyordu. Sonra bir sessizliğe büründü ortalık ve bir ses yükseldi :

— Yeğenin küçük Kotso'yu öldürdüler Strati! diye bağırıyordu bir ihtiyar. Dul Elena'nın oğluyla Manissali'nin torununu da öldürdüler!

Kemanlar susmuş, davetliler donup kalmıştı. Tek kelime söylemedi Strati, dehşet saçan bir edayla tüfeğine uzandı. Geçsin diye yol açtılar hemen. Halası Sofiya'nın kapısının önünde, yeğeni Kotso'yu gördü : Yüzükoyun yere uzanmıştı delikanlı, sırtında bir bıçak saplıydı. Beş metre ötede en iyi arkadaşı Lefteri, bedbaht Elena'nın biricik evlâdı, başından yediği üç kurşunla kanlar içindeydi. İhtiyar Manissali'nin öksüz torunu Aleko'nun manzarası ise daha da korkunçtu : Boynuna bir çarşaf dolanıp evinin balkonuna asmışlardı çocuğu.

Bu, ilk katliamdı.

— Ah çocuklarımız! diye haykırıyordu kadınlar. Aya Panaiya, yardım et bize! Koruyun bizi Aya Dimitri, Aya Yorgi!

Strati bembeyaz kesilmiş, düşünüyordu. Kim öldürmüs olabilirdi acaba? Kim seçmiş olabilirdi katliama başlamak için onun düğün gecesini? Ona çevrilmişti bütün gözler. Kararını bekliyorlardı. İtiraz kabul etmeyen bir sesle :

— Gidin bana Kahramanoğlu'nu, Balurdo'yu ve Alpekidis'i çağırın... dedi.

Sonra evine girdi. Karısı arkasından seğirtiyordu hep, en ufak hareketlerini gözlüyordu zavallı. Annesi ağlamaya koyulmuştu :

— Ne yapmayı düşünüyorsun şimdi Strati? Ne olur gitme oğlum, terketme bizleri!

Öfkeyle bağırdı Strati :

— Kesin zırıltıyı! Topunuzu şeytan götürsün!

Birkaç küfür savurduktan sonra, duruldu birden : Annesiyle karısının karşısında bulunduğunu hatırlamış ve pişman olmuştu :

— Bırakın ağlamayı! dedi sakin bir sesle. Görmüyor musunuz topunuzu birden yok edeceklerini? Hemen karşılığını vermek gerekiyor bunun; malımızı ve canımızı savunmak gerekiyor... Ellerini kana bulamış olanların, titremesi ve korkması şart!

Bir anda toplanıvermişti bütün kaçaklar. Hemen o gece atlanıp silahlandılar ve yanlarına yiyecek, giyecek alıp dağın yolunu tuttular... Kadınlar ağlaşıyordu :

— Yarabbi, bu evlâtları boğazlayacaklar! Nereye gidiyorsunuz? Kim yardım edecek size? Desteksiz, korunmasız ne yapacaksınız böyle, Allahım!

Strati'nin düğünü, böylece sona eriyor ve böylece kahramanlıkları başlıyordu. O günden sonra, Strati ismini işiten Türk birliklerini bir korku alacaktı. «Şeytan» diyorlardı ona, ismini anınca üç kere tükürüyorlardı... Bir akşam evine dönmek cesaretini gösterdi. Yağmurun bardaktan boşanırcasına yağdığı, göklerin gürlediği, şimşeklerin ardarda çaktığı, kudurmuş bir rüzgârın dağları yerinden oynatırcasına estiği bir geceydi. Dışarıya burnunu bile uzatamıyordu insanlar. Yalnız o, sokaklardaydı.

— Düğün gecemi yaşamak istiyorum ben! Düğün gecemi elimden alamaz bu itler! Bir oğlum olsun istiyorum. Ölünce öcümü alacak birisi kalsın ardımda!.

Karısının öpücükleri nasıl da tatlıydı! Ve Strati o akşamdan sonra sık sık tuttu evin yolunu. Ele geçmesine ramak kalan geceye kadar... Sonra da karısı, uzun bir süre, geceler boyunca bekledi durdu. Ve Strati bir haber aldı günün birinde : Annesi can çekişiyordu; hayır duasını vermek istiyordu oğluna ölmeden önce. Yoldaşlarını topladı Strati :

— Kardeşler... dedi. Beni dünyaya getirmiş olan annem ölmek üzere. Gidip onu son bir defa öpmek boynumun borcudur, ödevimdir. Ama sizlere karşı daha büyük bir ödevim var, çünkü sizler bana hayatlarınızı emanet ettiniz. Kararı siz verin... «Git» diyecek olursanız yüreğim bir kuş hafifleyecek; «Kal» diyecek olursanız, bilin ki, hiç sesim çıkmadan kalacağım. Çünkü, mücadelenin bu noktasında, kendi meselelerimizi gömmek zorundayız.

Harbin meşakkatinden çok, barış dolu bir hayatın geleneklerine bağlı olan genç kaçaklar, bir ağızdan cevap vermişti :

— Git reis, git! Kolay kolay hakkından gelinmez Strati' nin boynu kalındır!.

Şafakta atını mahmuzlamıştı. Yoldaşlarından ikisi de onunla birlikteydi.

Yaklaştıklarını gördüğü vakit sert bir sesle :

— Ne oluyor? diye sormuştu. Derhal dönün geriye! Çocuk değilim ben. Annem sütten keseli, yıllar oluyor...

Ama ısrar etmişti ötekiler :

— Yüreğimiz bize böyle emrediyor reis... demişlerdi. Cehenneme gidecek olsan bile, seninle birlikteyiz!

— Hay budalalar! Madem canınız gezinti istiyor, gelin bakalım...

Köye ulaştıklarında önce, hayvanlarını güvenli bir yere, ihtiyar Dimitro'nun kır evine gizlediler. Ve gene orada öğrendiler, koca bir taburun dünden beri köye doğru yürüyüş halinde olduğunu...

Görülmemek için Strati, arka taraftan dolaşmıştı evine. Elini cebine atıp anahtarı kavradı. Kaç defa okşamıştı bu anahtarı, karanlık bastığında ve her defasında kilide sokup kapıyı usulca açarak karısını kucaklayıp yatağa götüreceği, öpücüklere garkedeceği ânın hayalini görmüştü!

Bir kedi gibi evin içine... Annesinin yatmakta olduğu yatağa sessizce yaklaştı, ihtiyar kadının alnından öptü yavaşça, bembeyaz saçlarını sevgiyle okşadı :

— Geldim anne... Yanındayım işte...

Ama hiç bir şeyi işitmiyor, hiç kimseyi tanımıyordu artık annesi; kesik hırıltılarla sönüyordu... Yatağın önünde diz çöktü Strati, başını ellerinin arasına saklayıp daldı bir süre. Karısı onu orada öyle buldu ve birlikte ağladılar. Sonra doğruldu karısı, oğlunun beşiğine doğru çekti kocasını. Strati, yumrukları sımsıkı bir halde uyuyan küçüğü görünce yumuşayıp, gülümsemişti :

— Sevgili yumurcak... diye mırıldandı okşayan bir sesle... Demek şimdiden hazırlanıyorsun yumruklu kavgalara!

Bir telâştır kaplamıştı karısını, sofra kurmaya girişmiş, rakıyla birlikte, evde yiyecek nâmına ne varsa getirmişti ortaya.

Acılık taşan bir sesle :

— Kalmayacağım Lenyo sevgilim... dedi Strati. Boşuna yorma kendini, derhal gitmem gerekiyor.

Lenyo'nun gözleri dolu dolu olmuştu. Koşup sarıldı kocasına. Yüreği dışarı uğrayacakmış gibi çarpıyor, bütün vücudu titriyordu. Yirmi yaşındaydı henüz ve Strati'nin unutulmaz bir kucaklayışı vardı...

— Artık dayanamayacağım... diye inledi genç kadın.

Kendini kaybetmek korkusuyla yavaşça itti kadını :

— Ya ben? dedi. Ben dayanabiliyor muyum sanki!. Çarkın içindeyiz Lenyo. Hayatımız bize bağlı değil artık. Anlamadın mı bunu daha?

— Daha ne kadar sürecek bu Strati? diye fısıldamıştı Lenyo.

«Katliam bitinceye kadar... Yani belki de hep!» demek istedi ama tuttu kendini. Masaya ilerleyip tabancalarını kuşandı. Kayışını takarken dönmüş, sınırsız bir sevgiyle bakmıştı karısına. Korkunç bir andı bu! Bir adım daha yaklaştığı takdirde, gün ışığının kendisini orada yakalayacağını çok iyi biliyordu. Rakı şişesini kaptı aniden, bir dikişte boşalttı. Bıyıklarını kuruladı elinin tersiyle ve bir tekme savurup devirdi iskemleyi. Devrilsin ve kırılsın işte! Ve bu eve artık ölüm girmesin! Sonra da, ne karısına, ne annesine, ne de oğluna dönüp bakmadan, karanlık ve korkunç, uzaklaştı.

Köyün sınırına ulaştığında, yoldaşları kendisine doğru koştular :

— Reis, Türk ordusu neredeyse burada olacak! Hemen atlara atlayıp kaçalım, yoksa halimiz duman!

Tereddüt ediyordu Strati. Kulağını dikip etrafı dinledi karar vermeden önce : Uygun adım yürüyen ayakların uğultusuyla, insan sesleri taşıyordu rüzgâr. Gitmek mi, yoksa kalmak mı? Gittikleri takdirde üçü de yakalanmak tehlikesiyle burun burunaydılar. Ve onlarla birlikte, sığınaklarının dışında içi rahat uyuyan bütün kaçaklar da... Vuruşmaya girdikleri takdirde ise, savaşın gürültüsüyle uyanıp gizlenebilirlerdi.

— Vakit kaybetmeyelim... dedi Strati. Çabuk, kuru odunla çalı çırpı toplayıp getirin bana. Bütün tepeyi örteceğiz.

— Planın nedir reis? Vuruşmaya razı olup kalırsak, mahvolduğumuzun resmidir...

— Sayımızı fazla göstermek için ateş yakıp, Türkleri sağa doğru çekeceğim. Siz böylece sol taraftaki keçi yolundan rahatça sıyrılabilirsiniz. Yuttukları takdirde ben de kaçıp kurtulabilirim, olmazsa can sağlığı! Asla unutamayacakları bir ders vereceğim onlara... Kendim ölmeden önce, onlardan hiç olmazsa birkaçını daha cehenneme yollarım.

Çocuklar, Strati'yi bırakmak istemiyorlardı. Anlıyordu onları, ama başka çare yoktu artık. Sert bir sesle haykırdı :

— Reisiniz ben miyim, değil miyim? Bensem, emrediyorum, dinleyeceksiniz!

Sadece bir kere derin derin soludu Strati, yüzünü ve ensesini kaplayan teri sildi, sonra ortalığı ateşleyip yukarıya doğru, Aya Sosti kilisesine tırmandı. Bütün vadilere hâkim bir kilit noktasıydı burası. Bakışlarıyla dört bir yanı tarayıp, etrafı dinleyerek, Türk askerlerinin manevrasını kavramaya çabalıyordu. Sağa döndüklerini anlayınca gülümsedi :

— Ahmaklar!

Bir sigara yaktı. Ne elleri titriyordu, ne yüreği, korkudan eser yoktu içinde...

— Rezil hayat! dedi kendi kendine. Nasıl da gafil avlarsın bizi!

Şu anda karısının koynunda, ya da dizlerinin üzerinde oğlunu hoplatmakta veya sofradaki tabaktan nar gibi kızarmış bir et parçası almakta olabileceğini düşündü birden...

— Zavallı anacığım!. diye söylendi. Öteki dünyaya oğlunda birlikte gideceğini söylemiş olsalar, imkânı yok inanmazdın...

Tükürdü cesaret almak için. Sımsıkı kavradı tabancaları :

— Ya bir reissindir vuruşursun, ya da korkağın birisindir. O zaman burada işin ne? Git evinin çatısında sıçanlar gibi yaşa... Düşmanı temizlemek için buraya gelmedin mi? Köy çocukları, vuruşmayı işitip, senin sayende kurtulacak. En ön sırada olmak zorundasın. Haydi!

Aslanlar gibi vuruşmuştu Strati ve kendisine ayırmıştı son kurşunu

Köylüler, sabah olunca öğrendiler öldüğünü. Türk zabiti, cesedi köy meydanına götürüp bir iskemleye oturtmaları için emir vermişti adamlarına ve bütün askerlerini ölünün önünden geçirdi :

— Yiğitliğin kadrini bilelim... demişti subay. Talancı ve katil değil, bu gâvur gibi olmanızı isterim...

Aylar boyunca köyde, Strati'nin fedakârlığından başka bir şey konuşulmadı. Ama savaşın vahşeti onun hatırasını da silip götürecekti.

Türkler susmuştu köyde. Evler ve tarlalar perişan olmuştu. Başını alıp gitmişti sevinç. Her yerde bir boğuntu ve dehşet vardı. Birer Gras, Mannlicher ya da revolver sağlayabilen kaçaklar, topluluklar halinde dağa çıkıyorlardı. Ve bu toplulukları dağıtmak amacıyla girişilen temizlik hareketleri, gittikçe sıklaşmaktaydı.

Topluluklardan birinin iaşesini sağlamakla, ben görevliydim. Jandarmaların burnunun dibinde iş görmeyi, onları uyutmak için, onlarla birlikte gülmeyi öğrendim. Barut ve yiyecek taşıyordum böylece kaçaklara. Keçi yollarını tırmanıp çıktıktan sonra, kimse tarafından görülmediğimden emin olabilmek için çoğu zaman saatlerce beklerdim hep. Ancak *ondan* sonra süzülürdüm mağaraya. Mağaranın girişi kocaman kayalar ve çalılıklarla örtülü olduğu için, bulmak imkânsızdı. On metre kadar sürünerek ilerledikten sonra, diken gibi dikitlerle dolu bir düzlüğe ulaşılırdı. Fenerlerin ışığında titreyerek parıldardı dikitler. Mağaranın sonunda ise, dipsiz bir uçurum vardı. Bir zamanlar Şevket'le birlikte keşfetmiştik bu mağarayı, ama sonuna kadar ilerlemeye cesaret edememiştik. Ve ben daima, Şevket'in bu mağarayı her an hatırlayıp, bir kıtaya gösterebileceğini düşünerek perişan oluyordum.

Bir gün dağdan inerken, bir kaynağın yanında bize tuzak kuran iki jandarma gördüm. Sessizce dönüp soluk soluğa girdim mağaraya, haber verdim. Bizimkiler hemen harekete geçip kuşattılar jandarmaları ve diri diri ele geçirdiler. Ama köyün ihtiyarları el koydu işe ve bir misillemeyi önlemek için serbest bıraktırdılar.

Ertesi gün, ağır silahlarla mücehhez bir Türk misilleme birliği harekete geçmişti. Ama bizimkiler savaşa yanaşmadı. Sadece Şaramlambos Papastergiyu yaralanmıştı içimizden; o da sık bir koruluğun içinde gizlenmeyi başarıp yakayı kurtarmıştı. Yardımına koşmak bana emredildi. Bizim kır evine götürdüm kendisini. Yarası ağır değildi ama, tedavisi şarttı. Gidip amcası, Tanasi Panayotoğlu'nun kapısını çaldım önce ve yardım istedim.

Altın dolu küpleri toprağa gömmüş olan ihtiyar tefeci, evinden dışarı burnunu bile çıkarmıyordu artık. Yeğeninin başına geleni anlattığımda, korkunç bir paniğe kapıldı ve lânetler yağdırdı bana.

— Ben böyle işlere karışmam... dedi sonunda. Hiç bir şey işitmedim ben, hiç bir şey bilmiyorum...

Umutsuzluk içinde geri dönüp, yaralıyı bir katıra yükledim ve karanlık basınca deniz tarafına doğru, bir vakitler Sisam'dan kaçakçılık yapmakla ün salmış ihtiyar Yanakos' un kulübesine götürdüm. İhtiyarla karısı da dehşete düştü bizi görünce, ama kovmaya cesaret edemediler.

— Ay, ne olursa olsun! diye homurdandı Yanakos. Felâket içinde hepimiz bir tek aile gibiyiz zaten. Sen hemen uzaklaş git buradan, ben Şaralambos'u selâmete çıkarırım...

Misilleme birliğinin kumandanı, harekâtın başarısızlığı karşısında deliye dönmüştü. Sözümona dağdakilerin yardakçısı olarak, üç masumu tevkif ettiler : Tefeci Panayotoğlu'nu, arkadaşım Hristodulo Goli'yi ve o zamanlar on yedisine henüz basmış bulunan kardeşim Yorgi'yi... Üç ay İzmir cezaevinde tutuklu kaldıktan sonra beraat etti onlar da. Barış içinde yaşamayı isteyen cömert yürekli insanlar tükenmemişti henüz. Ama silahlı toplulukların dağda barınabilmesi artık mümkün değildi. Ve ölümle dayanılmaz bir saklambaç oyunu başladı.

VI

Benim kur'amı, 1915 Ocağında askere aldılar. Yetmiş kadar benim gibi acemi er adayıyla birlikte Kuşadası'na gittim. Kütüğe işledikten sonra, hazırlığımızı tamamlamak üzere köyümüze geri yolladılar bizi : İki üç gün içinde, Amele Taburu için Ankara'ya doğru yola koyulacaktık.

Durumu kesinleşen kur'a erlerinin çoğu, kolayı kaçmakta bulmuştu. Bense arkadaşım Kosta Panagoğlu'nun izinden yürüdüm. Babasıyla bir para meselesinden ötürü kavga etmişti Kosta ve ihtiyarı merhamete getirmek için askere gitme yolunu seçmişti. Bense böyle bir aptallığı, neye yaptığımı hâlâ bilemyorum. Aramayagörsün insan, bir alay bahane buluyor! «İki belâdan birini seçmek lâzım işte, diyordum kendi kendime : Ya gizleneceksin ve bunun ne demek olduğunu gördün... ya da Amele Taburu, yani bilmediğin bir şey. O, bundan da beter mi deniyor? Ama bir pislik, tadına bakmadan anlaşılmaz ki!» Gerçekten de bu taburlar, işittiğim bütün kötü şeylere rağmen ürkütmüyordu beni; gözlerimle görmüş olduğum şeyden ürküyordum sadece ben. Kaçmak demek, her akşam kapıya tekmeler inmesi demekti; yersiz yurtsuz, bir sığınak bulabilmek umuduyla oradan oraya sürünmek, diri diri gömülmüş ya da boğazına kadar çamura batmış olarak yaşamak demekti. Bin kat daha evlâydı bundan Amele Taburları! Orada hiç olmazsa, ölüme karşı ayakta, gün ışığında ve yiğitçe mücadele etmek mümkündü! Böyle düşündüm işte ve bunun için gittim.

1915 Şubatında çıkmıştık yola. İstasyonda benimkilerden hiç biri yoktu. Kıvranıp durmuştu Yorgi veda ederken, bir gün kendisine de sıra geleceğini düşünmüş ve sormuştu ·

— Korkuyor musun?

— Bilmiyorum... dedim. Ölüme kolay kolay teslim olmayacağımı biliyorum, o kadar. Mücadele edeceğim.

— Seni çok arayacağım... dedi.

Yoldaydık. Birden katıra atladı, mahmuzladı hayvanı ve altüst olmuş bir halde uzaklaştı.

İzmir - Ankara arası, beş gün beş gece sürüyordu. Ağır gidiyordu trenler, odun yakıyorlardı çünkü : Türkiye'nin kömürü Almanya'ya aitti... Hayvan vagonlarına doldurmuşlardı bizi. Kapıları günde sadece bir kere açıyorlardı. Katardaki 480 kişiden yalnız 310 tanesi ulaştı menzile. Öbür yüz yetmişi yolda kayboldu. On muhafızımız vardı trende. Ganimete konabilmek için, kaçanlara rahatça göz yumuyorlardı. Sefaletin bağrından kopup gelmiş bu zavallı insanların gözünde, ana sevgisinin ve umutsuzluktan gelen cömertliğin elele verip, tıkabasa yiyecek ve giyecekle doldurduğu yüz yetmiş paket, hayale sığmaz bir hazine gibiydi...

Kaçanlardan kaç tanesi evine sağ salim dönebilmişti, bilmiyorum. Bir metre kalınlığında bir kar tabakasıyla örtülü dağlar, sarp ve çıplaktı üstelik; bu da yetmezmiş gibi, Türk asker kaçaklarıyla doluydu. Kasaba sokaklarında adım başı noktalar kurulmuştu; avuç dolusu para gerekliydi nöbetçileri merhamete getirmek için. Sonrası için de şans gerekliydi... Binlerce Rum böylece telef oldu.

Beni, Ankara'nın seksen kilometre uzağındaki Kilisler köyünde bulunan «*İkinci Amele Taburu*»na verdiler. Bölgede, yolları onarmak ve bir Fransız şirketinin harpten önce başlamış olduğu demiryolu hattını tamamlamak üzere on iki tabur vardı.

Dört kaçak yakalayıp sürüdüler, tam biz geldiğimiz sıra. Bizi çepeçevre etraflarına dizdikten sonra, zavallılara zorla diz çöktürdüler. Küfür ve tehdit dolu kısa bir konuşma yaptı kumandanımız ve öküz kuyruğu kırbacını kaptığı gibi, elleri kolları sımsıkı bağlı olan kaçakların üzerine saldırdı. Çığlıklar ve hırıltılar, kırbacın ıslıklarına karışıyordu. Yorgunluktan soluk soluğa kalan kumandan, sırayı jandarmalara devretti. Yarılan etlerden simsiyah bir kan akıyordu... Kırbaç faslı bitince ayağa kaldırdılar zavallıları ve «bilezik» tâbir ettikleri şeyleri geçirdiler boyunlarına : Her biri iki üç okka tartan ve uçları kalın perçin çivileriyle sürgülü demirden halkalardı bunlar. İşte bu boyunduruların içinde yemek yiyor, kazma sallıyor, taş kırıyor ve uzanıp uyuyorlardı...

İnsanları alçaltmak, maddeten olduğu kadar, manen de ezmek için neler icad edilmiş! İşkence süresince pantalonları düşüyor, tenasül organları çıkıyordu ortaya. Ve salyalarına, sümüklerine, sidiklerine, pisliklerine, göz yaşlarına karışıyordu kanları...

Bu tören bitikten sonra da bölüklere ayırdılar bizi. Yolda tam iki yüz boyunduruklu saydım! Nasıl dayanıyorlardı bilmem.

İlk akşam, altı soydaşımıza rastladık bizim bölükte.

— Nasıl oldu da bu cehenneme düştünüz! diye haykırdılar. Delilik etmişsiniz! Beyninize bir kurşun sıksanız bin kere yeğdi vallahi. Köpekler gibi geberip gideceğiz burada...

Sözümona cesaret verdim onlara; ama yatmaya uzandığımda, gökapaklarımın içinde öküz kuyruğu kırbaçla demir halkaların dansı başladı. Orta yaşlı bir adam vardı yanında, arkadaşlardan birine fısıldıyordu :

— Alıp da seni asmaya ya da kurşuna dizmeye götürseler bundan iyi vallahi! Adam yerine konuyorsun demektir hiç olmazsa... Ama bu, gerçekten tahammül edilmez bir şey!

Kesip attı öteki :

— Ben kaçacağım! dedi. İstedikleri kadar halka geçirsinler boynuma, artık dayanamıyorum...

Bir ay demiryolunda çalıştım. Sonra bir sabah, sordu kumandan :

— Odun kömürü yapmasını bilen var mı aranızda?

Hiç tereddüt etmeden fırlamıştım sıradan. Askerce bir selâm çakıp :

— Ben bilirim efendim... dedim.

— Köpoğlusu! dedi... Yalan söylediysen kurşunu yersin beynine.

— Eğer on gün içinde size üç yüz okka kömür getirmezsem, bana istediğinizi yapabilirsiniz... diye cevap verdim. Yeter ki yardımcılarımı kendim seçeyim...

Fırın yakmışlığım yoktu hayatımda. Sadece küçükken, bir Türk kömürcüsünün bizim dağlarda nasıl çalıştığını görmüştüm. Kaldı ki, kumandan kömür yerine : «Kim yıldız yapmasını biliyor?» diye sormuş olsa, gene ben fırlayacaktım.

On adam seçtim kendime ve dağın yolunu tuttuk. Kosta, Türk asker kaçakları bizi dağda vurur korkusuyla katılmamıştı. Bizim köylülerden sadece Hristo Golis geldi benimle. Yanımıza on günlük yiyecek almıştık ve onuncu gün, sekiz merkep yükü kömürle bölüğe dönüyorduk. Kumandanın dışarı çıkmasını bekleyip, yükü kendisine bir tamam teslim ettikten sonra :

— Bu kara kışta kimse bundan iyisini yapamazdı efendim... dedim. Bütün kömürlük odunlar sırılsıklamdı.

Aylardan beri kömür yüzü görmemiş olan kumandanın keyfinden geçilmiyordu artık. İaşe subayına dönüp, bize etsiz çift tayın vermesini emrettikten sonra, on günlüğüne daha kömüre yolladı.

Vahşî dağların tepesinde, fırtınaların ortasında, kurt ve çakal ulumaları arasında, Türk asker kaçaklarının korkusuyla başbaşa ve silahsız yaşamak, on bir Rum için hiç de kolay değildi. Ama kırbacı ve «bilezik»leri hatırladıkça, yatıp kalkıp kömür imâl ederek halimize şükretmekteydik!

Çadırımızı rüzgâr tutmayan bir yere kurmuş ve sağlam bir ocak hazırlamıştık. Her hafta içimizden biri, bölüğün bulunduğu köye inip kömürü teslim ediyor, yanına yiyecek yükleyip kampa dönüyordu. Anamızdan kömürcü doğmuştuk sanki ve kömürcü olarak öleceğimizi sanmaya başlamıştık... Ama nisan başında köye inmiş olan Hristo Golis, büyük bir endişeyle döndü yanımıza :

— Haberler kötü Manoli... dedi. Anladığım kadarıyla taburdan hiç kimse ölümden kurtulamaz : Korkunç bir hastalık biçiyor insanları, yüzlerce ölü var! Henüz ölmeyenlerin de, el ve ayak parmakları çürüyüp sülük gibi yerlere dökülüyor... Allah belâmı versin ki, bu gidişle bir tekimiz bile kurtulamayız!

Nitekim, birkaç gün sonra Hristo hasta düştü. Müthiş ateşi vardı ve tirtir titriyordu bütün vücudu :

— Hay kör şeytan! Hiç de iyi hissetmiyorum kendimi..
diyordu. Derman namına bir şey kalmadı bacaklarımda...
— İşi bırakıp arkadaşımla uğraşmaya başlamıştım. Ne ka-
dar örtersem örteyim üzerini, ateşi ne kadar harlatırsam
harlatayım, kâr etmiyordu bir türlü. Bütün vücudu buz kes-
miş gibiydi, inliyordu durmadan. Endişelenmeye başlamış-
tım. Ya o sözünü ettiği ne idüğü belirsiz hastalığa yakalan-
dıysa ne yapacaktık? Nasıl kurtaracaktık arkadaşımızı? Bü-
tün gece boyunca Golis, ateşten yandı durdu, çırpındı, sayık-
ladı... Ertesi günü de ben ve iki üç arkadaş aynı şekilde per-
perişandık. Çadırı söküp aşağı inme emrini verdim o zaman.
Niçin aldım böyle bir kararı? Aşağıda bizi bekleyen şevi
bilmezmiş gibi! İzmir'de gördüğüm bir filmin, beni çok de-
rinden etkilemiş olan bir sahnesi geliyordu hatırıma : Ölüm
saatlerinin yaklaştığını sezen bir fil sürüsü, önceden ölmü;
yoldaşlarının cesetleriyle dolu bir büyük çukura doğru yol
alıyorlardı..

Bölüğün ordugâhı, insanlar tarafından insanlar için bu-
güne kadar inşa edilmiş bütün binalar arasında en insan dı-
şı olanlarıydı. Yetmiş metre uzunluğunda ve sadece altı met-
re genişliğinde olan bu yapılar, seksen santim kalınlığında
harçsız kuru taş duvarlardan ibaretti. Bir tek pencere ara-
mayın.. Demir çubuklarla sürgülenen birkaç tahta kapıya
gelince, bir insan vücudu zorlukla geçebilecek genişlikteydi.
Yeşil dallarla karma çamurdan yapılmış damsa, kavak göv-
deleri üzerine tutturulmuştu.

Nisan ortasına doğru üç bin hastanın soluğu, havayı öy-
lesine ısıtmıştı ki, kavaklar filiz vermeye ve çok geçmeden
de incecik yeşil dallar belirmeye koyuldu damda : Kütükler
de yaşamak istiyordu!

Bu taştan mezarların duvarları boyunca, sağda ve sol-
da karşılıklı olarak, yarım metre yüksekliğinde toprak bir
«sedir» uzanmaktaydı. Ve işte askerler bu sedirde, saman
ve çuvallar üzerinde sıralanıp yatıyordu. İçeri girer girmez
yüreği kabarıyordu insanın : En ağır durumda olanlar, hem
barsaklarını boşaltmakta, hem kusmaktaydılar. Ve bu pis
kokuya ekşi ters kokusu, zehirli nefes kokusu, damdaki dal-

lardan yayılan acı küf kokusu eklenmekteydi! Paçavra haline gelmiş giyeceklerin içinde, saçlarınızın arasında, kirpiklerinizin üzerinde, kulak deliklerinizde, bütün vücudunuzda, milyonlarca bit kaynaşıyor; gömüldükçe gömülüyor derinizin içine, oyuyor âdeta sizi ve kanınızı boşaltıyordu. Yarı karanlıkta yükselen iniltiler, sayıklama sesleri, hırıltı ve horultular büsbütün perişan ediyordu sinirleri. Aramızdan henüz çıldırmamış olanlar, bir an önce ölmek için Tanrıya yalvarmaktaydı...

Dehşete uğramıştı Türkler. Çıbanlı tifüs olduğunu sonradan öğrendiğimiz bu uğursuz hastalık, onların köylerine de yayılmaktaydı. Ve çok geçmeden bizi tamamiyle ölüme terkettiler. Çukur kazmak için mezarcı yolluyorlardı sadece. Bir de karavanayı getirip kamp sınırlarının yüz metre ötesine bırakıyorlardı. Kendinde bir damla takat hisseden, pislikler arasında yüzükoyun kapıya kadar sürünüyor, dirseğiyle açıyordu kapıyı, duman tüten kazanları görüyordu ileride. Gözleri kamaşıyordu sonra güneşten, başı dönüyordu. Yiyecek bir besin hayattan kalan son hatıra gibiydi! Cesareti olan, karda yüzükoyun sürünmeye devam ederek kazanın yanına geliyordu ve tasını daldırıp da, içerdeki siyah sıvıyı ağzına götürür götürmez, başlıyordu kusmaya...

Ateşimin düştüğü bir gün, çıkıp birkaç metre yürüdüm dışarıda; içerdekilerin durumunu anlamak amacıyla komşu binaya girdim : Ömrüm boyunca unutamayacağım gördüğüm şeyi! İnsanların çoğu can çekişiyordu, birkaçı çoktan ölmüştü. Arkadaşım Kosta, ki cesedin ortasında uzanmış yatıyordu. Kan sızmıştı ağzından ve burun deliklerinden. Ve salkalını, boynunu, göğsünü kaplayan ince kan şeritlerinin içinde binlerce bit geziniyordu...

' Su bulup yüzünü yıkadım önce, elimi alnına koyup okşadım. Açtı gözlerini, bana baktı öyle bir süre. Dudağı titriyordu :

— Ölüyorum Manoli!. dedi. Sıyırtamadım.

Eğilip öptüm onu, ağladım sonra. Ne kadar zaman böyle birbirimize sarılı kaldık bilmiyorum. Zaten o anları hatırlamamak gerek! Bacaklarım birbirine dolaşıyordu, neredeyse devrilecektim; kendi yerime dönmem lâzımdı, ateş yeniden gelmişti, bitkin haldeydim.·

— Cesaret Konstantini... Gene gelirim ben...

Umutsuz bir bakışla baktı bana, ama konuşmadı. Elini kaldırdı sadece, belli belirsiz bir selâm verdi. Kendi binama döndüğümde, karanlık daha da koyulaşmış gibiydi. Sayıklayan hastaların çılğıklarından dehşete düştüm. Yerimi bulabilmek için, körler misali ellerimi önüme uzatıp, arkadaşım Golis'in ismini haykırdım birkaç kere. Ve sonunda, çuvalların altına girip yatınca ağladım : «Ah Aksiotis, diyordum kendi kendime, sen miydin o cesaret sahibi insan? Daima mücadele eden ve her zaman işin içinden sıyrılmasını beceren, sen miydin? Şimdi nasıl sıyrılacaksın bakalım bu pisliğin içinden?»

Tam o sırada, sinirli bir el yapışmıştı koluma. Hristo idi bu; yere çömelmiş, avazı çıktığı kadar bağırmaktaydı·

— Ne bekliyorsun Manoli? İncirlerimizle cevizlerimizi çalan şu piçleri görmüyor musun? Kov onları, ne bekliyorsun!

Can kazanmıştı sanki; iyileşmiş gibiydi; ayağa fırlayıp yürümesini bekledim bir an. Ama birdenbire çöktü, ateşler içinde kıvranmaya başladı. Bir bez ıslayıp yerleştirdim alnına, yatıştırmaya çalıştım :

— Uyu Hristo... Korkma hiç bir şeyden. Ben hep yanındayım...

Güven vermek için sarıldım ona. Soğuk ve kaskatı kesilmiş ayaklarını üzerime atmıştı. Sonra birden, derinden derine sarsıldı ve öldü...

Yardım istemek için ağzımı açtım, kapattım, yeniden açtım : Sesim çıkmıyordu! Doğrulup kalkmak istedim ama vücuduma söz geçirmem mümkün olmadı. Bir uçuruma gömülüyordum.sanki ve sonunda, uyuşturucu madde içmiş gibi, derin bir uykuya daldım.

İki ufak tefek ihtiyar, elele tutuşmuş, ayaklarımın ucuna basarak yaklaşmaktaydı. Başlangıçta tam seçemedim kim olduklarını, ama sonra hemen tanıdım : Hristo'nun annesiyle babasıydı bunlar... Parmaklarını ağızlarına götürmüş :

— Şışşt! diyorlardı bana. Konuşma sakın, yavrumuzu uyandıracaksın!

Doğrulup oturdum, birden öldüğünü hatırladım Hristo' nun. Ve ağlayıcı kadınlar gibi dizlerimi ovup, bedenimi yavaş yavaş sallamaya başladım. Kapıdaki bir yarıktan içeri sızan eğri ışık çizgisi, güneşin çoktan doğmuş olduğunu bildiriyordu; ışığın içinde ufak pırıltılarla dönen toz zerrelerine dikmiştim gözlerimi... Golis öldü! Golis öldü! Öldü Golis, öldü! Ona bakıyordum hep, katiyen ayırmıyordum gözlerimi ondan ve sallamaya devam ediyordum. Nasıl bilmiyorum, birden ölü yıkayıcı Stilyani canlandı gözümde. Tembel bir kocası vardı Stilyani'nin, her yıl bir çocuk koyardı karnına ve çocukları hep açlıktan ölürdü... Annemin ölü doğan çocuklarını mezara hazırlamaya o gelirdi tabii. Yıkayıp kefenlediği çocuğu tabuta yerleştirdikten sonra karşısına geçer gıpta ile seyrederdi bir zaman :

— Ne güzel yavru yarabbi!. derdi. Ah bu keşke benim olsaydı!. Ölüsüne bile razıyım!.

Arkadaşımın ölüsü ise korkunçtu. Öyle olduğu halde gene de, bu azabın bir an önce bitmesi için dua ediyordum kendi adıma... Elimle, alnını, gözlerini, dudaklarını yokladım Hristo'nun. Aldanmış da olabilirim, diyordum. Belki de yaşıyordu daha. Vel belki ben çıldırmıştım da etrafımı hep ölü olarak görmekteydim. Ama hayır, Hristo hayatta değil artık, dün akşam öldü. Öleceğini sezmişti zaten :

— Biraz olsun rahatlamak için bir şeyler söyle bana Manoli... diyordu.

— Elvira'yı hatırlar mısın, hani İzmir'de rastladığımız Kahireli şarkıcıyı? Ne sıcak sesi vardı değil mi? Şu anda gelip şarkı söylese burada, dirilir miydik acaba? Sen istediğin kadar sus arkadaş, seni iyi bilirim ben : Bir ateş yanar içinde hep... Aman koru o ateşi, sönmesin! İhtiyacımız var ona. «Yaşayacağım! diye tekrarla benimle birlikte. Beni öldüremeyeceksiniz pis herifler! Yaşayacağım!»

Gözlerini yummuştu Hristo, ama gülümsüyordu. Emin dim gülümsediğinden, çünkü iki üç kere ardarda elini uzatıp kolumu okşadı. «Biraz daha konuş...» demek ister gibi. Sözlerimin ona direnç verdiğini anlamış ve devam etmiştim... Benim de ihtiyacım vardı zaten cesaret bulmaya, neye saklamalı!

— Köye döndüğümüz zaman, evini tamamlaman için sana yardım ederim Hristaki. Bahçemizdeki o güzel kokulu çiçeklerden getiririm sana, kendi bahçene dikersin. Kadın!ar çiçeklere bayılır... Hepsi olacak görürsün. Hali vakti yerinde bir babanın ilk oğlusun sen! Üstelik baban da cömert adamdır. Öylesine şahane bir düğün kurar ki sana! Tellâl Kosma'ya verdiririz haberi, evlendiğini bütün sokaklarda bağırttırırız. Deniz cinleri bile koşup gelir, görürsün... Marangoz Yango da yardım eder bize ve bir günde yüz kişilik masalar yaparız! Hem de kavak kerestesinden değil... Kavak istemiyorum, hayır! Şu karşımızda birer canavar gibi bekleyen ve küçücük yeşil sürgünlerine rağmen sıraya dizilmiş tabutları andıran kavaklardan olmasın... Sizin dağ evinizde fındık ağaçları vardı hani, gayet sağlam odun veriyordu... Zifaf yatağınla çocuklarının beşiklerini, işte o fındık ağacından yapmalısın Hristo. Sonra bir şey daha var unutmaman gereken : Benim anamın on yedi çocuğu olmuş; onun için erkenden ihtiyarlayıp kurumuş gitmiş zavallı. Biz bari kadınlarımıza iyi bakalım, olmaz mı Hristo! Ve çocuklarımızı hep okşayalım. Doysunlar okşanmaya! Onları ilk defa okula yollayacağımız günleri düşün biraz... «Vo-yo! Mimi!» diye ötüşecekler... Ve İzmir'e ineriz seninle; çocuklar için kara tahtayla defterlik alırız. Hiç bir şeyin eksikliğini duymamalı çocuklarımız... Her sene Yeni Yıl günü yaylı oyuncaklar getiririz onlara... Bir defa Solari'de küçük bir tren görmüştüm, bilemezsin nasıl gözüm kaldı o trende! Bir harikaydı canım, harika! düğmeye basar basmaz, rayların üzerinde yürümeye koyuluyordu : «Çıh! Çıh! Çıh! Çıh!.» Ama göreceksin, yarın burada da, bu lânetli toprakta, hakikî trenler işleyecek; bizim döşediğimiz rayların üzerinden geçip gidecek o trenler ve bu yolun biz Rumlar tarafından can pahasına döşendiği, yolculardan hiç birinin aklına bile gelmeyecek...

Yoruldum birdenbire... Belki üzerime çöken heyecan da yormuştu beni. Anlattığım şeyleri görmek istermişçesine, gözlerini açmıştı Golis. Bir an sonra da, zayıf ve keder dolu bir sesle fısıldadığını işittim :

— Ah bir yaşayabilsem!.

Yanında kalmaya katlanamıyordum artık. Doğruldum ve iki büklüm bir halde duvarlara yaslanıp tutunarak çıkmayı başardım. Serin hava ile ışık iyi gelir, diyordum. Ama güneşe bakar bakmaz bayılacak gibi oldum. Kayıtsız, soğuk ve sadece takvimdeki günlerle aylar yerli yerinde geçsin diye gelip giden bir şey olarak göründü bana güneş. Kaçaklar, boyunlarındaki demirden halkaları daha kaç gün taşıyacaklarını unutmasınlar diye... Bir can yoldaşına ihtiyacım vardı aslında, teselli edilmek istiyordum. Birisi konuşsun ve ben cevap vereyim ve böylece anlayayım aklımı kaybetmediğimi! Kosta'nın bulunduğu binaya yöneldim. Belki biraz iyileşmişti? Peki ya ölüp gittiyse? Şaşılacak ne var ki bunda! Yüzlerce insan gözlerini kapıyor geceleyin ve bir daha açmıyor...

Sonuna kadar açıktı Kosta'nın gözleri. Donuk, korkunç... Bu derece müthiş bakışlı bir ölü görmemiştim daha! Tam düşmanına lânet okuduğu, düşmanının suratına balgam attığı anda gafil avlanmış olmalıydı ölüme... Öbür dünyadakileri de ürkütmesin korkusuyla, koşup hemen kapattım gözkapaklarıyla ağzını...

Kinle, kudurgan bir hınçla gerildi sinirlerim. Sonra bu hınç, bir anda, kuvvet ve cesaret haline geldi. Koşarak çıktım dışarı... Koca bir orduyu boğmaya yetecek kadar güçlü duyuyordum ellerimi. Ve kaçmak istiyordum! Durmadan koşmak, tepe ve hendekler aşmak, bir solukta geçmek derelerle dorukları, ırmaklara atılmak! Ve bir rüzgâr essin istiyordum; şiddetli, kasırga gibi bir rüzgâr... Essin ve kamçılasın çehremi, içimi serinletsin!.

Mayıs başına doğru, Şükrü Efendi isminde bir Türk başhekim geldi bölüğe. Hâlâ yaşıyorsa, tüm hayır dualarım kendisiyledir! Bir ermiş, gibi yetişip kurtardı bizi... Üniformayla harp, bu cömert yürekten insanlık duygularını söküp atamamıştı... Terkedildiğimiz durum karşısında dehşete kapıldı adam, ağır hastaların hastanelere taşınmasını emretti hemen, duvarlarda pencereler açtırdı, yaktırdı saman yığınlarıyla pis çuvalları, her tarafı dezenfekte ettirip badanalattırdı. Bir etüvle birlikte yeni örtüler getirtti. Yıkanma ve kılları alma mecburiyeti kovdu. İlâç ve süt verdi bizlere, karavanayı yenebilir hale getirdi... Hastalıktan ölmeden çıkanlar için dört aylık bir nekahat izni imzalıyordu... Ve üç binden, yedi yüzümüz kurtulabildiysek, bunu Şükrü Efendi'nin cömertliğine borçluyuz.

Hastaların izin kâğıtlarını doldurmak üzere, beni yanına yardımcı almıştı. Sıra bana geldiği vakit, büyük bir heyecan boğdu içimi :

— Yaptığınız iyiliği hiç bir zaman unutmayacağım. dedim.

— Senin için yapmadım ki... diye cevap verdi. Sizler için yapmadım, ki ben bu iyiliği. Kendi vatanım için yaptım! Yurttaşlarımızla askerlerimizin insan dışı bir duruma düşmelerine göz yumacak olursak, ne biçim bir millet oluruz biz?

Sözlerimi nasıl karşılayacağını kestiremediğim için ürkek bir sesle, fısıldar gibi :

— Harp, insanları hak yolundan döndürüyor... dedim.

— Genç olduğun ve bu genç yaşında büyük acılar çektiğin halde, hayatı doğru bir şekilde görüyorsun... dedi. Harp sahiden de, insanlar ve milletler arasında uçurumlar açıyor. Sizin mitolojinizde bir Kirke vardır hani, dokunduğu insanları domuza çevirir. İşte o Kirke, harbin ta kendisi! Hadi şimdi koş annenin kucağına, sana iyi şeyler yedirsin...

Yeni bir can kazanmış gibi oldum bir anda. Bacaklarım sertleşti, dik yürümeyi başardım yeniden ve yeni bir umutla doldu yüreğim... Yakın geçmişteki korkunç anılar, ancak tren sarsıldığı vakit üzerime çullandı : Nice ölü bırakıp da gidiyordum ardımda! Nice değerli, nice sevgili arkadaş! Gözlerini boğuntuyla gözlerime diken annelerine ne diyecektim yarın? Gerçeği gizlemeye, kendimde hak görecek miydim?

VII

Hiç bir zaman anlayamadım bu dört nekahat ayının nasıl akıp geçtiğini. Daima acelecidir sevinç; daha şöyle bir tutmanıza, doya doya sarılıp kucaklamanıza meydan kalmadan muzip bir afacan gibi kaybolur gider... İlk ayı yatakta geçirmiştim. Çalışmak için kalkar gibi oluyor, ama takatsizlikten hemen devriliyordum gene yatağa ve annem, endişe içinde soruyordu :

— Ne zaman düzeleceksin yavrum tamamiyle? Ne vakit iyileşeceksin sen?

Durmadan gidiş gelişlerini seyrediyordum, sessizce görüyordu işini. Ablamla annem tarlaya gittikleri vakit, yalnız kalıyordum evde. İskemlelere, divanlara, işlemeli örtülere ve sıra sıra saksıların içinde boyun büken süs bitkilerine bakıyordum. Annem hep onlarla övünürdü komşulara. Babamın bir resmi asılıydı duvarda : Sert bakışlı canlı gözler, küçük çukurlu dört köşe çenesini büsbütün katılaştıran sarkık bir alt dudak ve dudağın üzerinde kalkık bir bıyık... Yanında annemin resmi durmakta : Her zamanki gibi küçücük ve iyilik dolu... Fotoğrafçı asmıştı onun fotoğrafını babamınkinin yanına. Babam öldükten sonra asmıştı; annemle birlikte fotoğraf çektirmeye hiç yanaşmamıştı babam... Bir köşede cevizden ikonostaz duruyor. Evlilik taçları, kutsanmış nice dallar, solmuş fesleğen, tunç buhurdan, biraz bozuk para ve babamın iyileşmesi için ve Mihal'in sağ salim Yunanistan'a varması için adanan kurbanlar... hepsi orada işte... Odadan hatıra taşıyor!

Bacaklarımın üzerinde devrilmeden durabileceğimi gözüm kestiği andan itibaren çalışmaya başlamıştım : Boş durup oturmayı sevmez köylüler. Çoktandır budanmamış ve sulanmamış olan ağaçlar, yemişi azaltmışlardı! Verdikleri biraz meyveyi de, daha henüz olmadan, çocuklarla serçeler bölüşmekteydi. «Ermiş» lâkabını taktığımız ihtiyar çiftçi Stilyanos'la ailesi, annemin ekinler için kendilerine emanet ettiği bütün buğdayı silip süpürmüştü çoktan. Isırgan otları ve dikenlerle örtülüydü tarlalar. Köylü asker kaçakları da rahat bırakmıyordu çiftçileri; yiyeceğini, giyeceğini, yüzüğünü veya bir altın dişini söküp almak için, önüne gelen öldürüyorlardı. Erkekler sabah evden ayrılırken, akşam sağ salim dönmelerine yardım etsin diye, istavroz çıkarıp Tanrıya ve sırayla bütün ermişlere dua ediyorlardı.

Köyde hayat, bu şekle girmişti işte. Ama, Amele Taburundan gelmiş olan ben, bu hayatı gene de yaşanır buluyor ve iznimi uzatmanın yollarını arıyordum. Bir aile dostumuz bana teminat vermişti : İzin kâğıtlarını kontrol eden Rum hekimi tanıyordu ve onunla konuşacaktı...

— Sen o işi olmuş say... demişti bana. En azından üç ay uzatır. Bugüne kadar hiç bir ricamı kırmamıştır benim...

İnandım ve gittim ben de. Hattâ, rüşvet yediğini işittiğimden, yanıma on altın lira aldım. Ama rüşvet işinin nasıl döndürüldüğünü bilmiyordum yazık ki : En düşük tarife otuz liraydı; bu para, hekimin el ulağı olan bir üçüncü şahsa veriliyor, o da parayı bir albayla bölüşüyordu. İş işten geçtikten sonra, öğrendim bu ayrıntıları!.

İznim biteli epeyce olmuştu ve ne aile dostumuzun ricası, ne de benim düzelmemiş sağlığım, umurunda bile değildi hekim hazretlerinin! Hızlı bir muayeneden sonra hemen jandarmalara teslim etti beni ve kendimi dört duvar arasında buldum. Eşyamı almak ve anneme veda etmek için köyüme gitmeme izin verilmesini boşuna rica ettim. Zaptiyenin cevabı kesindi :

— İzin verelim de kaç, öyle mi? diyordu. Çok tecrübe ettik senin gibileri ve artık aklımız başımıza geldi...

Kapatıldığım hücre on kişi için yapılmıştı ama, altmış kişi vardı içeride. Çoğu kaçaktı; bir kısmı da, benim gibi iznini aşırmış olduğundan, birliğine mevcutlu sevkedilmek üzere orada bulunmaktaydı. İster Türk olsun, ister Rum, ister Ermeni, ister Yahudi... kendi arzusuyla orduya dönmek isteyen bir tek asker yoktu aralarında

14 Eylül günü yeniden Ankara'ya gönderilmekteydim. «İkinci Amele Taburu» bu sefer, Kızılırmak yakınındaki Yavşan köyünde bulunuyordu. Ve bu seferki karşılama... biraz farklıydı : Üç daracağı dikilmişti köyün meydanına ve burada günlerdir asılı duran üç delikanlının göğsüne de, üzerinde : «Ben bir asker kaçağıyım!» yazılı birer ilân levhası sarkıtılmıştı...

Asılmış arkadaşlarına bakıyordu askerler ve yüzlerinde hiç bir ifade okunmuyordu. Kılları kıpırdamıyordu sanki... Ne asılmak, ne boyunduruk, ne de işkence... anlaşılan, artık hiç bir şey insanları kaçmaktan menedemiyordu. Ve kaçmak, harbe karşı harbetmek gibi bir şeydi; herkes, kendi başından sorumlu olmak istiyordu sadece.

Buna karşılık, kışlalardaki değişiklik hatırı sayılır cinsindendi. Çadırlarda yatmak mümkündü bu sefer ve her cuma günü, toptan temizlik vardı. Bitler kaybolmuştu ortadan, hastalar hastaneye kaldırılıyordu... Ama açlık, işkencelerin en korkuncu haline gelmişti. Elbiselerimizi, yiyeceğimizi, paramızı, neyimiz varsa hepsini gasbediyordu muhafızlarımız; paketlerimizi de düpedüz çalıyorlardı. Taş kırmak, tünel kazmak, yol yapmak için günde on beş saat çalışmaktaydık. Ve açlığın pençesinde inliyorduk gece gündüz. Tayın ekmeğinin dağıtılmasını deliler gibi bekliyor; bütün gün, bütün gece boyunca o anın özlemi içinde kıvranıyorduk...

Öfkeli insanlar olup çıkmıştık hepimiz; taştan bir yastık, bir bitli çuval, bir lokma ekmek, aptesane sırası... sözün kısası bir hiç için boğuşmaya hazırdık birbirimizle! Açgözlü ve hayâsız kesilmiştik sonunda...

Jandarmalar ticaretlerini iyi kurmuşlardı. Bir avuç kuru üzüm karşılığında soyup soğana çevirmekteydiler bizi. Alışveriş yapmak için köye tek başımıza gitme hakkımız yoktu ve aramızdan birçoğu, açlığa daha fazla katlanamayıp, elbise ve ayakkabılarını değiştiriyordu bir lokma yiyeceklə. Bunların çoğu, yarı çıplak kaldıkları için, soğuğa dayanamayıp öldü. Yeni bir çift bot almıştım. Belki de çocukluğum yalınayak geçtiği için, iyi ayakkabılara karşı daima bir zaafım vardı... Botlara göz diken muhafızlar, yiyecek karşılığında vermemi teklif ettiler ve ben, ağzıma tatlı bir lokma koyabilmek için ruhumu şeytana bile, hem de defalarca satmaya hazırdım!

Bir gün aşçı, elinde bir tabakla yaklaştı masaya. Tabakta, yağlı bir pide parçasının üzerinde ipince kıyılmış soğanlar arasında serpilmiş yatan biberli, enfes bir şiş kebabı vardı. Getirip önüme bırakmaz mı tabağı!. Tatlı bir koku doldurdu ciğerlerimi, gözlerim kamaştı âdeta, ağzım sulandı. Elimi uzatır uzatmaz, aptalca bir kahkahayla çivilenip kaldım olduğum yere :

— Hey yavaş gel bakalım! Önce botları çıkar...
— Botları mı?
— Ne sandındı, botları tabii! Kara gözlerin için koymadık bu tabağı önüne... Ayakkabıları verir, kebabı alırsın!

Deli gibi fırladım yerimden ve küfrederek dışarı kaçtım.

En gürbüz ve sağlam olanları ayırmış, tünelde çalışmaya göndermişlerdi. Ben de aralarındaydım. Dokuz yüz metrelik bir tünel açmak üzere, Yozgat'la Yavşan arasındaki çok yüksek bir dağa sevkedilmiştik. İki takım halinde çalışacaktık : Birimiz dağın bir yanını, öbür takım da öteki yanını delmeye koyuldu. Günde on sekiz saat çalışıyorduk; kayayı delmek için kullandığımız iri çekiçler ve ufak burgular vardı; dinamit vermemişlerdi, sadece siyah baruttan faydalanabiliyorduk. İkişer kişilik ekipler halinde, her gün belli sayıda lâğım açıp patlatmak gerekti; yoksa öküz kuyruğu hazırdı sırtımızda. Kaldırılan toprağı el arabalarıyla taşıyorduk önceleri, sonradan ufak vagonlar getirdiler. Bu, işimizi gerçekten hafifletti.

Kayayı kırmak için kuvvet lâzımdır; bizse açlıktan zayıf, türlü azap ve hastalıklardan bitkin düşmüştük. Aramızdan çoğu kan tükürüyor, bir zaman sonra da ölüp gidiyordu. Kimimizse, gerçekten dayanıklı kişilerdik. Bunların başında, Miços geliyordu. Miços, kendi deyimiyle, «anasının karnından müzisyen çıkmış.» Şöyle anlatırdı hep doğuşunu :

— Anamın kurtulma ânı gelip çattığı vakit, şöyle bir başımı uzatıp : «Önce santurumu al!. dedim ebeye. Ancak ondan sonra çıkıp tadına bakarım dünyanızın...»

Öğleyin muhafızlar yemeğe gittiğinde, biz de Miços'un çevresinde toplanır, neşe saçmaya koyulmasını beklerdik.

— Hadi biraz dalga geçelim!... diye başlardı. Gülmek kurtarır bizi! Gülmek besler, gülmek kuvvetlendirir! Kızarmış kuzu, çalkanmış yumurta, turfanda yemiş gibidir gülmek...

Herkesin ağzı kulaklarına varırdı ossaat :

— Hadi Smornotaki, merhamet eyle bize! Söyleyiver şu yuvarlak kalçalı, tombalak baldırdı Marisa'nın şarkısını...

— Şu kadidi çıkmış heriflere bakın hele! Hele şu iskeletlere bakın bir! Yahu sizde oraya buraya savuracak kuvvet kalmış mı? Madem öyle, gelin de anlatalım hikâyeyi bir daha. Ama bu sefer can kulağıyla dinleyin. Malûm ya, bin birinci kere anlatıyoruz bunu!...

Ve anlatmaya koyulurdu Marisa'nın tombul nahiyelerini : Sevgili Sotiros usta her Allahın günü bilmem ne kadar çam fıstığı, bir o kadar tereyağı ve pirzola, üstelik de bir alay tuzlanmış et yedirirmiş Marisa'ya. Öyle ki, gıda bolluğundan sarılık olmuş kızcağız. Öleyazmış... O bir tarafta Azrail'le pençeleşedursun, öbür tarafta Sotiros usta içini dökermiş : «Her şey bir yana... dermiş... baldırlarını kaybetmek çok acı gelecek bana. İlle de baldırları Marisa'nın, ille de baldırları!»

Bir gün birisi, hikâyenin en can alıcı yerinde, tam Marisa'nın baldırlarının gövdeyle bitiştiği yerdeki gizli nahiyeyi tasvir ederken sözünü kesti Miços'un :

— Öf be, yeter! diye bağırdı şakacıktan. Rahat bırak artık şu zavallı Marisa'nın baldırlarını... Kadın değiştirelim biraz! Marisa'ya kanıksadık, kılımız kıpırdamıyor...

Miçoş ters anladı şakayı ve birbirlerinin boğazına sarılacak raddeye geldiler. Sonunda, Bornovalı Hristoforos girdi araya:

— Sizi de Marisa'nızı da şeytan götürsün be!. diye haykırdı... Karı baldırı görecek göz mü kaldı bizde! Güzel bir jambon parçasından söz etseniz anlarım... Bak onun için cambazlık yapmaya razı olurdum işte!.

Yaşadığımız hayatın, içimizi de dışımız gibi katılaştıracağını sanmıştım. Nasıl da aldanmışım! Tünel bitip de iki takım, dağın orta yerinde karşılaştığı vakit, o ne sevinçti yarabbi, o ne heyecan!. Zavallı insanoğlu, sen Tanrıyı kendinde taşıyorsun!. Hayatın hatırasıyla yaşayan, bir deri bir kemik esirlerden gayrı neydik biz aslında? Yedi ay boyunca kayaları oyup, dağın içini kemirmiştik; o da bizim içimizi kemirmişti tabii. Ama sonunda yenmiştik onu ve nasıl inanılmaz bir gurur duyuyorduk! Anadolu zenginliklerinin, bu tünelden geçerek kıyıya ulaşacağı barış dolu yılların hayalini kuruyorduk şimdiden! Rumlar da, Türkler de, kısa bir an için, her şeyi unutmuştuk. Elele verip bir ev kurduktan sonra, oturup yorgunluk cigarasını birlikte tüttüren ve ilk yemeği birlikte yiyen kardeşler gibi, el sıkışıyorduk... Ama bu coşkunluk uzun sürmedi: *Askerağa*nın düdüğü ötmüştü gene.

Kızılırmak buz tutmuştu. Buzların üzerinden geçiyorduk her sabah, odun angaryasına gidip gelirken, çalı çırpı demetlerini de sırtımızda taşıyorduk. O sıralarda yeni bir felâket çöktü üstümüze: Dişlerimiz, sonbahar yaprakları misali dökülmeye koyuldu. Allahtan bize dinlenme izni veren bir hekim çıktı; faydalı bitkiler toplayıp yiyerek kurtulabildik. Gerçek birer iskelet gibiydik aslında, kemiklerimiz neredeyse derimizden dışarı uğrayacaktı. Dehşete kapılıyordu bizi iki büklüm çalışırken görenler. İnsana benzer yanımız kalmamıştı.

Ordunun, sepete büyük ihtiyacı vardı. Harp içindeydik ve erzak taşımaya çuval yetiremiyorlardı. Bir gün nitekim :
— İçinizde sepet örmesini bilen var mı? diye sordu bir albay.

On kişi çıktı ortaya, aralarında ben de vardım. Yalan söyleyip söylemediğimizi anlamak için bir örnek istediler. On kişiden sadece Lefteri meslekten sepetçidi. İşin nasıl yapılacağını o gösterdi ve hürriyet arzumuz öylesine kuvvetliydi ki, rahat zamanda öğrenmesi aylar alacak şeyi birkaç saat içinde eksiksiz kavramıştık.

Bu denemeden sonra, ırmağın kıyılarında beş kilometrelik bir daire çerçevesindeki sazlık mıntıkaları keşfe çıkmamızı emretti subay. Konak yerine bir saat mesafede ideal bir sazlık bulduk. Ve hemen çadırımızı kurup işe giriştik. Sazlığın yakınında, ileri fikirli Türk topluluklarından *Tahtacılar*'ın oturduğu bir köy bulunuyordu. Neye, ördüğümüz sepetlerden bir kısmını verip de onlardan erzak almayacaktık sanki?

Lefteri itiraz ediyordu :
— Korkarım bunlar sepetleri alır, yiyecek yerine de beynimize kurşun sıkarlar!
— Hiç korkma... diye cevap verdim. Tahtacıları tanırım ben. Yörük'tür bunlar, yani Rafızî'dir. Kürtler gibi, bunlar da Hıristiyanlara yakınlık duyarlar.

Köye varınca, ne kadar haklı olduğum çıktı meydana. Sepetlerim âdeta kapışılmıştı. Rum olduğumu öğrenen bir ihtiyar da akşam yemeğine alakoydu. Oğlu da bizimle birlikte oturdu sofraya. Ama işin asıl tuhafı, kadınlar peçesiz hizmet ediyor ve rakı yerine şarap sunuyorlardı. Müslümanların bu türlü gelenekleri olmadığını iyi bildiğimden, gizli bir Hıristiyan ailesine düştüğümü sandım...

Mardinli bir köylü vardı taburda, ismi Hasan oğlu Grigori idi; gizli Hıristiyanlardan söz eder dururdu hep bize.. «Bizim orada, derdi, köylerin çoğu zorla kurdurulmuştur. Türkler, Rumca konuşan köylülerin dilini kesiyorlardı; işte bundan ötürü Türk isimleri aldılar. Ama yürekleri hep aynı kaldı. 1909 Teşkilât-ı Esasiye zamanında, Jön Türkler'in her türlü hürriyet vaadine aldanıp hakikî kimliklerini açıkladılar...» İşte, ihtiyar Tahtacının sofrasında Hasan'ın bu sözlerini hatırladım birden ve şöyle bir ağız yokladım.

— Bizler Müslümanızdır... dedi ihtiyar. Ama, Tahtacılara mensup Müslümanlarız. Pek sevmeyiz Osmanlıları. Hıristiyanları da zeki ve çalışkan oldukları için tutarız...

İnanmadım ama ısrar da etmedm. Ayrılacağım sırada, hediyeye boğdular beni : Yulaf ekmeği, yumurta, peynir ve hattâ bir küçük damacana rakı verdiler!

— Arkadaşların içer de kederlerini unutur... diyorlardı.

Çadıra döndüğüm zaman bayağı sarhoş gibiydim : Tahtacılar'ın şarabından çok, cömertliklerinin verdiği sevinçten... Ama birden, albay dikilverdi önüme! Hediyeler karşısında şaşkınlıktan çivilenmiş kalmıştı.. Kendimi mazur göstermek için, bir alay yalan sıralamaya koyuldum; araya birkaç gerçek noktada sıkıştırdım tabii. Ve sonunda anladım ki, albayı ilgilendiren tek şey, rakıdır. Bunu sezer sezmez de atıldım :

— Size bu ev rakısını ikram etmeme izin verin albayım...

Nazlandı önce, mırın kırın etti; ama sonunda :

— Madem ki ısrar ediyorsun, alayım... dedi. Yalnız, ödemek şartıyla alacağım.

— Ne diyorsunuz albayım! diye haykırdım. Hiç ben sizden para kabul eder miyim!

Türkler'in, kendilerine hediye verilmesinden nasıl haz duyduklarını bilmez değildim; herhalde albay bir istisna değildir, diye hesaplamıştım. Nitekim ayrılmadan önce :

— Bundan böyle sepetleri tabura sen getireceksin... dedi. Geldiğin vakit, beni göreceğini söyle. Seninle konuşacaklarım var.

İki gün sonra karşısındaydım :

— Sana bir şey söyleyeceğim... dedi. Ama tek kelimesini ağzından kaçıracak olursan, kendini ölmüş bil.

— Hiç merak etmeyin efendim, mezar gibiyimdir. Benden sır çıkmaz!

— Dinle : İaşe zabiti sana bir teneke zeytinyağı verecek. Onu, hediye aldığın köye gider, rakıyla değiş tokuş edersin. Sonra da bana haber verirsin, birisini gönderir aldırırım rakıyı. Anladın mı?

O günden sonra da, albayla olsun, iaşe zabitiyle, mühendisle veya hekimle olsun, iyi işler çevirdim... Ama bu tatlı hayat dönemi, uzun sürmedi, çünkü yeniden Ankara'ya yollandık : İkinci Amele Taburu, Türk çiftçilerin hizmetine verilmişti; hasat zamanıydı ve köylerde erkek yoktu, ekinler telef olmak tehlikesiyle karşı karşıyaydı... İki günlük dinlenmeden sonra, köylere dağıldık. Ben, elli arkadaşla birlikte Göldere'ye yollandım. Oğulları askere alınmış olan Türk çiftçileri meydanda toplanıp tepeden tırnağa muayene ettiler bizi. Dayanıklı olup olmadığımı anlamak istiyorlardı.

— Pek zayıf bunlar canım! dediler. Tükenip gitmiş hepsi! Çapayla sapana nasıl güç yetirebilecek ki bunlar?

VIII

Kısmetim varmış : Altı arkadaşımla birlikte, iyi bir çiftçinin eline düştüm... Köyün eşrafındandı Ali Dayı. Göldere'deki evinde, hasta yatan karısı ve on sekiz yaşındaki kızı Adviye ile birlikte yaşıyordu.

— Benim de askerde üç oğlum var... Onun için sizin derdinizi anlarım. Burada hiç bir şeyiniz eksik olmaz; ne yiyeceğiniz, ne içeceğiniz... Herkes size hoş davranır; siz de işinizi hüsnüniyetle görürsünüz, olur biter.

Konuştuğu vakit gözlerini karşısındakinin gözlerine dikerek, ona derin bir güvenlik duygusu aşılıyordu. Kızı ise hep başı önüne eğik konuşuyordu; biraz ürkek bir hali vardı, erkek olduğumuzu hatırlatıyordu bize...

Harmanı bitirmiş oldukları için, biz doğrudan doğruya döğüme geçtik. İşin aslında, bu çalışma bir angarya gibi gelmedi bize. Çiftlikte rahattık, huzurumuz vardı. Karnımız doyuyordu üstelik, temiz bir odada yatıp kalkıyor, istediğimiz gibi yıkanabiliyorduk... Otların rayihası, hayvanların kokusu, kuşların cıvıltısı, içimizi sevinç dolduruyordu.

Ve Ali Dayı hiç bir vakit kaba davranmıyordu bize, iyi bir insandı. Bir gün akşama doğru namaz kılarken görmüştüm onu. Diz çökmüş, başını yere eğmişti. Caminin minaresinde Allaha dua eden müezzinin sesi geliyordu uzaktan. Ali Dayı, alçakgönülle mırıldanıyordu :

— Allahım! Eğer elimden bir insana karşı haksızlık çıktıysa, elimi kes! Birine kem gözle baktımsa, gözümü oy! Başkasının malına kaydıysa gönlüm, sök parçala!.

Başlangıçta az kaldı kaybediyordum Ali Dayı'nın güvenini. Harman döğümünü en ilkel bir şekilde yapmaktaydılar; yenilik getirdim ben; ama komşulardan biri bunu görmüş ve hemen yetiştirmişti :

— Kurulu düzeni bozuyor bu gâvur! demişti. Bizi yerle yeksan edecek...

Allahtan Ali Dayı beklemesini bilen adamdı; acele hüküm vermeyip sabretti ve benim tuttuğum yolun daha verimli olduğunu görünce de, sevinçle haykırdı :

— Seni bana Allah gönderdi oğlum! Ellerim rahat kalsın diye... Bundan böyle bütün döğüm işi sana emanettir. Benim işim zaten başımdan aşkın...

Her gün kızıyla bana tarlaya yemek gönderiyordu; kızı da dönüşte, o gün ne kadar iş gördüğümü anlatıyordu ona. Bir akşam Adviye :

— Manoli... dedi... Babam bugün evde seni yemeğe bekliyor.

Ne istiyordu acaba ihtiyar benden? Yoksa tabura geri mi göndereceklerdi? Dostça karşıladı beni, *misafir odası*'na aldı :

— *Buyrun* Manolaki, *buyrun kardeşim!* Seni memnun etmek için bizimle birlikte yemeğe çağırdım, çünkü sen beni memnun ettin. Allahın kullarına verdiği en iyi şey, temiz yürektir...

Bağdaş kurup oturduk *sofra*'ya ve yemeğe başladık. Raflardan birinin üzerinde balmumunu görmüştüm. Kovanları olup olmadığını, varsa kimin meşgul olduğunu sordum Ali Dayı'ya.

— Çok kovan var ama... dedi... hepsi bakımsız. Hiç birimiz arı sokmasına dayanamıyoruz çünkü. Sadece karım becerirdi o işi, ama o da hasta bildiğin gibi ve kovanlar başı boş...

— Sen hiç merak etme Ali Dayı... dedim. Ben bakarım senin kovanlarına. Bizim orada da vardı, ben uğraşırdım.

Ve hemen ertesi gün giriştim işe. Kırk kovandan üç yüz okkaya yakın bal aldık... Ali Dayı sevincinden neredeyse zıplayacaktı. Kelime bulamıyordu beni övmeğe. Adviye de babası gibi hayranlık içindeydi, tatlı tatlı bakıyordu bana... Daha sonra da bahçeye yanıma geldi ve konuştuk. İzmirli kadınları sordu bana, nasıl yaşadıklarını, nasıl giyindiklerini. Denizi, vapurları sordu. Hepsini anlattım birer birer. Anlattıkça yurt özlemi sardı içimi, bir sigara yakıp şöyle bir hayale daldım... Gözleri parıldıyordu kızın, ağzıma bakıyordu hep; sonradan bir gün, büyük bir heyecanla :

— Ömrümde senin gibi güzel konuşan birini daha görmedim... dedi.

Yüzüne baktım : Yanakları al al olmuştu. Kaba köylü giysilerinin altında ateşli bakire vücudu, arzuyla kıvranıyordu. Gururumu okşuyordu övgüleriyle ve bir ateş sarıyordu benim de vücudumu... Benden başka bir şey düşünmediğini ve cüretinin sınır tanımayacağını anlar anlamaz tuttum kendimi, sözlerimi iyice tartıp öyle konuşmaya başladım : «Nedir yani Manoli? dedim kendi kendime. Başına belâ mı arıyorsun sen? Bu kızın şakası yok, görmüyor musun!»

Ali Dayı'nın Ankara'da olduğu bir gün, öğleye doğru gelip, ufak saçaklı halılarını derede yıkarken kendisine yardım etmemi istedi benden. Bu bir tuzaktı, anlamıyor değildim; ama reddetmeye cesaretim yetmedi. Bir katıra yükledik halıları, o küçük boz tayına atladı ve yola koyulduk... Yolda bir sıkıntı bürüdü beni: «İkimiz baş başa kaldık işte, ne olacak şimdi!» Ürkek bir küçük kız gibi başım önümde, hiç konuşmadan yürüyordum.

Tepeyi aşıp da sık ormana girince, sevgilisi tarafından kucaklanmayı bekleyen kızın şehvetli türküsünü tutturdu Adviye. Tay yularsız olduğundan, entarisi havalanıyor ve buğday rengi çıplak bacakları çıkıyordu ortaya. Gözüm kararıyor gibiydi. Şakaklarım zonkluyor, ağzım kabarıyordu. Büyülenmişçesine gidiyordum ardından.

Dişlerimi çatlatacak gibi sıkarak, gözlerimi çevirmek kuvvetini güçlükle bulabildim kendimde. Susmuştu Adviye, türkü söylemiyordu artık. Soluk ve telâşlı, derin derin bakıyordu bana. Sonra altındaki hayvanı zalimce mahmuzladı. Tayın ahenkli sarsıntısından ve sıcak temasından, büsbütün galeyana gelmiş gibiydi.

Birden durdu, yeşil otların üzerine attı kendini, arzuyla yuvarlandı. Nane ve kokulu otlardan örtülü kalın ve nemli bir bitki örtüsünün üzerine sırtüstü uzanmıştı; yamaçtaki sazlar bir perde gibi çeviriyordu etrafımızı. Bakışları bakışlarıma kenetlenmiş, beklemekteydi. Aşka susamış bir hali vardı. Çıplak bacakları, kalçaları göğüsleri titriyordu durmadan. Gitmek istiyor ama bir türlü söz geçiremiyordum ayaklarıma. Birden boşaldı beynim. Hıristiyanlığın bütün ermişleri toplanıp gökten inse ve karşıma dikilse, o an tutamazlardı beni... Çılgın gibi atıldım üzerine ve çılgınlar gibi sarıldık. Acıyla zevki bir arada yoğuran küçük çığlıklar atıyordu...

Durulup da aklım başıma geldiği zaman, sınırsız bir sevgi ve tadına doyulmaz bir sevinç duydum. En güzel aşk sözleri yükseldi içimden. Ama birdenbire, Hristo Golis'le Kosta Panagoğlu canlandılar gözlerimin önünde. Biri buz gibi elleri, öbürü öfke saçan bakışlarıyla, bir an olduğum yere çivilediler beni...

Sonra hemen fırlayıp koştum ırmağa. Başım alevler içindeydi sanki. Kendi özüme kendim tükürmüş gibiydim. Halkımız, Türkiye ile ölesiye bir kavgaya girmişti ve ben bir

Türk kızını kucaklıyor... ve ben bir Türk kızını seviyordum! Değneklerden birini alıp kudurmuşçasına dövmeye başladım halıları. Adviye, sessiz ve soluk, bana bakıyordu hep... Bu sakin ve kayıtsız akan suların içinde; insanların acısından habersiz, neşeyle oradan oraya uçuşan bu kelebek ve serçe önünde, rahatça boğabilirdim onu...

Ne olacaktı şimdi? Allahım, şimdi ne olacaktı? Nerelere sürükleyecekti beni bu macera?

Üç gün boyunca Adviye hiç gözükmedi. İyiye mi alâmetti bu, yoksa kötüye mi, bilemiyordum. Dördüncü gün, ormandan odun getirmek üzere yamacı tırmanırken, ayak seslerini işittim arkamdan doğru. Dönüp baktım; oydu, takip ediyordu beni. Bekledim... Gelip kollarıma atıldı ve tek kelime söylemeden ağlamaya başladı... Ben de ağladım tabii. Böyle birbirimizin boynunda, aynı zamanda mutlu ve mutsuz ne kadar zaman kaldık; bilemiyorum... Bu buluşma, en ince ayrıntılarıyla hâlâ hatırımdadır. Yarım yüzyıl geçti aradan ve ben şu anda bile, Adviye'nin yüzünü elleriyle örtüp, umutsuzluk içinde :

— *Nedir bu başımıza gelen!* diye inleyişini görür gibi oluyorum.

İki üç gün sonra da harmanda gelip buldu beni; gene yalnızdık. Kederli, handiyse korkulu bir hali vardı :

— Sürülerimizi amansız bir hastalık kırıp geçiriyor... dedi. İşlediğimiz günahın cezası mı yoksa bu? Eğer annemle babam duyacak olurlarsa, ikimizi de keserler!...

— Pişman mısın, yoksa korkuyor musun?

— Pişman değilim Manoli. Korkuyorum, ama kendim için değil; senin için korkuyorum. Başına benim yüzümden bir iş gelsin istemem. Sevmek körletti beni, aklımı başımdan aldı... Ama sen Hıristiyansın, bense Müslüman. Kanunlar insaf etmiyor; çok zor evlenmemiz... Kaldı ki, senin İzmir tarafında kocaman arazın var, bizim bu hayatımıza katlanamazsın ki...

— Bak Adviye... dedim. Ben bu sevdayı önleyebilmek için elimden geleni yaptım. Tutamadık kendimizi, oldu bir kere. Ama sürüleri kıran hastalığa bizim sevişmemizin sebep olduğunu sanma sakın! Yüreciğini böyle bir tasaya kemirtmen doğru değil... Evlenmeye gelince, senin de dediğin gibi, şu an böyle bir şeyi düşünemeyiz...

Yaşlarını zaptetmeye uğraşıyordu zavallı kız, sevgiyle sokuldu bana :

— Nasıl istersen öyle olsun Manoli... dedi. O gece gözlerime uyku girmedi. Adviye'nin hali için duyduğum üzüntü kemiriyordu içimi hep. Aramızda olup biteni öğrenmelerinden ve beni kızla evlendirebilmek için Türk olmaya zorlamalarından korkuyordum... Ne kadar ağır olursa olsun, hemen bir karar almam lâzımdı. Çiftlikte, Kokuluca köyünden yiğit bir arkadaşım vardı; Panagi Dervenoğlu'ydu adı. Ona açıldım.

— Kızı seviyor musun?

— Bilmiyorum. Şu anda bildiğim tek şey, ondan uzaklaşmam gerektiği. Başka kurtuluş yolu da göremiyorum...

— Ben de buradan gitmek istiyorum aslında, ama tabura dönmek işime gelmiyor. Memleketten uzaktayız Manoli, kaçmak güç olacak.

Uzun süre susup düşündü, sonra kararlı bir sesle :

— Pilâvdan dönenin!.. dedi. Sana güvenim var benim. Geliyorum... Başımız sıkışacak olursa, bir çaresini bulursun sen. Benim için bundan daha iyi bir fırsat olamaz!

Ertesi gün çarşı dönüşünde Panagi'yi çağırıp bir revolverle kırk tane mermi gösterdim.

— Kör şeytan! diye haykırdı. Nereden buldun bunu?

— İki lira yirmi kuruşa satın aldım. Bu silah kurtaracak bizi. Yolda vicdansız bir köylü veya çobanla karşılaşırız diye korkun olmasın artık!

Hazırlığa giriştik. Yedek erzak bulundurmamız gerekiyordu yanımızda; çünkü on, on iki gün boyunca hiç bir köye, hiç bir insana yaklaşmak söz konusu olmayacaktı. Ekmek isteyen her yabancının asker kaçağı olduğunu artık biliyordu Türkler veya tutup resmi makamlara teslim ediyor, ya da öldürüyorlardı... Taburdaki kaçakları hatırlıyor-

dum : Çektikleri işkence yetmezmiş gibi, birbirlerini para-
lıyorlardı; her biri bir ötekini sorumlu tutuyordu başarı-
sızlıktan...

— İşe, kimin kumanda edeceğini kararlaştırmakla baş-
layalım... dedim Panagi'ye.

Gülümsedi; sorumu pek çocukça bulmuş gibiydi :

— Hırsız polis oynadığımız günleri hatırlatıyorsun ba-
na... Kumandan, pek tabii ki, sen olacaksın! Türkçeyi bir
Türk kadar iyi konuşuyorsun; cesaretin kadar aklın da ye-
rinde. Daha ne isterim ben Allahtan?

Ertesi gün şafak sökerken ayaktaydık. İçimizi kemiren
bütün şüphelere rağmen, neşe doluyduk. Daima sevinçle el-
ele yürümez mi gençlik? Panagi bana «reis» diyor ve su dö-
küyordu elime yıkanmam için. İştahla yedik ekmek peyni-
rimizi. Kaçmak kararı, tuhaf bir coşkunluk vermişti bize.
Ağaçlara, tarlalara sevgiyle bakıyorduk. Küçük bir dana
yavrusu annesini okşamaktaydı; ılık bir şeyler doldu içime
ve bir türkü tutturdum :

> *Dağın doruğunda*
> *Bir ışık yanar*
> *Işık sönmesin diye*
> *Söylerim bu türküyü.*

> *Ölüm Allahın emri.*
> *Allahın emri olsaydı yalnız*
> *Gelsin derdim ölüme!*
> *Yeter ki insan insandan*
> *Gene bir insan eliyle ayrılmasın!*

> *Irmaklar çağlar da çağlar...*
> *Su değildir çağlayan*
> *Gözlerimin yaşıdır.*
> *Ayırdılar yurdumdan*
> *Sevdiceğimden, gülümden,*
> *Beynime bir kurşundur sıkılan...*

Tam çalışmaya koyulacağımız sıra, Ali Dayı'nın sessiz ve düşünceli bir edayla yaklaştığını gördüm. İyi sabahlar diledi bize, sonra bir şey söylemek ister gibi tereddüt etti. Ama caymış olmalı ki, sustu sonunda.

— Bugün erkencisiniz efendi, dedim. Bir şey mi var yoksa?

— Seninle konuşmak istiyorum ama... dedi.. yalnız olalım daha iyi.

Ahıra yönelmişti.

İki arkadaş, aynı düşünceyle birbirimize bakmıştık : Adviye her şeyi anlatmış olmasın? Panagi hemen kulağıma yanaşıp fısıldadı :

— Cesaret Manoli! Ne olursa olsun kaçacağımızı, kaçmamız gerektiğini aklından çıkarma sakın...

Ve uzaklaştı Panagi. Başımı eğip bekledim. Çok geçmeden Ali Dayı göründü :

— Şaşkınlığımdan unuttum... dedi. Evinden sana bir mektup var... Önce oku, sonra konuşalım. Bitirince kuyunun oraya git bekle beni.

Aldım mektubu. Açmadan önce, sabırsızlıkla sıktım avcumda, sonra okşadım. Annemi okşarmış gibi...

Bir aşağı bir yukarı gidip geliyordum kuyunun yanında, her saniye bir asır gibi geliyordu bana, avuçlarımı yakıyordu mektup. «Bağışla anneciğim, bağışla beni...» diye mırıldanıyordum. Tuhaf bir endişe vardı içimde. Buruşmuş zarfa baktım yeniden, düzeltip ütüledim sevgiyle, sonra yavaş yavaş açtım... Daha ilk satırlardan itibaren, köyün üzerine çöken belâlar canlandı gözlerimin önünde : «Türk asker kaçakları, diyordu ablam, Rum ırkının köküne kibrit suyu ekmeğe yemin etmiş. Bir tek canlı erkek bırakmıyorlar... Bu arada biz de Manoli... Nasıl söylesem sana... hangi kelimelerle anlatsam!... bu arada bizde Panago'muzu kaybettik... Ağabeyin öldü, evet. Hem de hiç kimse ölüsünün üzerinde ağlamadan, hem de hiç kimse cesedini yıkayıp aklamadan öldü... Gömmek için ölüsünü bile bulamadık ağabeyinin...»

Bomboştu kafam, ayaklarım tutmuyordu sanki. Kuyu bileziğinin üzerine çöktüm. Bir türlü ağlayamıyordum. Kalakalmıştım öylece... Ali Dayı o halde buldu beni. Güçlükle anlattım mektupta yazılı olanları. Üzgün bir edayla dinliyordu.

— Yarabbi ne oluyor bize böyle! diye mırıldandı sonunda. Nereye gidiyoruz biz? Yoksa insanlıktan çıkıp vahşî hayvan mı olduk!

Bir samimiyet, kederli bir yumuşaklık vardı sesinde ve bu, bir an için teselli etti beni. Sonra elini, sırtıma koyup :

— Hadi şimdi bizim meseleye bakalım... dedi.

Döndüm ve düşmanca baktım yüzüne. Kardeşimin ölümü kaskatı yapmıştı yüreğimi, söyleyeceği şeyler umurumda değildi. Ama ihtiyar, hep o temiz ve tatlı bakışlarıyla konuştu :

— İyi halin ve bilgin sayesinde seni kendi evlâdım gibi sevmeğe başladığımı anlamışsındır... dedi. Değerini biliyorum Manoli. Dün sizin taburunuzdan bir subay geldi buraya : İki gün içinde Hamamköy'deki ordugâha dönmeniz gerekiyormuş, hazırlansınlar... dedi. O zaman bir fikir geldi aklıma. Kendi kendime : «Benim bir yardımcıya ihtiyacım var... dedim. İhtiyar ve yorgun bir adamım. Çocuklarımın bu lânetli savaştan ne vakit dönüp geleceğini ise sadece Allah biliyor...» dedim... Senin ellerin gibi usta eller başka hiç bir yerde bulamam. Bizi Allah rastlattı oğlum. Sen artık koskoca bir adamsın, çocuk değilsin. Diyeceğim şudur ki, harp bitinceye kadar yanımda kal. Hem beni kurtarırsın, hem kendin kurtulmuş olursun... Ben albaya gider, «yeni bir emre kadar» hizmetimde kalmanın zarurî olduğunu bildiren bir kâğıt alırım. Tabiî, «yeni bir emir» de gelmez. Çünkü, albay bu kâğıdı bana verecek; tabur kütüğüne ise, «kayıp» işleyecek seni... İşte benim diyeceğim bu evlâdım. Bizim köyde herkes, itibar eder sana. Sana el kaldıracak olanın da dokuz canlı olması lâzım ki, benden korkmasın!

Adviye'ye karşı haksızlık ettiğime, her an biraz daha inanıyordum o konuştukça. Ve bu sevda yüzünden, tek çıkış yolunu işte, reddetmek zorunda kalıyordum :

— Al Dayı... dedim. O kâğıdı iste 'sen. İstemesine iste ama, ben her zamanki gibi sana karşı namuslu davranıp, açıkça konuşacağım : Burada senin yanında uzun süre kalamam. Kaçmayı koydum kafama ben. Kaçıp köye gideceğim. Zavallı anamla kızkardeşimin yanına... Sen de bir babaşın ve bir evlâdın, ailesine karşı' nasıl davranması gerektiğini takdir edersin elbette...

Şaşırmıştı Ali Dayı, ama açık yürekliliğimden memnun da olmuştu :

— Beni dinlersen öyle bir aptallık etme... dedi. Ağanı öldüren cinsinden adamlar ortalıkta kaynıyor, unutma. Gençliğine yazık...

Biz konuşurken, büyük bir gürültüye karışan çığlıklar yankılanıyordu uzaktan uzağa. Yukarıda, araba yolunun zikzakları üzerinde koyu bir leke belirmişti, bir koyun sürüsü yamaçtan iniyordu sanki... Ellerimizi gözümüze siper edip ne olduğunu çıkarmağa çalıştık, ama boşuna... Çok geçmeden de, dört nala üç atlı geldi çiftliğe. Ali Dayıyı hürmetle selâmladılar :

— Ne var, ne oluyor Mehmet? diye sordu ihtiyar, zaptiye komiserine.

— El emeğine ihtiyacın olduğunu öğrendim Ali Dayı. İşte sana bir alay Ermeni : Sayfiyeye getirdik...

Eliyle kılıç sallama işareti yaparak gülümsemiş ve gözünü kırpmıştı.

— Verecek erkeğimiz yok... diye devam etti. Erkekler bize lâzım. Ama kadın ve çocuk istersen, dilediğin kadar al... Hadi gel bir göz at önce. Tombul tombul genç kızlar ve sağlam oğlanlar var; üstelik hepsi zeki : Allah gibi taparlar sana. Muhtar üç tanesini seçip ayırdı bile...

Düşünceli düşünceli dinledi Ali Dayı, sonra bana dönüp :

— Gel bir göz atalım bari... dedi. Ne kaybederiz?

İnsan sürüsüne yaklaştıkça, kulaklarımız hüzünlü bir ağlaşmayla doluyor; binlerce çığlıktan örülü bir uğultu bütün vadiyi kaplamış yankılanıyordu :

— Merhamet!
— Acıyın bize!
— Masumuz biz, acıyın!

Üstleri başları lime lime, saçları darmadağın kadınlar ilerliyordu kollarında bebekleriyle. Henüz yürümeğe başlamış küçük çocuklarıysa, annelerinin eteğine yapışmış ağlıyorlardı. Onları ihtiyar kadınlar izliyordu; torunları kollarına girmişti düşmesinler diye : Devrilenler, oracıkta kaderlerine terkediliyordu. Zaptiye kırbaçları ıslık çalıyordu havada durmadan; genç ihtiyar dinlemiyor, indikleri yeri kanatıyorlardı...

Göz açıp kapayıncaya kadar, civar köylerden koşan koca bir kalabalık yığılmıştı meydana : Seyretmek için olduğu kadar, yağmalamak için de gelmişlerdi... Jandarmalar, bıyık altından gülerek, bebekleri analarının kolundan âdeta söküp, manavlar pazarda birbirlerine karpuz atarcasına Türk kadınlarına doğru fırlatıyorlardı :

— Tutun hadi, bedava bu!... diye bağırıyorlardı sonra. Almazsanız ölecek zavallıcıklar...

Birkaç tane bacak kadar yumurcak, genç kızlara dalaşıyor; göğüslerini görmek için giysilerini yırtıyor, müstehcen mırıltılarla kalçalarını yokluyorlardı. Ve muhafızlardan biri, bu yumurcakları şöyle azarlıyordu :

— Aptalsınız be siz! İhtiyar nineleri yoklayın asıl! Karınlarının altına bakın : Para ve mücevher orada gizleniyor!

Üzerlerine atılmak istedim, Panagi yakaladı kolumdan :
— Başına belâ arama... dedi. Reaya olduğumuzu, canımız gibi, şerefimizle de oynayabileceklerini anlamadın mı daha!

Aczimizden büsbütün perişanlık duyarak ayrıldık oradan. Çok geçmeden Ali Dayı da döndü çiftliğe. Yanında iki küçük Ermeni vardı. Korkudan büzüldükçe büzülmüştü zavallılar.

— Hiç şakası yok, ölümden kurtardım bunları... dedi Ali Dayı. Dünya tersine dönüyor, şimdi anladım artık. Batmağa yakındır bu dünya, batmazsa şaşarım...

Başımı eğdim cevap vermeden.

İki Ermeni ambara girmiş, çıkmak istemiyorlardı. Süt, ekmek ve ceviz getirdi Adviye; dokunmadılar bile. Bütün gece boyunca, iri gözleri karanlıkta lambalar gibi parladı durdu... Biz de orada yatıp kalkıyorduk. Biraz teselli etmek, gürenlerini kazanmak istedik ama boşuna... On beş yaşlarında, Stepan isimli bir delikanlı olan büyükleri dayanamadı sonunda :

— Keşke şu dünyaya hiç gelmeseydim! dedi.

Ertesi gün arkadaş oldum Stepan'la. Çiftlikten hiç bir şey anlamayan bir mektepliydi; ona yardım etmeyi bir ödev bildim... Zayıf ve narin bir çocuktu. Dalgalı sık saçları, hüzün dolu kapkara gözleri vardı. Mum gibi eriyordu durduğu yerde. Oysa ötekisi Serko, yeni hayata hemen alışmış ve teselli bulmuştu.

Bir akşam yataklarımıza uzandığımızda :

— Bak Stepan... dedim. Sen ki bu kadar okumuşsun; insanın akıl almayacak kadar kuvvetli olduğunu ve her şeye katlanabileceğini daha öğrenemedin mi? Taş gibi katı yürekli yap kendini; biz öyle yaptık işte. Çünkü yaşamak zorundayız... çünkü yaşamak zorundasın kardeşim...

— Neye?. diye karşıladı sözümü. Neye yaşamak zorundayım? Yaşamak istemiyorum ki ben!

— Olmadı bu Stepan, çok kötü bir şey söyledin... Ne olursa olsun hayat tatlıdır! Bak bunu sana ben söylüyorum; neler neler görmüş olan ben!

— Sen bir de benim gördüklerimi bilsen!

— Ailen var mı? Yani... harp bitince... aileden herhangi birini bulmak umudun var mı, demek istiyorum.

Bembeyaz kesilmişti. Henüz kabuk bağlamış bir yarayı deşmiştim herhalde... Doğrulup dirseğine yaslandı; fenerin ışığında yüzü, bir ihtiyarın yüzüydü sanki. Konuşmağa ihtiyacı vardı aslında. İşte anlattıkları...

«On gün önce eşkıya Nuri indi köyümüze. Daha önce birçok defa yaptığı gibi, bu sefer de haraç almağa geldiğini sanmıştık. Nitekim, üç bin lira istedi. Cemaatin reisi olan babam, papazla birlikte kapı kapı dolaşarak, bu paranın bir kısmını topladılar; üstünü de kendi ceplerinden ve cemaat kasasından tamamlayıp götürdüler. Parayı saydıkları zaman, eşkıya küplere binmiş : «Pis Ermeni! diye haykırmış suratlarına... Ne bir lira eksik, ne bir lira fazla değil m'! Yani paranız var, hem de bol... Çekmeceleriniz dolu!. Şimdi derhal köye dönüp bana kadınların bütün mücevherleriyle, beş bin lira daha getireceksin. Ve şunu iyi dinle : Çocukların boynuna taktığınız ufak haçlardan bir teki ve bir tek alyans, hattâ ve hattâ bir tek altın diş eksik olmayacak. Eksik olursa vay haline... Şimdi hemen defol! İki saat mühlet veriyorum sana : Tellâl bağırttır, çan çaldır, ne yaparsan yap. Parayı istiyorum!..»

Büyük bir telâş içinde eve döndü babam : «Hemen çocukları al ve saklan! dedi anneme. Fazla vakit yok, çabuk!» Nuri'nin adamları haracı beklemek için okul binasında toplanmış olduklarından, sokaklar tenhaydı. Ama annem gene de evi terketmeğe kıyamıyordu bir türlü. İki büyük ağabeyim dükkândan dönmemişti henüz. Bebeğimizin ateşi vardı. Sonunda: «Gitmiyorum... dedi annem. Babanın, Varan'ın, Karabet'in başına ne gelecekse benim de başıma gelsin!..»

Çok geçmeden çan seslerini işittik. Ve tellâlın : «On beş yaşından yukarı bütün erkekler kilisede toplansın!» diye gürleyen sesini... Korkuyla baktım anneme. Atılıp kollarının arasına sardı beni, sımsıkı kucakladı : «Hayır Stepan, hayır! Gitmeyeceksin, yanımda kalacaksın... dedi. Korkma yavrum, seni saklar korurum ben... Küçücük görünüyorsun zaten, hiç kimse farkına varmaz yaşının!»

Tellâlın sesi kulaklarımda çınlıyordu hâlâ: «Gelmeyenler yakalandıkları yerde kurşuna dizilecektir!» Tam o sırada babam geçti kapımızın önünden : Eline bir sırık tutuşturmuşlardı ve papazın kellesini takmışlardı sırığın ucuna... Kapalı duran kafesin arasından, penceremize dikili yaşlı gözlerini gördük. Elleriyle yüzünü örtüp ağlamağa koyuldu

102

annem. Sonra alelâcele bir çıkın hazırladı, ortalık durulunca sürükledi beni. Bin bir tedbirle, duvarlara yapışmış gibi adım adım ilerleyerek, mezarlığın sığınağına ulaştık.

Girişi bir aile mezarı olan sığınağın nemli yarı karanlığında, diz çökmüş, alçak sesle dua eden bir alay köylü gördük. Bize de yer açtılar. Bebeğimiz ağrıdan inlemekteydi; çok geçmeden de avazı çıktığı kadar ağlamağa koyuldu. Çocuğu sallıyor, pışpışlıyordu annem; sütü tükenmiş göğüslerini uzatıyor, gözlerinden, alnından, saçlarından öpüyor, ama bir türlü susturamıyordu... Yün atkısını küçücük karnının üzerine sarmış, ısıtmak için ayaklarını ovalamağa koyulmuştu.

— Ruhum! Hayatım! Yavrum benim! diye dil döküyordu durmadan çocuğa.

Sabrı tükenen köylülere de, yardım ister gibi bakıyordu. Bazıları öfkeyle :

— Bu çocuk bizi ele verecek! diye bağırdılar.

— Haşhaş lâzım! Haşhaş yok mu kimsenin yanında susturmak için?

Boğuk bir ses yükseldi bu sırada :

— Boğun o çocuğu, boğun hemen! Daha ne bekliyorsunuz?

Dehşet içinde geriledi annem, duvara yaslandı; gözleri yuvalarından uğramıştı. Çocuğu göğsüne bastırıp bir örtüye sarmaladı. Ama çocuk iyice azıtmıştı, tepinip bağırıyordu durmadan. Ve işte o vakit... bebeği, kucağından söküp almak için eller uzandı. Bir ihtiyar kadın koştu elinde bir yastıkla :

— Bastır onu bağrına talihsiz kadın! İyice bastır da sesi duyulmasın!.. diye haykırdı anneme. Al şu yastığı, bastır iyice. Daha! Daha kuvvetli! Daha kuvvetli! Tamam... böyle işte!

Kadın da bastırmıştı eliyle bebeği ve çekildiğinde, çocuğun sesi tamamen kesilmişti.

Dizleri büküldü annemin, devrilir gibi oturdu yere, fısıldamağa koyuldu sevgiyle :

— Ağlama artık yavrum! Sus hayatım! Sus yoksa öldürecekler bizi...

Sonra bana döndü annem; karanlıkta gözlerime dikili duran gözleri dehşet saçıyordu :

— Stepan... dedi. Neye uyanmıyor bir türlü bu çocuk? Neye soluk almıyor? Stepan! Yoksa... yoksa?

Stepan susmuş ve ağlamağa başlamıştı. Nasıl yatıştıracağımı kestiremiyordum onu :

— Ne biliyorsun... dedim... belki de babanla kardeşlerin ölmemiş, yaşıyordur!

— Bir tek canlı erkek bırakmadılar. Kiliseye doldurup yaktılar hepsini... Nuri gittikten sonra sığınaktan çıkmıştık. Etraftan : «Hiç bir şeyden korkmayın... dediler bize. Olan oldu artık, şimdi neredeyse zaptiye gelir, nizamı kurar.» Ve zaptiyeler gelir gelmez bizi sıraya koyup, dipçik ve kamçı zoruyla gece gündüz yürümeğe mecbur ettiler. Göldere'ye girmeden önce bir subay çıktı karşımıza, ben yaştakileri bir araya toplayıp, zaptiye başkanına küfrederek :

— Nasıl oldu da bu piçleri görmedin? diye bağırdı. Neye yaşıyor hâlâ bunlar? Koskoca herif olduklarını farketmedin mi? Yoksa memleket gene Ermenilerle mi dolup taşsın istiyorsun ha?

Beni, kollarından söküp aldıkları vakit, ağlamadı annem, karşı bile çıkmadı.

— Elveda Stepan... dedi sadece. Yakında görüşürüz evlâdım. Ben seni karşılamak için önceden gidiyorum...

Ve tepeden bir uçuruma koyuverdi kendini.

Ali Dayı esirleri seçmeğe geldiğinde, Serko ile beni kurşuna dizmek üzerelerdi...

Erzurum'da, Diyarbakır'da, Sivas'ta, Kastamonu'da, Adana'da, İzmit'te ve başka yerlerde, Stepanın anlattıklarından da korkunç olaylar olduğunu işittim sonradan... Zaman her şeyi yutup geçiyor... Herhangi bir tarih kitabını açın bu gün : «Ermenilere karşı Birinci Dünya Savaşında yürütülen zulüm ve katliam»la ilgili, birkaç kuru satır bulursunuz, o kadar. Bir de belki, soğuk ve cansız birkaç istatistik... Bu istatistiklerin kimisi, kurbanların sayısının bir milyona ulaştığını; kimisi de bir milyonu aştığını söyleyecektir size. Kimisi de belki, Rumları da ekleyerek, bu sayıyı, bir buçuk milyona yükseltecektir... Tek sorumlusu Türkler değildi: işin : Anadolu'nun zenginliklerini ellerinde tutan Hıristiyan halkların, ortadan kalkması gerekiyordu; önce Almanların, daha sonra da Müttefik kapitalistlerin yayılıp gelişmelerine engeldi çünkü bu halklar... Ve ekonomik hâkimiyetlerini emniyet altına almak için, en alçakça planları kuran yabancı monopoller, her şeyden önce, Orta Doğu'nun petrol bölgeleriyle Ön Asya'nın masallara lâyık zengin bölgelerinden geçerek, Bağdat'tan İzmir'e ulaşan demiryolu hattını ele geçirmek istiyorlardı.

Altın Tiftik hikâyesi, devam ediyordu gene...

IX

Stepan'ın anlattıkları, bir an önce gitme kararımı, daha da pekiştirmişti. Nitekim Adviye, albaydan alınan kâğıdı, sevinç taşarak getirdiğinde, gözümde tamamiyle yabancılaşmış haldeydi. Onu bırakıp gideceğim için pişmanlık duymuyordum artık. Kuru bir teşekkürde bulundum kıza ve herhangi bir açıklamayı bertaraf etmek amacıyla okumağa koyuldum :

«İkinci Amele Taburu kumandanı Hasan efendinin emriyle, Aydın vilâyeti Kırkıca köyünde mukim, er Manoli Aksiyotis, yeni bir emre kadar, Ankara vilâyeti Göldere köyünden Ali Dayı'nın hizmetinde kalacaktır.»

Yanımda oturmuştu Adviye. Üzgün ve sevgi doluydu. Gözlerimi arıyordu gözleri hep. Ve ben, başımı kaldırmıyordum... Sessizliği nihayet o bozdu gene :

— Kaçmak istediğini öğrendim... dedi. Bunu yapma Manoli. Harp bitinceye kadar kal bizimle. O vakit, eğer istersen, ben de seninle birlikte gelirim. Senin oraya... Benim de bir Hıristiyan olduğumu söylersin, olur biter. Öyle değil mi?

Neyi seversen ben de onu sever, inandığın şeye de inanırım... Burada, Ankara'da, bütün Hıristiyan kadınlar Türkçe konuşuyor; hiç bir fark göremiyorum onlarla aramda. Bir tek, adım var. O da, Adviye yerine Mariya olur...

Zavallı Adviye! Sen aşkın dilini konuşuyordun; harbin yaktığı nefret ve kin ateşi içinde nasıl anlayabilirdim seni... Hemen o akşam bildirdim Panagi'ye :

— Bu gece kaçıyoruz, hazır ol!

Gece yarısı çıktık yola. Sadece geceleri yol almağa ve hiç bir köye sokulmamağa karar vermiştik... Yolculuğun en zahmetli kısmı, ilk sekiz gün oldu : Her taraf insan doluydu ve görülmemek için akla karayı seçtik... Çöl gibi kurak bir bölge geçtik daha sonra. Hiç bir yerde damla su bulamıyorduk; cesaretimiz iyice kırılmıştı artık. Tavları emiyor, geceleri yağan kırağı damlalarını yalıyorduk.

— Ölüyorum susuzluktan, artık dayanamayacağım... diye mırıldandı, sonunda Panagi.

Bakışları vahşileşmişti. Böyle anlar için, bin bir özenle sakladığım, matradaki son damlayı içirdim ona. Neyse ki gün ağarmağa başladığında, havada bir nemlik kokusu sezdim :

— Kurtulduk Panagi! diye haykırdım sevinçle. Buralarda bir yerde... ama çok yakın bir yerde su var!

Son bir gayretle hızlandık ve yarım saatlik bir yürüyüş sonunda, tatlı bir şırıltı çarptı kulağımıza. İkimiz bir ağızdan :

— Bir ırmak! diye haykırdık.

Sakarya nehriydi bu. Ve hücuma kalktık âdeta. Koca bir ordu olsa engelleyemezdi bizi. Deliler gibi su içtik, doymak nedir bilmeden. Başlarımızı akıntıya sokuyor, çıkarıp silkeliyor, sonra uzun ferahlama «ah»ları çekerek yeniden dalıyorduk... Böylece susuzluğumuzu giderdikten sonra nihayet, biraz peynir ekmek yemek ve Allaha şükretmek için, gidip bir köşeye gizlendik...

Şimdi önümüzde yeni bir güçlük vardı : Karşı kıyıya geçmek... Irmağın ortasındaki bir adacığın hizasında, üstüste yığılı kaya parçalarından kurulu bir geçit bulduk Allahtan. Akıntı o noktada çok kuvvetli olduğundan, taşlar durmadan sallanıyordu. Bir ara birden ayağı kaydı Panagı' nin, boğulması an meselesiydi, ama verilmiş sadakası varmış!

Bir denizaltıya benziyordu ada. Pruva tarafında bir salkım söğüt vardı; arka tarafında da sık çalılıklar. Ben ırmağın ikinci kolunu nasıl aşacağımızı tasarlarken, Panagi yakaladı kolumdan. Dehşetten deli gibiydi :

— Şuraya bak!

On kadar silâhlı adam, geldiğimiz kıyıdaki ıssız köyün dik yokuşlu sokağından aşağıya hızla inmekteydiler.

— Kürt asker kaçakları herhalde... dedim Panagi'ye.

Benim de bir boğuntu kaplamıştı içimi   Bir gün önce, Selânik mültecilerinden bir çobanla karşılaşmıştık, son derece faydalı öğütler vermişti bize : «Bütün bu yöreyi kırıp geçiren Kürt haydutların eline düşmemeğe gayret edin... demişti. Yoksa haliniz haraptır. İziniz bile kalmaz bu yeryüzünde! Öyle çok adam öldürdüler ki, sonunda resmî makamlar, beslenme kaynaklarını kurutmak için, Kürt köylerini zorla boşalttırıp, karılarıyla çocuklarını Surhisar'da ikamete mecbur ettiler...»

Gelişlerini soluk almadan izlemekteydik. İki telgraf direği getiriyorlardı ellerinde, bunları ırmağa atıp ayakları bile ıslanmadan adaya geçtiler. Korkudan iyice sinmiştik. Ya içlerinden birisi akıl edip de, bir göz atacak olursa, saklandığımız çalılıkların arasına?

Ama öylesine telâş içindeydiler ki, dönüp de. etraflarına bakmıyorlardı bile. Hemen direkleri çektiler ırmaktan, aceleyle ikinci kolun üzerine, attılar ve âdeta koşarak geçip gittiler.

— Böyle arkalarına bile bakmadan kaçtıklarına göre, bunları takip eden bir askerî birlik olmalı. Biz de bir an önce tırısa kalkalım Panagi!

Direkler sayesinde kolay geçtik ırmağı, onların tersine bir yol tutturduk. Tırmandığımız yamaçta yüz metre kadar ancak ilerlemiştik ki, Kürtler'i takip eden birliği gördük. Yolculuğumuzun başından bu yana ilk defa olarak gündüz yürüyorduk; başka çare de yoktu : Bir an önce uzaklaşmamız gerekiyordu bu belâlı bölgeden.

Akşam bastırdığında, bir an bile durup dinlenmemiştik daha. Dağdan inen üç çoban gördük ileride; onlar da gördü bizi ve yakalamak için koşmağa başladılar. Silâhlıydık. Hiç bir şey yapamayacaklarından emin, bekledik yaklaşmalarını. Ve tabancamızı çıkarıp havaya ateş ettik. Daha ilk kurşun sesinde, ters yüz edip kaçmağa koyuldular...

Tam otuz altı saattir yürüyorduk. Adım atacak halimiz yoktu. Önümüze çıkan ilk kaynakta, bir şeyler yemek için durduk... Bundan böyle yiyeceğimizi de arayıp bulmamız gerekecekti. Aylardan ağustos olduğu için, zaman zaman bahçelerde yemiş buluyorduk; ama yetmiyordu tabii. Ekmeğimiz yoktu asıl ve sürekli bir açlık kemiriyordu içimizi.

Bu şartlar altında iki gece daha yol aldık ve bir değirmene rastladık sonunda... Gidip biraz un istemeğe karar verdik. Ama değirmenciyle karısı kapıyı sürgülemişlerdi. Defalarca vurduk, boşuna... Cevap olarak, lâmbalarını söndürmüşlerdi.

— Derhal açın kapıyı! diye bağırdım o zaman. Yoksa ateşe veririm değirmeni, diri diri yanarsınız!

Ve değirmenci, elinde bir lâmbayla kapıda belirdi :

— Bize kötülük etmeyin ne olur... diyordu. Girin, ne isterseniz alın.

Silâhlı olup olmadığını anlamak için üzerine aradık önce : Yoktu.

— Karmı dışarı çıkar! dedim.

Öyle bir sararmıştı ki, acıdım adamcağıza :

— Namusun bakımından hiç korkun olmasın... diye ekledim. Ne vahşiyiz biz, ne de haydut. Sadece asker kaçağıyız. Ve günlerdir ekmek girmedi boğazımıza. Karına söyle de bize peksimet yapsın...

Gene de istemeyerek çıkardı karısını. Ama yalan söylemediğimizi, sözümüzde durduğumuzu görünce öylesine sevindi ki, bizi hoşnut etmek için ne yapacağını şaşırdı. Sofra kurdular bize, et ve *imambayıldı* ikram ettiler. Ayrıca iki torba hazırladılar : Birine börek, birine de peksimetle peynir doldurmuşlardı. Ayrılırken kırk yıllık ahbap gibiydik.

Afyonkarahisar bölgesindeki sarp dağlarda ilerliyorduk. (Birkaç yıl sonra buralara Yunan üniforması altında bir daha geleceğimi nereden bilecektim!) Mağaralarda yatıp kalkıyorduk vahşi hayvanlar gibi. Sakalımız bir karış uzamıştı. Pis ve pasaklıydık üstelik; korku veren bir görünüşümüz vardı... Bir çoban kancası almıştım yanıma ve yönü kaybetmekten korktuğum için, kancanın ucunu yol almamız gereken tarafa doğru çevirip de uyuyordum. Bu tedbirden habersiz olan Panagi ise, her uyanışta bir yön tartışmasına giriyordu benimle. Başlangıçta şakaya vurmuştum işi; biraz olsun eğlenip açılmak için, hep onu şüphelendirecek şekilde davranıyordum. Ama bir gün katır inadı tutup da, gösterdiğim yönde ilerlemeyi reddedince, gücenmiş gibi :

— Sen galiba beni aptal yerine koyuyorsun! diye homurdandım. Rasgele yürüdüğümü mü sanıyorsun yoksa?

Sonra da işin aslını açıkladım :

— Hay seni şeytan götürsün Manoli! diye haykırdı. Yoksa ben bu akşam tek başıma devam etmeğe niyetlenmiştim...

Akar çayına ulaşınca yedik yemeğimizi; bir parça uyuduk ve akşam bastırınca yola koyulduk yeniden. Öylesine sersem bir haldeydik ki, zorla konuşuyorduk... Baştanbaşa bulutlar sarmıştı gökyüzünü, insana avuntu verecek bir tek yıldız bile yok... Rüzgâr olanca şiddetiyle esiyordu ve öylesine koyu bir karanlık çökmüştü ki, hiç farkına varmadan bir sürüye tosladık. Sırt sırta verdik köpeklerden korunmak amacıyla, çatallarımızı kaldırıp bekledik. Çok geçmeden, iki kocaman çoban köpeği saldırdı üzerimize; ama, talihimiz varmış, çoban hemen yetişti... İyi bir adamdı, efendi gibi konuştu hep, süt ikram etti bize, hattâ emin geçitleri göstermek için bizimle beraber yürüdü biraz.

— Biraz daha aşağıda, dedi, İzmir-Afyon-Adana demiryolu hattı üzerinde karakollar vardı. Üç asker kaçağı takaladılar evvelki gün, ve astılar...

Teşekkür ettik kendisine.

— Değmez... diye cevap verdi. Hepimiz insanız şükür, hepimiz güç zamanlar yaşadık, ne olduğunu biliriz çaresizliğin...

O çobanın öğütleri olmasa, nöbetçilerle karşılaşmamız işten bile değildi! Şafak sökerken bağlık bir yere geldik. Dağ yoluna vurmak için vakit çok geçti; toprağa yapışır gibi uzanıp akşamı beklemeğe koyulduk.

Güneş daha henüz batmıştı ki, bağcıyla karısı üzüm toplamağa çıktılar. Dev yapılı bir adamdı bu. «Şimdi başımız belâya girdi işte!» diye düşündüm... O da bizi görmüş ve öfkeyle ilerlemişti. Revolveri çekip yere oturmasını söyledim. Karısı da oturması için yalvardığı halde dinlemiyor, küfrediyordu bana. Bunun üzerine, anî bir hareketle fırlayıp tabancanın namlusunu şakağına dayadım ve sert bir sesle:

— Canından bezmediysen otur şuraya! dedim. Otur da adam gibi konuşalım...

Silâh ve halimdeki kararlılık, güvenini sarsmağa yetmişti, çaresiz oturdu. Üzerini aradı Panagi, iki yanı keskin bir kaması vardı, aldık; o andan itibaren de dev yapılı bağcımız yumuşak bir kuzu kesiliverdi.

— Ne namusuna el süreriz,, ne de parana... dedim. Yalnız, gidip karakola haber vermemen için, akşama kadar seni burada, yanımızda alakoyacağız.

— Belâ çıkarmaktan haz etmem... dedi.
Bir daha da kelime çıkmadı ağzından.

Tırmanmak zorunda olduğumuz dağlar, alabildiğine sarptı ve değil insan, herhangi bir canlıya bile rastlamamaktan alabildiğine memnunduk... Sadece, yirmi evlik küçük bir köyün yakınından geçerken, ufak tefek bir ihtiyarla karşılaştık. Efendice selâm verdi bize:

— *Merhaba...* dedi.

Asker kaçağı olduğumuzu, köyümüze döndüğümüzü söyledim. Bunun üzerine, tatlılıkla :

— Neye bu akşam köyde kalmıyorsunuz? dedi. Yarın sabah yolunuza devam edersiniz...

— İhtiyatsızlık olmaz mı?

— Bizim burada zaptiye yok; üstelik ben de muhtarım... Benim eve buyurun; hem yıkanırsınız, hem sütlü sıcak bir tabak irmik yersiniz, birer bardak da rakı içip kendinize gelirsiniz. Ev şurada, köyün kıyıcığında. Hiç kimse görmez sizi...

Sütlü irmik sözü, bende hiç bir tereddüt bırakmamıştı; öylesine açtım ki, Panagi'nin bütün kaş göz işaretlerine rağmen kabul ettim. Bizi misafir odasına aldı ihtiyar, bir süre ahbaplık etti. Ama çorba getirmek bahanesiyle dışarı çıkınca, kapıyı üstümüze kilitlemekten geri kalmamıştı.

— *Muhtar efendi!* diye seslendim. Neye kilitliyorsun kapıyı? Ayakyoluna çıkacağım ben...

Cevabı basit oldu : Evinde mahpustuk ve sabahleyin, jandarmalara teslim edecekti bizi...

Panagi sapsarı kesilmiş, küfür ve lânet yağdırıyordu bana :

— Ahmaklığın yüzünden fare gibi kapana kıstık, gördün mü! Yuf olsun sana, yuf!..

Yatıştırdım onu :

— İhtiyarın hesabı yanlış... dedim. Bu cinsten bir hapisane bizlere yeterli değil. Gel sen beni dinle, rahat rahat yat uyu; vakti gelince ben seni uyandırırım...

Ölümü dahi unutacak kadar bitkin bir halde miydi, yoksa sözlerime mi inandı; bilmem. Ama yattı ve derin bir uykuya daldı. Onu uyandırdığımda, pencerenin çerçevesini çıkarmış bulunuyordum... Bir de odadaki bir Isparta halısını katlayıp hazırlamıştım.

— Davran gidiyoruz!

Panagi, şaşkınlık içinde bakıyordu koltuğumun altındaki halıya :

— Bu halıyı ne yapacaksın peki? Ne oldu sana böyle birdenbire? Bu yaştan sonra bir de hırsızlığa mı başlayacağız yani!..

— Bu pis ihtiyarı cezalandırmak lâzım. Gözü gibi sever bu halıyı o, en değerli malı çünkü...

— Peki ama nasıl defedeceğiz başımızdan?

— Yolumuzun üstüne çıkan ilk fukaraya vermek suretiyle... Hem de hayır duası alırız. Yürü!

Dışarı atlayınca, ihtiyarın penceresine doğru bağırdım :

— *Uğur ola muhtar!* Konukseverliğin için teşekkürler! Yalnız şu diyeceğimi iyi dinle : Odandan dışarı bir adım atacak olursan, beynini paramparça ederim!

On saat durmadan yol almış, kimseyle karşılaşmamıştık. Nihayet bir sığırtmaç gördük : ihtiyar karısıyla birlikte bir kulübede yaşıyordu. Otlağa gitmişti çocukları. Halıyı o ihtiyar sığırtmaca verdik işte. Nereden bulduğumuz umurunda bile değildi : Halı kendisinin olmuştu ya yeter! Koca bir çanak kaymak çıkardı bize; önümüze arpa ekmeği, ceviz ve peynir de koydu. Tütün dolu tabakasıyla elindeki bütün tütün kâğıtlarını da verdi üstelik... Halının sevincinden göklerde uçan karısı :

— Sen götürüver bu çocukları... dedi kocasına. Son depremden beri orada burada toprak kayması var, başlarına bir kötülük gelmesin!

Dört gün dört gece, âdeta kan kusarak yol aldık. Bir tek kuşa bile rastlamamıştık sivri sarp tepelerde. Ve artık takatimiz iyice tükenmişti. Nihayet beşinci gün bir yamacın dibinde, bir çadır gördük. Hemen hiç düşünmeden :

— Ne olursa olsun!. dedim. Yürü.

Bin bir ihtiyatla yaklaşıp baktım : Gözlerim kamaştı birden. Genç bir Türk kızı, tatlı bir türkü okuyarak, hamur yoğuruyordu. Kollarını sıvamıştı dirseklerine kadar, bir melek sanırdınız! Bizi görür görmez korkuyla bir çığlık attı. Güven verici bir tavırla yaklaşıp :

— Kusura bakma *hanım*... dedim. Yolcuyuz biz, kötü kişi değiliz. Daha da önümüzde uzun bir yol var. Eğer bir par-

112

ça ekmeğin kaldı da bize verirsen, çok büyük iyilik etmiş olursun...

— Ekmeğim hiç yok... diye cevapladı. Olanı çobanlar aldı bu sabah. Ben de yeni hamur yoğurmağa koyuldum...

— Öyleyse biraz su ver ne olur...

— Su ağacın altında, alın kendiniz.

Bize yardım etmeğe pek niyetli olmadığını anlamıştım :

— Hadi gidelim... dedim Panagi'ye. Boşuna vakit kaybediyoruz.

Yüz metre kadar ya gitmiş ya gitmemiştik; İri yarı bir adam çıktı birden önümüze. Mavzerinin namlusunu üzerimize dikmişti :

— Eller yukarı!

Çaresiz kaldırdık. Çadıra götürdü bizi. Çadır ortadan ikiye ayrılmıştı, kadının bulunmadığı bölmeye soktu. Tüfeği hep elindeydi ama, yüzünde bir kötülük okunmuyordu, sakindi. Bizi tepeden tırnağa süzdükten sonra, tatlı bir sesle :

— *Oturun* bakalım... dedi.

Oturur oturmaz da tüfeğini bırakıp, tabakasını çıkardı ve tütün ikram etti bize. Şaşırıp kalmıştık.

— Bana masal anlatmanıza lüzum yok... dedi. Asker kaçağısınız. Sadece nereden kaçtığınızı ve nereye gittiğinizi söyleyin, yeter.

Ankara'dan geldiğimizi ve İzmir tarafına gittiğimizi söyledim samimiyetle.

— Aslında, nereden gelip nereye gittiğiniz beni alâkadar etmiyor... diye ekledi bunun üzerine. Benim anlamak istediğim şey, ne biçim insanlar olduğunuz; karşınıza çıkan kadınlara nasıl davrandığınızdı... Gördüm ki adam gibi davranıyorsunuz, yani içinizde bir kötülüğünüz yok. İnşallah memleketinize sağ salim varırsınız! Yamacı inmeğe başladığınızdan beri gözlüyorum sizi ben. «Tamam! dedim kendi kendime. Benim çadıra yöneliyorlar.» İkinizi de kurşunlayıp oracıkta devirmek geçti aklımdan; ama ne biçim kişi olduğunuzu sınamadan günaha girmek istemedim... Mübarek *Kurban Bayramı* bugün, kısmetiniz vârmış ki, Allah sizi buraya gönderdi. Buyurun şimdi yemek yiyelim... '

Kendisî kurdu sofrayı. Et ve yemiş getirdi. Açlığımızla eğlenmekten de geri kalmıyordu :

— Kızarmış etten bol bir şey yok bugün... diyordu. Çekinmeden yiyebilirsiniz. Hanım da, dışarıda ballı börek yapıyor... Yolluk hazırlıyoruz size...

Uğurlamak için bizimle birlikte o da yürüdü bir süre ve tam ayrılacağımız sırada da, kendisinin, asker kaçaklarını takibe memur bir çavuş olduğunu söyledi. Kurban Bayramını karısıyla beraber geçirmek için iki günlüğüne izinli gelmişti buraya... '

Gözlerimiz dolu dolu olmuştu heyecan ve minnetten.

— Adaletli kişisin... dedim.

— Durup dururken değilim... diye cevapladı. Namuslu insanları mükâfatlandırırım yalnız. Hemcinsine saygı gösteren, kendi kendine de saygılı demektir... Karıma bir kötülük yapmağa davransaydınız çoktan öbür dünyayı boylamıştınız şimdi : Sizi dilinizden şu ağaca asar, leşinizi itlerle çakallar yesin diye mezarsız bırakırdım!

Tira'yı gördük gün ağarırken. Felâketlerimizin artık sona ermek üzere olduğu düşüncesiyle kabardı yüreğimiz. Arkadaşımın kolunu yakaládım birden :

— Dinle!

Önümüzdeki vadinin ötesinden doğru rüzgâr, tatlı bir kadın sesini taşıyordu bize. Türkü söylüyordu kadın. Rumca bir türkü... Haftalarca sonra işittiğimiz ilk Rumca sözler bu türkü oldu! Derin bir sessizlik içinde dinledik bir süre. Önümüzde melekler şarkıya dursa, böylesine sevinip heyecanlanmazdık!

Uzaktan uzağa bağırmaya ve el sallamaya koyulmuştu Panagi. Genç Rum kızlarıydı bunlar; bizi görür görmez, işlerini bırakıp türküyü kestiler ve boğazlanıyormuş gibi çığlık atarak kaçmağa başladılar.

— Durun! Ne oluyorsunuz, ne var ki! Biz de sizler gibi Hıristiyanız, asker kaçağıyız biz!..

Nihayet içlerinden birkaçı cesaretlenip durmuştu. Arkasından ötekiler de döndüler ve konuşmağa koyulduk. Çeşitli köylerden tütün toplamak için gelmiş işçi kızlardı bunlar.

— Uyku bastırdı... dedi birisi. Biz de uyumayalım diye, türküye durduk..

Biraz soluk almak için onlarla oturduk. Taze incir, beyaz ekmek, zeytin ve daha bir alay şey getirdiler bize. Panagi'nin keyfine diyecek yoktu artık. Kalıp, kızlara başımızdan geçenleri anlatalım, diyordu... Hemen atıldım :

— Son dakikada bir çuval inciri berbat etmek yok arkadaş, davran bakalım. Davran gidiyoruz! Köye canlı varmamız gerek...

Vedalaşıp yola koyulduk yeniden.

X

Kırkıca'ya vardığımızda vakit gece yarısını geçmişti. Ipıssızdı sokaklar, bütün evler sürgülü... Ne bir gece bekçisi, ne bir köpek görünüyordu... Annem korku içinde açtı kapıyı; ama karşısında beni bulunca kollarıma atılıp acı acı ağlamağa başladı :

— Yavrum, evlâdım! Nasıl yaptın bu işi? Hangi ermiş kanadının altına alıp da seni korudu çocuğum!.

Dudaklarımızdan, o güne dek hiç söylenmemiş, sevgi ve bağlılık taşan sözler akıyordu. Sonra heyecanından utandı annem, su ısıtmağa koştu. Hemen sofrayı kurmak, bizi bir güzel doyurmak ve yataklarımızı hazır etmek istiyordu. Bir ara şöyle kenara çekti beni ve endişeli bir sesle :

— Yabancı burada mı kalacak? diye sordu.

— Kalacak anne... dedim. Başka türlü yapamayız. Sokağa atabilir misin çocuğu?

— Atmayız tabiî... dedi. Ama tavanarasında da kardeşin gizleniyor...

— Yorgi mi! Ne diyorsun?

Kucaklamak için fırladım hemen dama. Tanınmaz bir haldeydi. Saçı sakalı uzamış, bakışları bulanıklaşmıştı. Konuşmasını ve yürümesini unutmuştu sanki. Bir türlü tadı na doyamadığı güneşin batışını seyretmek için, damda bir delik açtığını söyledi bana...

— Bir türlü akıllanmadın gitti! dedim. Korkarım resim yapmayı bile başarıyorsundur burada!

Acı acı gülümsüyordu :

— Ellerimle ayaklarım felçli gibi... dedi. Yüreğim de öyle...

Buluşmanın sevincine doyunca, kara kara düşünmeğe başlamıştım : Aynı dam altında üç asker kaçağı! Olmayacaktı...

— Anne ben gideceğim... dedim sonunda. Bizim dağlara çıkarım, bir alay mağara biliyorum orada.

Sapsarı kesildi annem, kederle çatıldı kaşları :

— Hazreti İsa hakkı için sus! diye haykırdı. Panago da böyle demişti giderken... Bir gece vakti böyle çekip gitti o da ve bu sayede katlettiler oğlumu! Hayır, hayır yavrum! Ya hepimiz yaşarız burada, ya da hiç birimiz...

On gün geçti aradan. Panagi çoktan gitmişti. Yetmiş kilometre uzaktaydı onun köyü... Ben onu düşünüp endişelenirken, felâket geldi gene beni kıstırdı...

Annem uzun zamandır, Katiniyo isimli on dört yaşlarında öksüz bir kız çocuğunu evlât edinmiş bulunuyordu. Balıkçı Tramundana'nın çocuğuydu kız ve babasını çeteler, Sisam'daki Rum makamlarıyla ilişki halinde diye Çağlı'da öldürmüşlerdi... Anlatıldığına göre, bir gece ansızın kulübesini basıp, uyurken ateş etmişlerdi üzerine; kurşunlardan biri, o akşam babasının koynunda uyuyan iki yaşındaki küçük oğluna da isabet etmişti. Ve kıyı Rumları iç bölgelere doğru sürüldüğünde, başsız kalan Tramundana ailesi, göç yollarında dağılıp gitmişti...

Bütün bu felâketler, korkak ve dalgın bir kız yapıp çıkarmıştı Katiniyo'yu. Ve bir gün nihayet, çeşmeye su almağa giderken, anahtarı kapının üzerinde unutmuştu Katiniyo. Tam o sırada da devriyenin geçeceği tutmuştu! Anahtarı gören Türk çavuşu, içeridekileri gafil avlamak için, anîden daldı eve... Ne kardeşimin, ne de benim, kaçmamız imkânsızdı. Saklanmaksa büsbütün tehlikeliydi : Arama tarama sırasında, buldukları takdirde hemen öldürüyorlardı çünkü.

Hiç tereddüt etmeden dama İttim Yorgi'yi ve soğukkanlılıkla ocağın önüne geçip, ellerimi ısıtıyormuşum gibi rol yapmağa koyuldum. Türkler, çok geçmeden yukarı çıktılar. Doğrulup selâmladım çavuşu. Sormasına bile kalmadan, Ankara'dan gelen bir asker kaçağı olduğumu söyledim... Açık yürekliliğim karşısında, neye uğradığını şaşırıp kaldı bir an.

— Hayatımda ilk olarak, gizlenmeğe kalkışmayan bir asker kaçağıyla karşılaşıyorum! dedi.

— Gizlensem ne değişirdi? dedim. Nasıl olsa yakalamayacak mıydınız beni!

Bir an durup baktı yüzüme, sonra bana acırmış gibi tatlı bir sesle :

— Hadi şimdi hazırlanda gidelim... dedi.

Satılık olup olmadığını anlamak için :

— Size bir kahve ikram etmek, benim için büyük şereftir... diye giriştim söze.

Ama değilmiş :

— Lüzum yok! diye kesip attı. Alacağını al da gidelim hemen!.

Acele içinde kucaklayıp öptüm annemi, sonra da kendimi karakolda buldum... Bir eziklik vardı içimde, ama Yorgi'yi kurtarmış olmakla teselli buluyordum.

Dövüp sövmeden Aziziye'ye yolladılar beni. Ordugâh oradaydı... Askerden veya hiç askerlik yapmadan kaçmış bir alay Rum, Türk ve Ermeni'nin bulunduğu bir zindana attılar. Pislik kokusu, bit ve açlık gene başlamıştı. Uzanıp yatacak kadar olsun yer düşmüyordu adam başına. Dışarı çıkmak kesinlikle yasaktı. Bütün yalvarıp yakarmalarımıza rağmen, ayakyoluna bile gidemiyorduk.

Üçüncü gün, koğuşta cinayet çıkmasına ramak kalmıştı. Aramızdaki Türk asker kaçaklarının arasında bir Yörük vardı; babası beş liralık bir banknot vermiş kendisine ayrılırken; o da tutmuş, arama tarama sırasında kimse bulamasın diye, yanındaki böreğin içine saklamış parayı. Şimdi bulamıyor ve bizlerden birinin çaldığını iddia ediyordu.

117

— Sen çaldın paramı sen! Bakışından belli çaldığın!.

Böyle bağırarak her birimizin üzerine yürüye yürüve, birisinin kafasını kızdırdı nihayet ve bıçak bıçağa geldiler. Tam o sırada kısa boylu bir Türk ortaya atıldı :

— Aman durun!. diye haykırıyordu. Günaha girmeyin boşu boşuna. Durun etmeyin, suçlu benim aslında! Dün akşam senin böreklerin kokusuna dayanamayıp bir kaç tane atıştırmıştım... Onlarla birlikte senin parayı yutmuş olmalıyım!

Genç Yörüğü teselli etmek mümkün değildi; avazı çıktığı kadar bağırarak, ağlayıp inliyordu zavallı. Ötekilerse kahkahayla gülüyorlardı. Zaten biraz açılıp ferahlamak için küçücük bir fırsat gözlemekteydik ve bir çile yoldaşımızın kederi bile güldürebiliyordu bizi! Bu arada zavallı bir Ermeni de, gülerken kendini tutamayıp altına kaçırmıştı; durum meydana çıkınca, kahkahalar büsbütün arttı. Bana da gülüyorlardı tabii. Müthiş dişim ağrıyordu, davul gibi şişmişti yanağım; danalar gibi böğürüyor ve paslı bir çakıyla iltihabı, patlatmaya uğraşıyordum... Berberi bulup getirsin diye, gizliden bir lira sıkıştırmıştım gardiyanın eline. Talih sizliğe bakın ki, o da çavuş'un kulağına gitmiş. Bora gibi girdi koğuşa, demediğini komadı :

— Rüşvet namussuzluğu istemiyorum burada! diye basbas bağırıyordu... Tabura vardığın vakit, söylersin, dişçiye yollarlar seni...

— Ne diyorsun çavuş efendi! Şu halime bak bir, gözünü seveyim! Çene kemiğimi kazdı iltihap, yanağımı kemiriyor...

— Bir tek şey gelir elimden... dedi çavuş. O da, seni, bugün sevkedilecek olan Rumların yanına katmak.

Ve durdu sözünde. Ve biz Rumlar da, daha trene adımımızı atar atmaz, kaçmağa karar verdik... Bizi mevcutlu götüren iki jandarmaya, yirmi lira teklif etmiştik. Otuz istiyorlardı.

— Otuz olsun bakalım!. dedik sonunda.

İlk ufak istasyonda, bir arkadaşla birlikte bana işaret ettiler :

— İkiniz burada inin, ortalık tenha. Aziziye yokuşunda hep birden atlamak hem zor, hem 'tehlikelidir...

Gerçekten de garda kimseler yoktu. Yol kıyısında yığılı duran kalasların ardına gizlendik. Tek kelime konuşmadan, nefes bile almadan, trenin düdüğünü öttürüp kalkmasını bekliyorduk istavroz çıkarmak için... Ama tren geciktikçe gecikmekteydi; çok geçmeden de iki askerî inzibat dikildi karşımıza :

— Kâğıtlarınız?

Kâğıdımız yoktu tabii. Tevkif edip kelepçeyi geçirdiler bileğimize ve karakola sevkettiler. Bizi jandarmaların ihbar ettiğini orada öğrendik : Son anda, on lira eksiğiyle vermistik rüşvetlerini...

Bunu öğrenir öğrenmez bir plan belirmişti kafamda. Bizi sorguya çeken subaya gerçeği olduğu gibi anlatmağa karar vermiştim. Valasikyoti'yi de benim gibi davranmağa ikna etmek için :

— Rüşvet alan görevliler için de ceza kanunları var... dedim. Hiç tereddüt etmeyelim, belki de bu kurtarır bizi..

Ve biz de, bizi ihbar edenleri ihbar ettik. Altı ay ihtiyatî hapiste kaldıktan sonra mahkemeye çıkarıldık. Askerî mahkeme ikimizi üç, jandarmaları da beş yıl ağır hapse mahkûm etmişti. Ama Türklerin büyük bir iltimas kaynağı olmalıydı ki, jandarmaların suçu hepten bağışlandı; bizim cezamız da altı ay hapse indirildi.

Uğradığım belâların hikâyesi burada bitmiyor : Daha sonra Panormo'da bir kampa gönderildim. Binlerce Hıristiyan ve Türk mevkuf vardı. Sahte belge taşımak, devlet memurlarına rüşvet yedirmek, cinayet işlemekten tutun da üstüne hakaret etmeğe kadar bir alay suçla itham ediliyordu... Açlık dönemi yeniden başlıyordu. Üç bin asker için verildiği söylenen karavana, ancak yetmekteydi iki yüz askere!

Oradan, İstanbul'a, Selimiye kışlasına sevkedildim. İçleri sinek, hamam böceği ve fare ölüsü dolu kaynamış incir yedim haftalar boyunca. Meydan bitlerindi. Tifüsten belsoğukluğuna, her türlü hastalık kırıp geçiriyordu orduyu...

En sonunda da, Rus cephesinde yarı yarıya kırılmış bir savaş fırkasını tamamlamak üzere, Soğanlı'ya yollandım.

Matyos isminde kurnaz bir demirci vardı aramızda, «Telgraf» lâkabını takmıştık : Her şeyin ilk haberini o alırdı çünkü... Günlerden bir gün, homurdana homurdana karşımıza dikilip :

— Rusya'da savaş bitti! dedi. Allah emretse de burada da sona erse bari...

Ahmet, iaşe başçavuşu, kulaklarını dikmişti hemen :

— Burada sürüp giderken Rusya'da nasıl bitermiş o lânet olasıca! diye haykırdı.

— Rus esirlerden işittim ben de... Bir sakallı varmış orada. Başa o geçmiş. Başa geçer geçmez de, savaş bitecel demiş. Ve savaş da bitmiş işte... Başka işler de görmüş o sakallı : «Bundan böyle zengin de yok, fakir de... demiş. Herkes birmiş Rusya'da... Bütün tımar ve hasları alıp bölüştürmüş, saraylarından dışarı dehlemiş bütün prenslerle paşaları ve en güzel evlere, konaklara, sen ben gibi fakir fukırayı oturtmuş...

Gülmekten katılıyordu Ahmet :

— Ne diyorsun? diye bağırıyordu. Masal bunlar hep, masal!. Hiç olur mu böyle şey? Benim elimde servet olacak da, tutup sana vereceğim ha? İstediğin kadar sakallı ol! Hay benim avanak oğlum, sen bir ömürsün!.

Önce hiç bir şey anlamadık ama çok geçmeden Pontus' tan bir öğretmen geldi aramıza : Serafimidi. İşin aslını ondan öğrendik...

Öğretmenle arkadaş oldum. Onun da benim gibi hayatı hareketli geçmişti. Ve cefalı : 1916 yılında Pontus'tan çekilirken, binlerce aileyi beraberinde sürüklemişti Türk ordusu. Bu arada, Serafimidi'nin bağlı bulunduğu, Rumlar'dan kurulu Amele Taburunu da sürüklemişti. Serafimidi beş ay sonra kaçmıştı; kaçmasına kaçmıştı ama, Rus hatlarına tam bir kilometre kala yakalamışlardı. Bir alay işkenceden sonra da idama mahkûm etmişlerdi...

— Yağlı ilmiği boynuma geçirmişlerdi. An meselesiydi yani... Tam o sırada bir Türk albayı geçiyordu oradan, şöyle bir baktı bana, sonra durup yaklaştı, iyice baktı bu sefer ve nihayet : «Sen sakın, papaz Grikori'nin yeğeni olmayasın?» dedi. «Evet... dedim. Onun yeğeniyim». Cellâda döndü albay : «Çöz bunu...» diye emretti. Kulaklarıma inanamıyordum doğrusu. İlmik boynumdan çıkınca inandım. «Amcanı iyi tanırım... dedi sonra albay. Komşuyuz. Trabzon'da bizim halka çok iyiliği dokundu senin amcanın... İşte onun hatırı için kurtardım seni. Yaz kendisine...» Sonradan öğrendim ki, bu albay, Rus işgali sırasında, Pontus masasına bakan istihbarat servisine bağlıymış. Bir gün beni Suşehri'ne götürdü beraberinde; Vehip Paşa'nın karargâhına... Orada Rusların, Trabzon'un idaresini Rumlarla Türklere bıraktığını öğrendim. Sivil milis kuvvetiyle mahkemeler de karma imiş. Yani her şey Türklerle Rumlar arasında ortaklaşa kurulu... Bir de muhtar belediye kurmuşlar, Konstantin Teofialalto'yu birinci reis seçmişler. Ama asıl yönetici, bizim piskopos Krizantos'muş... Zekâsı ve iyi yürekliliği sayesinde çok güzel idare etmiş; Hıristiyanlarla Müslümanlar arasında hiç fark gözetmediği gibi, Ermenilerin misilleme yapmasına da izin vermemiş. Nizamı kurmuş, sözün kısası. Orduyla birlikte kaçan Türkler, pişman olup geri dönmek istemişler ama, Sultan Reşat müsaade etmemiş. Bunun üzerine onlar da tutmuş Krizantos için bir türkü yakmışlar :

Metropolit vatan sana emanet
Elevian'a bastım da koptu kıyamet...

Heyecandan sesi titriyordu Serafimidi'nin :
— Piskopos işini biliyor... diye devam etti. 1917 Rus İhtilâli patlak verdiğinde, Trabzon Sovyetine üye seçtirmiş kendini ve oradan idare etmiş. İstediği hiç bir şeye hayır dememiş Bolşevikler... Nitekim Türklerle Ruslar arasında mütareke yapıldığını ve barışın da yakın olduğunu sezer sezmez, Rumlara silah ve üniforma vermelerini talep etmiş Bolşeviklerden; çünkü Kahraman'ın çetesi talan ve katliama başlamış bulunuyormuş çoktan. Ve Millî Gençlik Birliği teşkilâtı, göz açıp kapayıncaya kadar kısa bir zamanda, bir

halk milisi haline gelivermiş!.. Trabzon'un alınışından beş yüz yıl sonra ilk defa olarak, malını ve canını korumak için reayanın eline bir tüfek geçiyor! Ahalinin yarısını kurtarmak ancak böylece mümkün olmuş zaten, öbür yarısı da Rusya'ya *göç* etmiş...

Bütün bunları ilk elden biliyordu Serafimidi; Krizantos tarafından Vehip Paşa'yla müzakere için gönderilen papaz Sidiropulo'yla karşılaşmıştı çünkü Suşehrinde...

— Annemin memleketi olan Ordu - Kotyora'da olup bitenleri de Sidiropulo'dan öğrendim... diyordu. Orada da insanların canına tak demiş Aksiyotis. Rus gemileri gelip de Türk savunma hatlarını bombaladıkları vakit, Hıristiyanların binlercesi «imdat» diye denize atlamış... Bolşevikler kayıklarını suya indirmiş, bütün canyeleklerini denize uzatmışlar. Rus tayfası, ardarda dalıp çıkarmak suretiyle tam üç bin kişiyi kurtarmış! Kardeşimle amcamın ailesi de bunların arasındaymış... Sonra Bolşevik Trabzon'a götürmüş onları; orada başlarını sokacak bir yer ve iş vermişler. Öyle ki, yurtlarından sürgün olduklarını farketmemişler bile...

Fırkamızın, Arabistan yönüne doğru hareket emri, bu konuşma sırasında gelmişti. Gittikçe daha vahim bir hal alıyordu Türkiye'nin durumu : Yeniden hücuma geçmişti İngilizler ve ne pahasına olursa olsun, onları geri püskürtmek gerekiyordu.

Dövüşmek istemiyordum. Ne yapıp edip fırıncı yamağı yazdırdım kendimi. Ve levazım idaresinde hiç olmazsa birkaç gün, doya doya tayın ekmeği yedim böylece. Ama fırkanın ardından cepheye sevk emri gecikmemişti. Başka bir çare bulmam lâzımdı artık... Bir Türk bakkalın bana ödünç vermiş olduğu lâmbaları iade etmek üzere izin istedim onbaşıdan. Onbaşı, bakkalın kızına zilzurna âşıktı ve kışlad çıkması da imkânsızdı, çünkü yüzbaşı soluk aldırmıyordu zavallıcığa.

— Hemen koş! dedi. Benden de selâm söyle hepsine. Bak şuraya türküyorum işte. Tükürüğüm kurumadan gelmiş olacaksın, yoksa vay haline!

Sokağın köşesini döner dönmez iâmbaları fırlatıp, olanca hızımla koşmağa koyuldum. Civardaki köylerin hepsi Rum'du. Panormo'ya giden bir yelkenli yakalayıncaya kadar, nasıl olsa gizlenecek bir ev bulurdum

XI

İlk rastladığım kimse, Anastasi Melidis ısminde İstanbullu bir ayak satıcısı oldu. Panormo'da hep sözü edilen bir adamdı bu, taşlar bile tanıyordu kendisini. Oradan oraya gezer; ipekli kumaşlar, parfümler, kadın ayakkabıları, kadın boyaları, sahte ve hakikî mücevherler satardı. Karşılaştığımız gün, deri bir çanta vardı koltuğunun altında; bir diplomat gibi taşıyordu çantayı. Dediğine göre çantanın içinde : «derd-i aşka ve ihtiyarlığa iyi gelen, doğacak çocuğun erkek olmasını sağlayan, hasta ciğerlerle arızalı böbrekleri düzelten ve sıkışmış kalplere ferahlık veren» bitkiler vardı. Randevu evlerinden olduğu kadar, yüksek sosyeteden ve haremlerden de müşteri tutmuştu. Kaçakçılara karışır, kabadayılarla düşer kalkardı; yerine göre o onları, onlar onu himaye ediyorlardı. Beyrut'tan Batum'a durmadan mekik dokur, kadın bulur paşalarla beylere, albaylara olduğu kadar, çavuşlara da hizmeti dokunurdu; çünkü «bir karınca dahi gün gelir faydalı olur» du onun için... Türkler göz yumardı Anastasi'ye. Serafimidi'nin dediğine göre de, İngilizlerle ve «her şeye rağmen zavallı yurdunu sevdiği» için Yunanlılarla ilişkileri vardı.

Beni görüp geçti önce, birkaç adım yürüdü; sonra aniden dönüp :

— Sen asker kaçağısın! dedi. Boşuna inkâr etme, kaçaksın, anlarım ben. Ve... köylüsün.

Cevap vermeme kalmadan yeniden atıldı :

— Bir öğüt vereyim mi sana? Hemen elbise değiştir, elini yüzünü yıka, traş ol. Yoksa bu kılıkla kendi kendini ele verirsin! Elbiseye ihtiyacım var değil mi? Ve tabiî me-

123

telik yok cebinde? Boşver, ben sana yardım ederim. Gel benimle. Bir aile yuvasına götürmeyeceğim seni, haberin olsun; ama zaten sen de bir âyine gitmek üzere yola çıkmamıştın herhalde! Gittiğimiz yerde sağlam bir yürek ve... asıl önemlisi... elbise bulursun.

— Bu iyiliğin karşısında...

— İyilik mi? Ne iyiliği! Bu dünya, daha anlamadın mı evlâdım, al gülünü ver gülümü dünyası! Bugün alır, yarın verirsin... Ben hiç kimseyi sıkıntıda bırakmam, hiç bir zaman da pişman olmadım; bak her tarafta dostum var... Tut ki, sokakta bir kadın çıktı karşıma ve bana kocasından yana yakıla şikâyet etti; hemen hak veririm. Gider bulurum kocasını, onu da dinlerim güzelce; ona da yerden göğe kadar hak veririm. Ve karıyla kocayı barıştırırım sonunda! Geçen gün bir Türk beyi bana ne dese beğenirsin : «Gâvurlar hayvan gibi insanlar...» dedi. «Haklısın beyim...» diye cevap verdim. Kendisiyle iş görüyorum, bana yardım ediyor, ben de ona. Ve dün, o «hayvan gibi» dediği insanlardan birini kurtarmak için imzası lâzım oldu; gidip söke söke aldım...

Karşısındakinin cevabını beklemeğe ihtiyacı yoktu Melidis'in : Kendi kendisine alabildiğine hayrandı. Savaş her bakımdan yaramıştı ona; tam olgunluk çağında yakışıklı bir adamdı, sıhhatiydi üstelik ve zekiydi...

— Hiç bir işe yaramayan bir adamım ben aslında... diyordu. Ama yürek sahibiyim. Git bir de İstanbul'daki Rum zenginlerine bak... İnsan aklını kaybeder : Odalar dolusu altın var her birinde! Ama yurtseverliğin damlası yok! Ceplerine giren paradan başka bir şey bilmezler!

Bu lâf yağmuru altında öylesine sersemlemiştim ki, söz konusu eve nasıl geldiğimizi bile farketmedim. Aniden bir çiçek bahçesi içinde buldum kendimi... Bütün bunlar onunmuş gibi şişirerek :

— Bu çiçekleri görüyor musun? dedi... Ya şu küçük saraya ne dersin ha? Ama asıl bunun içinde oturan dilberi gör bir kere! Taş bebek gibidir orospu, tanrıça gibidir! Servetine konacak çocuğu da yok üstelik, tek başına çıkarıyor keyfini... Mesleğinin icabı! Bu hanım, azizim, sütle yıkanır. Hamam'ını bir görsen : Mermerden ve fildişinden banyosu, tasları safi altın! Türk paşasıyla Yahudi bankeri elele vermiş, onun için çalışmaktalar... Ordu müteahhidi Bolaki'den alır komisyonlarını da... Ama göreceksin, aslında konuksever, altın yürekli bir kadındır Madam Fofo... Paris'lere gitmiş; Odesa'da, Bağdat'ta ve Tahran'da nice prensle, nice nice paşanın aklını başından almıştır!

— Ama ben bu kılıkla nasıl...

Sözümü ağzımda bıraktı :

— Ne demek! Yüreğin yok mu senin? Aslan gibisin! Beni iyi dinle küçük yurttaş : Hiç bir zaman yarı yoldan dönmeyeceksin; gerilemeyeceksin hiç bir zaman! Sen buraya ne evlenmeğe geliyorsun, ne de aşk dilenmeğe... Merhametli kadındır Madam Fofo, iyilik yapmağa bayılır. Onun için buraya getirdim seni. Hattâ diyebilirim ki, seni Allah yolladı : Madamın ihtiyar bir hizmetçisi vardır, beni bekleyip duruyor ne vakitten beri; senin sayende onu da görmüş olacağım... Gönlünü almam lâzımdı zaten.

Nitekim, sert, karakuru, biçimsiz suratlı bir ihtiyar kadın açtı bize kapıyı.

— Kristina'cığım benim! Nasılsın sevgilim? Ermiş Fanuryo'yu buldum biliyor musun? Tam senin istediğin gibi altın kaplama. Ve üstelik çok eski bir ikona... Bir dahaki seyahatimde getirip geleceğim, hiç merak etme...

Yüzü birden yumuşamıştı kadının :

— Nasıl oldu da bizi hatırladın sen Anastasi? dedi.

Ve hemen salonu açtı. İpek kaplı geniş kanapeler, Acem halıları, ceviz konsollar, samana sarılı kuşlar, İran bibloları, Şam kılıçları, tahtadan develer ve oyma haçlarla dolu bir yerdi burası.

Melidis, «nasıl haklı mıymışım» gibilerden geniş bir el hareketiyle göz kırptı bana, sonra ilerleyip, teklifsizce seslendi :

— Madam Fofo!.. Neredesin güzelim? Sanki yıllar oldu görmeyeli seni!

Ve nihayet göründü Madam Fofo : Kırmızı ipekten altın işlemeli bir elbise vardı üzerinde. Hafif tombul, terütaze ve güneş, tenine hiç değmemişçesine beyazdı. Kalçalarını oynatarak, şuh bir edayla sürüklüyordu atlas terliklerini. Nazlanıp kırıtmaları, boyalı kalın dudakları, uzun kirpikli yeşil gözleriyle, insanın başını döndürüyordu gerçekten!

— Sana bir Hıristiyan getirdim Fofo. Bir asker kaçağı... Bu üniformayla dolaşmağa devam edecek olursa, çok geçmez enselerler zavallıyı. Oysa sende bir alay erkek giyeceği bulunur!

Uykudan henüz uyanmış gibi görünen Madam Fofo, bana bir göz attıktan sonra, küçücük elini ağzına götürüp, dudaklarını fiskeleyerek esnemesini zaptetti, sonra da iyiniyet taşan bir sesle :

— İlâhî Anastasi!.. dedi. Adam olmazsın sen! Özledim seni, biliyor musun?

Kristina heyecanlı görünüyordu; bu kadar kısa bir zamanda Soğanlı fırınlarından bir kibar fahişenin sarayına aktarma etmiş olan bense, mahçup ve şaşkındım; ne yapacağımı, ne diyeceğimi bir türlü kestiremiyor, başım önümde susuyordum hep.

Kristina himayesine almıştı beni. Kolumdan tutup, Arap giysileri, her rütbeden Türk üniformaları ve üç köşeli amiral şapkalarıyla tıkabasa dolu üç kapaklı kocaman bir dolabın önüne götürdü beni...

Bu sırada ev sahibesi, Anastasi'yle uzaklaşmıştı. Konuşmaları geliyordu önceleri :

— Enver Bey bana teklifte bulunuyor : «Reşat sana bir villa yaptı. Bense, kırk odalı bir saray kurduracağım, içini de altın ve gümüş dolduracağım. Benimle yaşa...» diyor.

— Altınların içinde hora tepiyor namussuz! Rumlarla Ermenileri soyup soğana çevirdi!

— Haklısın. Elleri kanlı onun. Halbuki benim Reşat'çığım!

Günlük elbiselerle dolu bir başka dolabın önüne çekmişti beni Kristina ve artık ötekilerin ne konuştuğu işitilmiyordu, kahkaha sesleri geliyordu sadece; onlar da yavaş yavaş dindi : Anastasi ile Mądam Fofo, yatak odasına kapanmış olmalıydılar.

Kendime uygun bir elbise bulup da yıkanıp giyindikten sonra, ihtiyar hizmetçi inceden inceye gözden geçirdi beni :

— Tertemiz olmuşsun! dedi sonunda. Güzel delikanlıymışsın! Nerelisin sen?

— Efes tarafından...

— Bilirim. Oralarda doğdum ben de... Gel şimdi bir şeyler ye bakalım...

Açtı karnım, üstelik bir kaymak ve peynir kokusu geliyordu burnuma; ama özür diledim :

— Sağol! Sadece Anastasi'yi bir görüp kendisine teşekkür etmek isterim...

Kendisinden emin bir edayla başını salladı :

— O imkânsız aslanım! Şu sırada göremezsin Anastasi'yi... Ama belki bu akşam...

— Öyleyse kendilerine teşekkürlerimi söyle... dedim.

— İyi yolculuklar küçük yurttaş! Talihin açık olsun!..

Yıllarca süren yeraltı mücadelesi, tuzaklardan kurtulmayı öğretmişti bana; oysa Galata'nın merkez sokaklarına gelir gelmez takip edildiğimi hissettim. Kaçamak bir bakışla baktım : Bir genç kızdı ardımdan gelen. İçim rahatlamıştı. Ama kadın beni izlemeğe devam ediyordu hep. Durdum sonunda ve şaşkınlık içinde işittim, başka bir noktaya kayıtsızca bakarak bana fısıldadığını :

— Beni takip et Manoli Aksiyotis! Girdiğim eve biraz sonra sen de gir...

İki katlı bir eve girmişti.

— Kimsin sen? dedim içeri girince. Nereden tanıyorsun beni?

Tatlı bir gülümseyişle :

— Ben değilim seni tanıyan... diye cevap verdi. Tanıyan, seni yukarıda bekliyor...

Panormo'dan kaçmasına yardım ettiğim Kirkor isimli bir arkadaşın Galatalı olduğunu unutmuş gitmiştim çoktan. Oysa, Kirkor şimdi, kollarını açmış beni bekliyordu :

— Kaçmayı becerdin değil mi Manoli! Kardeşim benim! Seni pencereden görünce nasıl sevindim bilsen! Bak işte bu, kızkardeşim Anika...

Hemen sofrayı kurup sade suda haşlanmış, birkaç patates getirdiler. Kirkor içini çekerek :

— Bizim için çok güç oldu bilmezsin!. dedi. Annemle babamı öldürüp bütün parayı aldılar. Mağaza desen yabancıların elinde. Ben saklanmak zorundayım. Eve Anika bakıyor...

Akşam gideceğimi söyledim.

— Ne diyorsun! Neler söylüyorsun sen! diye haykırdı Kirkor. İmkânsız, olmaz öyle şey! Katiyen olmaz!

Ve evlerinde misafir kaldığım dört ay süresince iki kardeş bana karşı daima aynı samimiyeti, daima aynı içten sevgiyi göstermekte devam ettiler. Hayatla, ne denli tahammül edilmez olursa olsun, daima barışık kalmasını bilen böyle mükemmel insanlar da var!

İki erkeği beslemek zorunda olan zavallı Anika, canı çıkarcasına çalışmaktaydı. Bizse ev işleriyle uğraşıyorduk ve bir zaman sonra, bu, bütün ömrümüz boyunca yaptığımz tek işmiş gibi, tabii görünmeğe başladı bize... Bazan, Anika geciktiğinde, yüreğimiz deli gibi çarpıyordu. Onsuz neye varırdı halimiz!

Bir hazne'nin içinde gizleniyorduk. Mezara iner gibi hazneye iniyorduk tehlikeli zamanlarda... Ve mezardan hayata döner gibi hazneden çıktığımızda, Anika hep aynı gülümseyişle gülümsüyordu.

Hiç bir vakit unutmayacağım bir sabah vardır... Herkes, bir tek aynı kelimeyi söylemişti o sabah :

— Mütareke! Mütareke oldu!..

Soluk soluğa Anika gelip ikram etmişti bize o kelimeyi. Ve söyler söylemez de hıçkırarak ağlamağa koyulmuştu...

İlk işimiz, söylenene iyice inanmak için gazeteleri okumak oldu. Sonra da aylardan beri yas tutar gibi kapalı duran pencereleri açtık. Bir türlü inanamıyorduk ölümü atlattığımıza... .

128

Rakı ve balık getirdi Anika bize. Bütün gece yummadık gözümüzü. Durmadan konuşuyor, iş tasarlıyor, hayal kuruyorduk! Karanlık günleri nasıl da çarçabuk unutuvermiştik!..

Savaştan yenik çıkmış olmalarına rağmen, Türkler de sevinç içindeydiler. Gazeteleri ağız değiştirmişti : Almanlar düşman olmuştu şimdi; onlarla işbirliği yapmış ve Türkiye'yi felâkete sürüklemiş olan Talât'larla Enver'lere de hain sıfatı giydirilmişti... Dostları; İngilizler, Fransızlar ve özellikle Amerikalılardı : Şimdi onlar pohpohlanmakta, bütün «*buyurun*»lar onlara çekilmekteydi... Tam o sırada işte, doğru sözlü, tok sesli, korkusuz bir adam belirdi. Bütün suçları döktü ortaya. Türkiye'nin dirildiğini ilân ediyordu bu adam. İsmi Mustafa Kemal'di. Uzun zamandır Türk anası, böyle bir evlât getirmemişti dünyaya.

İzmir'de bir mağazası vardı Kirkor'un ve bir an önce gitmek istiyordu oraya; bense, köyümün özlemiyle yanıp tutuşmaktaydım. Birlikte yola çıktık... Askerlik kâğıtlarımız muntazam değildi tabiî. Ama Türklerin derdi başlarından aşkındı; kendi kaderlerinin dışında kalan hiç bir şeyle ilgilenmiyorlardı artık... Bir tren bileti alacak kadar bile paramız yoktu. Tanıdığı bir demiryolu memuruyla anlaşmıştı Anika. Adam bizi bir furgona sakladı.

Ayrılırken şakaya vurdu Kirkor :

— Her halükârda, hayatta da gizli birer yolcuyuz... dedi.

— Burada gizli yolcu değilsiniz ki... diye karşılık verdi Anika. Ödediniz biletinizi. Hem de çok pahalıya...

Heyecan içinde teşekkür ettim genç kıza :

— Seni hiç... ama hiç bir zaman unutmayacağım Anika!

Daha fazla bir şey söyleyemedim : Gözlerim dolmuştu.

Ve işte ancak o an düşündüm ki, Anika bir kadındır. Ve ben onu sevebilir ve ben onu hayat boyunca kendime eş yapabilirdim... Ateşli esmer vücudunu, birden ürkekleşen tatlı bakışlı gözlerini dün gibi hatırlıyorum. Niçin ben sana hep bir kardeş gözüyle baktım Anika? Niçin sevmedim seni?

Askere alınmış beş kardeşten, köye ilk dönen ben olmuştum. Panago hiç bir zaman dönmeyecekti; ötekilerdense haber alamıyorduk... Köyün daha sınırında yakaladı beni keder, sevincimi bastırdı geçti. Dört yıl boyunca hiç renk. vermeden dayanmasını bilmiştim; ve şimdi garip bir çökkünlük kaplıyordu içimi.

Geçmişteki hayatı, eski alışkanlıkları hatırlıyor ve annemin bakışlarında, genç kızların tazeliğinde kendime bir destek arayarak, yeni bir gözle seyrediyordum etrafı... Pencerenin pervazında sıralı küçük çiçek saksılarını arıyordu gözlerim; bahçeyi, bağı, omcaları, yaseminleri, filbaharları, limon ağaçlarını arıyordu... Akasyaları ve kireç badanalı evleriyle hep aynı tozlu yol uzanıyor karşımda işte... Bu yolda bir vakitler, tarla dönüşü, küçük akıllı merkebim Onyo ile nasıl eve doğru koştuğumuzu hatırlıyorum. Annem yükünü boşaltsın diye, anırmağa koyulurdu Onyo... Ve köşedeki çeşme, yaz kış hep böyle şırıldardı; başımı berrak suyunun altına sokar, darmadağın saçlarım yeniden bukleli hale gelinceye kadar tarardım; sonra da elime ilk değen çiçeği, şebboy veya ıtır, koparıp kulağımın arkasına takarak dolaşmağa giderdim. Ve gezinti zamanımı bilip de perdelerin ardında yolumu gözleyen bir genç kız olurdu hep...

İlk işim, annemle kızkardeşimi tarlaların yükünden kurtarmak olmuştu. Gün ışırken kır yolunu tutmuş oluyordum; köyün ıssız sokaklarını da sırtımda taşıyormuşum gibi bir duygu uyanıyordu içimde... Hemen hiç erkek kalmamıştı işte; birkaç sakatla bir alay ihtiyar adam ve yaşlı kadın vardı, o kadar. Başlarına gelen felâketleri anlattıkları zaman korkmuyordum, hepsini yaşamıştım önceden... Tarlalar gerçek bir mezarlık halini almıştı; çoktan çalınmıştı bütün atlar, inekler, öküzler ve sürüler. Şafağı selâmlayacak bir tek horoz olsun bırakmamışlardı köyde!

Filipo'nun tarlasının kıyısında kız Aleka'ya rastladım; durmuş hoşgeldin diyordu bana. Yorgi'yi sevdiğini biliyordum Aleka'nın ve açtım kendisine de :

— Yorgi cepheden döndüğü vakit... dedim... ben sıramı ona bırakacağım üzülme. İlkin ô evlensin!

Acılık doluydu kız; içini kemirip duran sırrı bana da açtı : Jandarmaların, Yorgi'yi onların evi önünde yakaladığını biliyorduk. Çok sıcak bir akşam vakti olup bitmişti her şey; yasemin kokusu sarmıştı bahçeleri ve hayat dolu olan Yorgi dayanamamış, damdan inmişti...

— Penceremin önüne gelmişti... dedi Aleka. Her zamanki gibi ufak taşlar atıyordu cama. Uykumun arasında işittim bunu ve sıçrayarak uyandım.' «Güzel bir rüya olmalı bu... dedim kendi kendime. Kutlu bir rüya!» Ama taşlar camı tıkırdatmağa devam ediyordu. O zaman hemen koştum pencereye ve Yorgi'nin gölgesini hemen tanıdım' : Aşağı in Aleka, seninle konuşmak istiyorum...» diyordu. «Nasıl olur Yorgi'ciğim! dedim. Annem, babam uyanır hemen. Yapmayalım...» Deli gibi bağırdı o zaman : «Uyanırlarsa uyansınlar!. dedi. Seni istemeğe geldim onlardan. Yalnızlığa dayanamayacağım artık, Lebesi gibi çıldıracağım ben de...» Cümlesini tamamlamağa kalmadan devriyeler belirdi sokağın dönemecinde. Ben kapıyı açmak çin merdivenlere koşarken yakaladılar onu. Kaçmasına zaman bile kalmamıştı... Gerisini sen de biliyorsun. İşkence edip taburuna geri gönderdiler. Çanakkale'den bir mektup yolladı bana. O gün bu gündür de hiç bir haber çıkmadı. Nasıl korku yorum bilsen!.

— Annem de çok üzülüyor, ona da mektup gelmemiş aylardan beri... Ama üzülme, Yorgi dönecek, biliyorum...

Ne kadar da güvenirmişim kendime! Aradan iki hafta geçmeden, Yorgi yerine kara haber geldi : Çanakkale'de bir İngiliz kurşunuyla ölmüştü kardeşim.

Günlerce ağladı annem :

— Vahşi kuşlar hücum etti değil mi üzerine! diye haykırıyordu hep. Güzelliğine de acımadı değil mi ölüm, o incecik yaratıcı ellerine de!..

Kuşaktan kuşağa savaşageldiğimiz ele geçmez düşmandı ölüm. İnsanlar kiliselerde, evliliklerini kutlamak için değil, ölülerine pişmiş buğday alabilmek için sıraya giriyorlardı artık... Her aile iki üç ferdini kaybetmiş bulunuyordu; kimi aileler de toptan silinmişti ortadan, sadece birkaç ihtiyar kadınla birkaç yaşlı erkek kalmıştı.

Ardlarından o kadar gözyaşı döktüğümüz ağabeylerim Kosta ile Stamati, döndüler köye. Adana'daki bir Türk çiftliğine sığınmıştı Kosta. Çiftlik sahibi için o derece vazgeçilmez bir unsur haline getirmişti ki kendini, adam mütareke olduğunu uzun süre gizlemişti ondan... Stamati ise, bizim tarlalara çalışmağa gelen Kirlicelilerden biri sayesinde kurtulmuştu; Konya'da karşılaşmışlardı ve tam o sırada bir çavuş, Stamati'yi öldürmeğe hazırlanıyordu. Kirliceli, ağabeyimi tanıdığını açıklamadan çavuşa yaklaşmış : «Ne yapacaksın bu asker kaçağını?» diye sormuştu. «Otlatmağa götürüyorum...» demişti çavuş ve bir el hareketiyle, boğazlayacağını işaret etmişti. Bunun üzerine Kirliceli : «Bana bırak istersen, demişti. Benim bıçağım daha da keskindir.» Ve göz kırparak bir mecidiye sıkıştırmıştı adamın eline. Çavuş parayı alınca omuz silkip : «Madem o kadar istedin al... demişti. Böylece ben de günaha girmemiş olurum. Al işte!»

Kirliceli evine götürmüştü ağabeyimi. «Kal burada bizimle... demişti. Tasalanma artık. Neyimiz varsa birlikte yeriz. Sizin sofranızda benim de karnım doydu, döşeklerinizde uyudum. İyiliğinizi unutur muyum hiç?»

Kazazede kardeşler bir araya toplanır toplanmaz işe koyulmuştuk. Hiç bir şeyimiz yoktu : Ne tarım âletimiz, ne sürek hayvanımız, ne tohumumuz... Annem, ablam ve evlâtlık kardeşimiz, hayatlarını tehlikeye atıp, üç bin okka incir toplamışlardı. Onları satıp yirmi altın lira kazanç sağladık, ama bu kadarcık parayla ne alınabilirdi ki? Tefecilerin eline düştük tabii sonunda. İşte o zaman Kosta bizi toplayıp :

— Beni dinleyin... dedi. Kara toprağın aldığını diriltemeyiz... Ama kendi toprağımızı... kendi toprağımızı dirilteceğiz!

Henüz ortalık ağarmadan yola çıkıyor ve geceleyin geç vakit dönüyorduk eve. Dinlenmek için iş değiştiriyorduk! Ekmek zeytin yiyorduk sadece... Ve dirilttik toprağımızı, mecburen iyi ürün verdi bize. Yeni tütün fidanlarımız sayesinde de, borcumuzu çabucak ödemiş olduk.

Üçüncü Bölüm

YUNANLILAR GELİYOR

XII

Türklerden çekinmiyorduk artık. Kafa değiştireceğimiz yerde, rol değiştirmiştik.

Almanlar, mühimmat depolarını, olduğu gibi, eski Efes' te bırakmışlardı. Mondros mütarekesinin emrettiği gibi, bu depoları Müttefiklere teslim etmekle görevli Türk jandarmaları ise, kaçmıştı. Ve Kırkıca köyünün sakinleri, karanlık bastırdığı andan itibaren eski Efes'in yollarını arşınlayarak, depolardaki bütün silâh ve patlayıcı maddeleri köye taşıdılar. Ve ancak o vakit hür hissettiler kendilerini. Kamburu çıkmış sırtlar, birden düzeldi. En korkaklar bile fişeklik taşıyor; Türklere, «Sıkıysa şimdi gelin!» der gibi, bir kabadayı edasıyla göğüslerini kabartarak yürüyorlardı.

İlk silâhlanan Kosma Sarapoğlu olmuştu. Ve tüfeğini alıp doğru mezarlığa gitti. Tanrıya, intihar etmeyi adamış olmasından korkarak, sessizce arkasından yürüdük. Ama hayır, intihar etmedi. Mezarların arasında havaya ateş etti durdu bir süre, sonra iç paralayıcı bir çığlık atarak :

— Kalkın aslanlarım! diye haykırdı. Hürriyet sizi bekliyor!

Gene o günün akşamı, Sökeli ihtiyar Krisanti, ölülerin gölgelerini kendi gözleriyle gördüğünü, ağlaşıp yakındıklarını kendi kulaklarıyla işittiğini haykırıyordu. Ay ışığındaki gölgeleri işaret ederek :

— Bakın bakın! diye bağırıyordu durmadan. Bakın geldiler işte, buradalar!..

İhtiyar kadına inananlar, mutlu bir hayat bize öclerini almayı unutturur korkusuyla, ölülerin bizleri gözlediğini ileri sürdüler.

Bizim silâhlandığımızı işitir işitmez, civar köylerdeki bütün Türkler, evlerini ve tarlalarını olduğu gibi bırakıp Söke'ye ve Kuşadası'na göç etmişlerdi. Barınak değiştiriyordu korku... Yunanlıların İzmir'e çıktığı haberi ulaşınca, beş komşu Türk köyü bir gecede beş kül yığını haline geliverdi... Yeni harabeler, yeni felâketlerdi bunlar! Ve başka harabelerle başka felâketler getireceklerdi! Ama zaferin sarhoşluğu içinde, en basit hesabı yapan olmuyordu...

Yunan ordusu köye girdiği gün, herkes aklını kaybetti sanki. Yeni bir tınlaması vardı çanların. Ve evden eve, tarladan tarlaya uçuyordu haber :

— Yunan ordusu geldi köye! Ordu geldi!

Haberi alan işi bırakıyor, bir an toprağa çivilenmiş gibi kalıyordu; içmek istermiş gibi hece hece tekrar ediyordu sonra haberi. Ve sonra da bağırmağa, gürlemeğe koyuluyor; başkalarına ulaştırmak için var kuvvetiyle koşuyor, istavroz çıkarıp kucaklaşıyor, delice ağlaşıyordu...

— İsa dirildi!

Bir anda, çiçekler misali açtı gönüller. İnsanlar en güzel giysilerini kuşandı. Kesildi bütün defne dalları, askerlerin üzerine serpilmek için gülsuyu ve pirinç alındı. Halılar yayıldı sokaklara, kadınların son aylar boyunca gizlice dikmiş olduğu irili ufaklı bayraklarla donandı köy. Ve ilk borazanların sesi yankılandığında, genç ihtiyar, kadın erkek diz çöküp toprağa koydular alınlarını, göz yaşları içinde dua ederek mırıldandılar :

— Yunanistan! Yunanistan! Anamız Yunanistan!..

Sancaklar taşıyan çocuklarla başladı resmi geçit. Onları, altın işlemeli âyin esvaplarını giymiş ve ellerinde şemmaslar, buhurdanlar taşıyan papazlar izliyordu... Çoraplı pantalonunu ve işlemeli bacak zırhlarını kuşanmış olan Kosma, tarihin bu büyük ânına yaraşır bir şekilde törensel bir edayla, papazların ortasındaydı. Aya Dimitri'nin ikonasını tutuyordu ellerinde. İki kişinin iki büklüm olarak köyün çevresinde gezdirdikleri ikonayı...

Bütün sokaklara masalar kurulmuştu o akşam. Ateşte koyunlar kızartılıyor, şarap fıçıları birbiri ardından açılıyor ve türküler söyleniyordu. Sahici olduklarını bir kere daha duymak için, zaman zaman askerlere dokunuyordu köylüler!

Birdenbire beklenmedik bir önem kazanmıştı hayatımız : Beş yüz yıllık kan ve göz yaşının diyetini alacak olan ilk reaya kuşağı, bizdik.

Trenle İzmir'den dönüyordum. Bir alay tütün, incir, kuru üzüm siparişi almıştım. Sevinçliydim. İleriki hesaba mahsuben para da vermişlerdi; o devirde pek nadir rastlanan bir olaydı bu... Anneme hediyeler, kızkardeşime bir çamaşır takımı almıştım. Ve iki tane de altın yüzük almıştım : Üzerlerinde «Katina ve Manoli» kazılıydı; tarih yeri ise boş bırakılmıştı. Cebimden çıkmıyordu artık elim : Küçük mavi kadife kutuyu, bir rüyayı okşar gibi, durmadan okşuyordum. İşler yoluna girmişti artık. Hayatın tadını çıkarmanın, bir ev dikip yuva kurmanın vakti gelmişti.

Hacısuluk'a yaklaşıyordu tren. Kır manzarası gururla dolduruyordu içimi. Yol arkadaşlığı ettiğim Yunanlı askerler, kendilerine göre değerlendiriyordu bu manzarayı :

— Ne çok ırmak var yarabbi!..

Aralarından, «Kâğıtyiyen» adını taktıkları biri haykırıyordu :

— Ah benim bir kaya külçesinden ibaret yurdum! Bütün bu servetler sana akınca, ne güzel bir kadın olup çıkacaksın bilsen! Bir değil, on tane Yunanistan besler bu meme!..

— Kutlu toprak! diyordu bir başkası. Köylüyüm ben, ne demek olduğunu hepinizden iyi anlarım : Bu bereketli toprakta üç gün üç gece yürüsen, ceviz kırmağa iki küçük taş parçası bulamazsın vallahi!... Hele şu savaş bitsin hayırlısıyla, çoluğu çocuğu getirip buraya yerleştireceğim...

— Şuna da bakın hele! Cebinde bir sigara alacak parası yok, tutmuş malikâne almayı hayâl ediyor! Hangi parayla satın alacaksın bu toprakları?

«Kâğıtyiyen» atıldı :

— Para mı dedin? Ne parası!. Eğer burada da paraya ihtiyaç varsa, neye kan döküyoruz? Yüzbaşının birkaç gün önce söylediğini işitmediniz galiba siz : Bütün bu toprakların «bizim atalarımız»a ait olduğunu söyledi yüzbaşım. Vasiyetlerinde her birimize bu topraktan bir parça bırakmış atalarımız...

Korfulu bir asker söze karıştı :

— Toprak falan dinlemem ben azizim, umurumda değil. Ben işçi doğmuşum, toprak sahibi olup da ölmek diye bir umudum yok! Sen bana kızlardan aç biraz, ben o dilden anlarım... Ne biçim tombalak ve taze şeyler onlar öyle yarabbi! Hepsi şeytanın kulu vallahi! Tereyağ ve şekerle yoğrulmuş hepsi!

Askerleri bırakıp kendi dertlerime döndüm. Annem geçen gün, evimi kurmak için, nasıl canla başla çalıştığımı görünce :

— Acelen var galiba oğul! diye şaka etmişti. Evlenmeğe mi niyetlendin yoksa sen? Şuna bak susuyor! Ne susuyorsun, söyle şu ihtiyar anan da sevinsin biraz!..

— Aksiyotis hanım, torunları olsun istemez miydi?

— İstemez olur muyum hiç... Allah yardım etse de şu avlumuz çocuklarla dolup taşsa yeniden! Panago'mla Yorgi'm dirilip gelseler bir de! Sürüp gitse babanızın namı!.. Ben gözlerimi yummadan önce daha ne görmek isterim?

Hangi kızla evlenmeyi tasarladığımı sormadı bile. Papaz Fotis'in yeğeni Katina Selbesis'i sevdiğimi tahmin ediyor; ama peder Fotis bizim aileyi kendi ailesine denk bulmaz korkusuyla inanmağa cesaret edemiyordu bir türlü.

Katina'nın annesi, kızını doğururken ölmüştü. Bunun üzerine babası Yango Selbesis, kızına bir sütana tutmuş ve

137

hiç kimseyi görmemeğe karar vererek Aydın civarındaki malikânesine kapanmıştı.

Kız büyüyüp de okul çağına erince, Aydın'a, ninesinin yanına götürmüştü. Ve Katina hep orada, varlık içinde yetişmişti. Ama liseye girdiği yıl ihtiyar kadın da ölmüştü. O zaman Selbesis yanına almıştı Katina'yı : «Öğrenim gördüğün yeter kızım... demişti. Gel de malikânede bana yardım et biraz. Evleninceye kadar yanımda kal hiç olmazsa...»

Savaş patladığında yalvarmıştı babasına : «Çiftliği Ali' ye bırak ne olursun babacığım... Aydın'a gidelim biz. Burada korkuyorum!» Babasının cevabı ise kesindi : «Ali gerçi iyidir, bize de bağlıdır ama etrafta kurtlar dolanıyor bak. Sırtımı döner dönmez her şeyi kaldırıp götürmeğe hazırlar...» Ve bir akşam, atı tarladan sahipsiz dönmüştü; iki sepet yüklemişlerdi hayvanın sırtına; sepetlerin içinde ise, paramparça ettikleri Yango'nun cesedi vardı... Türkler toplanıp : «Olan oldu... demişlerdi Ali'ye. Araziyle konak şimdi bizimdir.» Ali diretmişti : «Bu cinayeti işleyen kimse, büyük günaha girdi... Başkaları alsın toprağı, biz almayacağız.»

Nitekim, çok geçmeden Hasan Bey adında biri çıkıp gelmiş : «Arazi benimdir, Selbesis'in bana borcu vardı...» demişti. Ve Katina tamamiyle desteksiz kalmıştı hayatta. Sadece bir teyzesi vardı, o da Kırkıca papazı Fotis'le evliydi... Kızcağızı getirmek için hemen yola koyulmuştu rahip efendi; Selbesis'ten kalan malları satıp savmış, parasıyla da Katina adına bir parça toprak almıştı...

Katina'nın başına gelenler, beni iyice duygulandırmıştı. Azçok bir yakınlık doğdu aramızda. Sonra askere gittim ve her şey silinir sanıyordum artık. Ama annemin yolladığı mektupları Katina yazıyor, en altına da : «Katina'nın sana selâmı var...» diye ekliyordu.

Mütarekeden sonra, sevgim daha da arttı. Yorgi'nin ölümü dolayısıyla başsağlığına geldi bize; aralarındaki yaş ve karakter farkına rağmen, Sofiya ile arkadaş oldu. Ve hemen bizim eve seğirtmek için daima bir bahane bulmağa başladı. Nihayet bir pazar sabahı, ablam evde olmadığı, annem de mutfakta iş gördüğü için, avluda başbaşa kaldık ve konuştuk uzun uzun... Başımdan geçenleri anlattım ona, çocuklar masal dinler gibi açlıkla dinliyordu. En küçük bir susuşumda atılıyordu hemen : «Sonra? Sonra ne oldu?» Bitirdiğim vakit, gözlerini gözlerime dikerek :

— Tam bir erkek gibi mücadele etmişsin... dedi.

— Doğru... diye cevap verdim. Bütün benliğimle savaştım. Tesadüfe bırakmadım hiç bir şeyi. Ve bir tek kere olsun ölmeyi düşünmedim. Kesilip karanlık mezarların içine atılmış ağaç dalları görüyordum çünkü, çiçek açmak için çırpınıyorlardı ve yaralı vahşi hayvanlar görüyordum, son nefeslerini verinceye kadar dövüşüyorlardı. Ama insan iradesi, hepsinden daha kuvvetli, daha tuttuğunu koparan bir şeydir!

Uzun bir süre konuştum böyle. Konuşurken ona bakıyordum ve kuş sürüleri gibi kelimeler yığılıyordu kafamda. O da bakıyordu hep sana ve siyah gözlerinde bir ışık pırıldıyordu hep : «Nasıl hoşuma gidiyorsun bilsen!» der gibiydi... Böylece yavaş yavaş cesaretlendim ve nihayet bir gün, tarlasının kenarında tutuverdim elini :

— Kaba işler için değil bu eller... dedim. Benim ellerim iki kişi adına çalışabilir!

Anlamazlıktan gelmişti :

— Muhallebi çocuğu değilim ki ben!.. diye cevap verdi.

Peder Fotis'le karısı yanında olmadıkları vakit, atıma atladığım gibi soluğu onun tarlasında alıyor, çiti aşıp bağırıyordum :

— Yardım ister misin?

İşlerin nasıl daha kolay yapılacağını göstermek bahanesiyle parmaklarını okşadım bir gün. Derinden derine ürperdi, soluğu kesilir gibiydi. Bense titriyordum. Ama o gün ne Katina, ne ben birbirimize sarılmak cesaretini bulamadık kendimizde...

Nihayet bir keresinde, kalın sazların altına oturmuştuk. Vücutlarımız birbirine değiyordu. Tatlı bir ürperiş sarmıştı ikimizi de...

— Peki sonra? diye mırıldandı.

— Sonra mı?

Konuşmak bile istemiyordum o sevinci yitirmemek için. Elim göğsüne değdi birden, koca bir şişe şarap içmişim gibi dönmeğe koyuldu başım! Ama tuttum kendimi. Adviye'yle olan şey, Katina'yla olmasın istiyordum. Karım olarak sarılıp sevmek istiyordum Katina'yı; sarılıp sevmeden önce, limon çiçeklerinden tacı ve bembeyaz gelin giysisiyle kucağımda taşımak istiyordum...

Şaşkınlığımın sebebini anladı mı acaba? Birden açıldı benden :

— Yoksa unuttun mu? dedi. Bugün bana bir şey söylemek istiyordun hani?.

— Hayır unutmadım. Söylemek istediğim şeyi, uzun süredir sen de biliyorsun. Kurduğum ev bitmek üzere : Seni bekliyor...

Başını önüne eğmiş, cevap vermeden dinlemişti beni. Yasemin kokulu sıcacık soluğu geliyordu bana.

— Farklı bir hayat sürdük... diye devam ettim. Sen okullarda büyüdün, bense çarşı ve tarlalarda. Sen yumuşak bir babayla varlık içinde yaşadın; bense her şeyden mahrumdum ve babam sertti üstelik, çok kötü davranırdı anneme, belki de işitmişindir... Ben babama benzemem. Hayatı hüzne bulanmış kadınlar nasıl sevilmek isterse, öyle sevmek isterim seni... Ama bir erkeğim ben. Benim de kusurlarım var : Mağrur, bencil, inatçıyımdır. İstediğimi, araya kurnazlık ve hesap karıştırmadan ve pazarlıksız istiyorum. Bak sana bütün içimi olduğu gibi söyledim.

Başını göğsüme yasladı Katina ve yaşlar süzüldü gözlerinden. Çenesini tutup kaldırdım elimle : '

— Niçin ağlıyorsun?

— Seviyorum çünkü seni. Ama bunu sana nasıl söyleyeceğimi bilemiyorum bir türlü...

— İşte böyle.

Kollarımın arasına aldım onu, dudaklarını aradım. Birbirimiz için yaratılmış olduğumuzu anladık ikimiz de.

Hacısuluk istasyonuna geldiğimde, vakit öğleden sonra üç suları olmalıydı. Sıcak bir Mart güneşi ısıtıyordu ortalığı, ekinler büyümüştü, sürgün veriyordu ağaçlar, sakakuşları ve karatavuklarla birlikte yüreğim de şakıyordu.

Parmaklarına beyaz ve kırmızı iplikleri çaprazlayarak yaptıkları bir yüzük takar Mart'ta genç kızlar. Ve ihtiyar kadınlar, yüzüğü olmayanlara şöyle bağırır: «Sen neye Mart takmadın bakayım kızım? Güneş seni kömür gibi karartır sonra!»

Kırmızı beyaz iplikten yüzük yerine, bir'alyans takacak Katina bu yıl ve öyle bir nişan töreni yapacağım ki ona, dünya âlem bir daha bunu unutmayacak.

Köy meydanında insan kaynıyordu. Ne oluyordu acaba? Neye bu kadar erken bırakıp gelmişlerdi erkekler, tarlaları?

Beni görünce soluk soluğa koştu Stamati:

— Askere alındık Manoli! diye haykırdı. İlk on beş kur' anın çağırıldığını yazıyor gazete...

— Bırak dalgayı! Böyle bir şey olmuş olsa İzmir'de işitmez miydim?

O kadar da emin değildim kendimden aslında, ama şaşkınlığımı açığa vurmak istemiyordum.

— Tam tütünle durumu iyice düzelteceğimiz sırada...

— Sus bakalım, acele etme!..

Ama endişe yerleşmişti içime.

— Ne demek acele etme! diye bağırdı Stamati. Gazeteler çoktan geldi, her bir yere yayıldı haber... Allah kahretsin ki bu sefer korkuyorum kardeş! Korkuyorum, diyorum sana!.. Çekirge bir sıçrar, iki sıçrar ama üçüncüsünde yakalanır... demişler!

Ben bir başka noktayı düşünmekteydim. Köyün bulunduğu bölge, Yunanistan'a ilhak edilmemişti ve biz Osmanlı tebasıydık... Öyleyse neydi bu askere alınma hikâyesi? Kahvede ilk elime geçen gazeteyi kapıp dikkatle okudum:

«Küçük Asya'da oturan Yunan tebalılardan on beş kur'a, eski asker kaçaklarıyla beraber, birliklerine derhal iltihak etmek zorundadırlar...»

Kahvedeki arkadaşların ağzını, bıçak açmıyordu.

— Neyiniz var yahu? dedim. Osmanlı tebasını askere almıyorlar ki, Yunan tebalıları alıyorlar sadece!

Derin bir oh çekerek yeniden gazetelere saldırdılar :

— Tabii yahu! diye haykırıyorlardı. Haklı Manoli, bal gibi haklı... Ne oldu bize böyle, basiretimiz mi bağlandı?..

Çok geçmeden köyün eşrafı, ihtiyarlar ve papazlar üstüme hücuma kalkmışlardı. Neredeyse paralayacaklardı beni :

— Anan seni kurnaz doğurmuş! Bir de utanmadan yurtsever geçinirsin! Ne vakitten beri Osmanlı tebası olmayı bir şeref biliyorsun, söyle bakalım?

—.Eğer ortada bir Türkiye varsa... dedim soğukkanlılıkla... bu Türkiye'nin bir de tebası vardır.

— Hemen bir fes geçirin şunun başına! diye haykırdılar. Fes geçirin de gurur duysun alçak!

— Başka Müslüman tebası varsa, çıkıp söylesin!.

Akşama kalmadan da tellâl, şunu ilân ediyordu :

— Yarın sabah yirmi bir yaşından otuz bir yaşına kadar olan bütün erkekler Hacısuluk istasyonunda toplanacaklardır! Gelmeyenler ağır ceza görecektir...

Çiftçi Kartio'nun oğlu yanıma sokulup :

— Şimdi ayvayı yedik işte! diye mırıldandı. Türkler, buralı bir Rum askerini ele geçirdikleri vakit, orasından asıyorlarmış! Savaş kanunları, diyorlarmış, siz gönüllülere işlemez...

Ertesi sabah dört yüz Kırkıcalı, kendini İzmir'de buldu. Rıhtımda, «Orduevi»nin önünde, birisi çıkıp bizlere öyle yurtsever bir nutuk çekti ki, içimizde ağlamayan kalmadı. İstemeye istemeye razı olmuştuk : Vatana karşı ödevimiz, silâhı alıp İstanbul'a girmeyi emrediyordu bize. Doğrusu ben İstanbul'u almak isteyenlerden değildim. Şimdiye kadar aldıklarımız yeterliydi benim gözümde. Ne var ki, o sarımtrak asker elbisesini sırtıma geçirince bana da bir şeyler oldu, ben de avazım çıktığı kadar haykırmağa başladım :

— Yetsin artık! Kızıl Elma'ya püskürtelim Türkleri!..

And içtiğimiz gün rıhtımı görmeliydiniz : Urla'dan, Kokluca'dan, Bornova'dan, Kuşadası'ndan gelmiş olan askerlerle tıklım tıklım doluydu. Takkeler ve çoraplı pantalonlar gurur içinde oradan oraya koşuyordu. Çiçek serpiyordu genç kızlar üstümüze; aramızdaki çalgıcılar oyun havaları çalmağa koyuldu çok geçmeden ve bunu da halk oyunları izledi. İnsanı işkillendirecek kadar tatlı başlıyordu bu askerlik hayatı!..

Katina'yla nişanlanmamız mümkün olmamıştı. İşin kötüsü, sevgilime veda bile edememiştim. Peder Fotis, «bazı belgeleri imzalayıp babasının arazisini geri almak üzere» Aydın'a göndermişti kızı. Gene de, bana aşk dolu bir mektup yollamayı başarmıştı gitmeden önce. Ama eniştesinin evlenmemizi istemediğini anlar gibiydim : Seferberlik sırasında yurtseverce davranmamış olmakla suçluyordu beni peder... Ancak, Katina fikrini değiştirtebilirdi ona; hemen kaleme sarılıp İzmir'den uzun bir mektup yolladım ve ben cepheye sevkedilmeden önce nişanımızın yapılmasını istedim. «Aşkın benim için bir tılsım yerine geçiyor Katina... diyordum. Bir an önce buluşmamız için elinden ne gelirse yap.»

Ne oldu bilmiyorum. Sadece bu birinci mektuba değil, onu izleyen iki başka mektuba da cevap alamayınca, Katina'nın babasının arazisini yeniden alınca kafa değiştirip kibirlenmiş olmasından korkarak, bir daha mektup yazmadım. Ama içimde gene de bir umut vardı. İhtiyaç duyuyordum umutlanmağa. Bekliyordum...

Yirmi beş günlük bir eğitimden sonra cepheye sevkettiler bizi. Aslında, Genel Kurmayın bu acelesi, şüphe uyandırıcıydı. Küçük Asyalı askerlerin başına Yunanistanlı subaylar vermek suretiyle bağımsız birtakım alaylar kurulmuştu. Beni önce 1. Alaya verdiler; sonra da sırasıyla, 31. Alaya ve Bergama'daki bir güvenlik servisine gönderildim. Üç ay sonra da şubemiz, Dündarlı'ya sevkolundu.

Kör Mehmet isminde namlı bir çeteci, kasıp kavuruyordu bu bölgeyi. Sürekli baskınlarla orduyu durmadan hırpalamakta, bir alay Rum ve Yunan öldürmekteydi.

Çavuş, bir sır verir gibi kulağıma eğilip :

— Biliyor musun? demişti. Elime geçen güvenilir bir istihbarata göre, Kör Mehmet, neresi olduğunu bildiğimiz bir köyde gizleniyor : Eğer kendi teşebbüsümüzle bir baskın düzenleyip haydudu ele geçirirsek, bizim için müthiş bir başarı olur!

— Gerçekten enfes olur! dedim. Yalnız işi iyice olgun bir hale getirmeliyiz. Elinin altında kaç adam olduğunu, korunmak için ne gibi tedbirler aldığını, silâhlarının yerini ve sayısını öğrenmemiz gerekir. Başarısızlığa uğrayıp da utanç içinde dönmeyi göze almamalıyız. O da dönebilmek şartıyla...

Bu sözlerime fena halde içerlemişti çavuş. Korkağın biri olarak baktı bana :

— Benim hiç bir işim gelişigüzel değildir... dedi. Kör Mehmet hakkında ne lâzımsa öğrendim. Bize artık bir tek şey gerekli : O da cesaret!..

— Cesaretimiz var!

Beş tane at müsadere ettik ve bize haberi getiren Türk muhbirle beraber bir kır bekçisini de yanımıza alarak, gece yarısı yola koyulduk. Yol boyunca hiç bir Rum köyüne rastlamamıştık; Bergamalı hiç bir Hıristiyan da buralarda dolaşmaya cesaret edemiyordu. Aslında bu baskın başarıyla sonuçlanabilirdi : Elmizin altında kuvvetli bir müfreze olmak şartıyla... Oysa, biz topu topu beş kişiydik; aramızda kararlaştırılmış bir plan yoktu ve üstlerimizden habersiz hareket ediyorduk... İşimizi gün ağarmadan, Türkler tarlalarına gitmeden bitirmemiz gerektiğini söyledim çavuşa.

Köyün girişinde iki adam bıraktık. Durmadan ateş etmek emrini almışlardı. Biz de, yanımızda muhbir, Kör Mehmet'in babasının evine doğrulduk. Daha önceden köylüleri uyarmış, pencerede gözükmek cüretini gösterecek olanları bile acımadan öldüreceğimizi bildirmiştik. Arkada bıraktığımız adamların fişek sesleri, köyün tamamiyle kuşatıldığı duygusunu uyandırmıştı; kimse burnunu bile çıkaramıyordu dışarı.

Tepeden tırnağa aradık Kör Mehmet'in evini. Sadece

damadı vardı içeride. Dündarlı'ya bizimle birlikte gelmesi gerektiğini söyledik: Sorguya çekilecekti. Hareket etmeden önce bir bardak ıhlamur ikram etmek istedi bize; ama vaktimiz yoktu, kabul etmedik. Ve bir an olsun jandarmalar bizim evlerimize girdiği vakit duyduğumuz dehşeti hatırlamıyorduk; oysa daha dün, bu yüzden Türklere hayvan diyorduk biz! Savaş, barbar silâhlarını bizim ellerimize vermişti şimdi; kuvvet bizim tarafımızdaydı, efendi bizdik...

Dönüş boyunca durmadan konuştu Kör Mehmet'in damadı. Buna karşılık sorguda, çeteciler hakkında bir tek kelime olsun çıkmadı dudaklarından... Çavuş köpürmekteydi :

— Dur bakalım namussuz! Dur ben seni bülbül gibi öttürmesini bilirim!..

İnsafsızca dövdü adamı, türlü işkence yaptı ve nihayet yorulup, eski bir jandarmanın eline teslim etti. Daha ahlâksızca bir metoda başvurmuştu jandarma : Mahpusa, sözümona gizlice kahve ikram ediyor ve kılına bile halel gelmeyeceğine dair söz veriyordu.

Güvenmeden dinliyordu Kör Mehmet'in damadı, bizimkini. Dinlerken ikide bir nasırlı elini kaldırıp ağzından burnundan sızan kanı alıyor ve sümük fırlatır gibi fırlatıyordu yere... Jandarma akşama doğru yemek götürdü adama :

— Susmakla kendine yazık ediyorsun... dedi. Her şeyi biliyoruz çünkü. Hiç eksiksiz her şeyi... Aranızda adamlarımız var... Ne kazanırsın konuşmamakla? Çavuşu büsbütün çığrından çıkarırsın, o kadar. Yarın da konuşmazsan ayaklarını usturayla yontup, üzerine tuz ekecek, bilmiş ol.

Uzun uzun konuştu daha bir süre, sonra çıktı dışarı :

— Yarın her şeyi söyleyecek, görürsünüz... dedi. Ben işimi bilirim!

Şafak vakti, kalk borusundan önce, mahpus kaçmayı denedi. Nöbetçiye, büyük abdeste gitmek istediğini söylemiş; o da kapıyı açmıştı. Açar açmaz da bir dirsek darbesi yemişti göğsüne ve yerde bulmuştu kendini. Mahpussa bunu fırsat bilip fırlamıştı.

Haykırtıyı ilk işiten ben oldum, yarı çıplak atıldım dışarı. Çalılık bir dereye sapıp kurtulmasına fırsat vermeden, yokuşta yakaladım onu. Aramızdaki boğuşma, kısa ve dişediş oldu: Hasmım kuvvetli ve kararlıydı, ama ben de kararlıydım onun kadar. Soluk soluğa kalmıştık. Sonunda dizini, çıplak göğsüme dayayıp bir mengene gibi sıkıştırarak hareketsiz bıraktı beni. Tamamiyle elindeydim artık! Çılgın bakışlı gözleri, gözlerime dikildi bir an: Türkiye, Yunanistan'a karşı savaşmaktaydı...

Tam o sırada, yanında iki adamıyla çavuş belirdi baş ucumuzda, silâhını kaldırıp dipçiğiyle mahpusun kafasına vurmak istedi. Ama mahpus, çevik bir hareketle sıçrayıp kaptı silâhı elinden ve tetiği çekmeye hazır, dikildi. Uzanmış vaziyetimden yararlanıp bir onun kadar hızla ayak bileklerini yakaladım Türk'ün, çektim. Kurşun fırlamıştı ama, boşa fırlamıştı. Ve korkunç bir dehşet ifadesi yerleşti gözlerine mahpusun. Hemen kelepçeleyip, tekme ve dipçikleyerek karakola sürükledik. Bebek kundaklar gibi sıkı sıkıya bir direğe bağladık orada. Sonra çavuş, öküz kuyruğuna uzandı:

— Konuş bakalım namussuz!
— Söyle domuz!
— Konuş köpek!

Kör Mehmet'in damadı, vurulan kendisi değil de bir başkasıymış gibi karşılıyordu darbeleri: Boynundaki damarlar ip gibi şişiyor, göğsü kalkıp iniyordu; kendine rağmen hırıldayıp da acısını açığa vurmamak için, nefes alıp verişini ayarlıyordu.

Birden dehşete kapıldım: Ne biçim bir kuvvetti bu kuvvet ki, her vuruşumuzu sanki kendi kendimize indirdiğimiz bir darbe haline getiriyordu? Hiç adam dövmemiştim o güne kadar. Ve işte ötekiler dışarıya çağırılmış, sıra bana gelmişti... Anladım vuramayacağımı. Yüzüne bakmadan konuşmak yolunu seçtim:

— Biliyorsun ki senin için başka türlü kurtuluş yok artık. Öyleyse ne bekliyorsun? Bu akşam çoluk çocuğunun yanına dönmek istemez misin? Konuş öyleyse! Hadi söyle! Söyle be! Söyle de bitsin bu azap!

Kin ve tiksinti yüklü bir bakışla, tepeden tırnağa süzdü beni ve suratıma balgam atarcasına :

— Pis gâvurlar! dedi.

Bir sopayı yakalayıp deli gibi indirdim kafasına... Göz bebekleri kaymış, alnı çökmüştü ve başı, bir anda göğsünün üzerine doğru yuvarlandı...

Odun parçasını attım elimden, yüzümü örtüp haykırdım :

— Öldürdüm onu!

Gelişigüzel oradan oraya koşuyor, dönüyor, sonra yeniden döndüğüm tarafa seğirtiyordum. Kendime hâkim değildim artık... Duruldum yavaş yavaş ve beni tevkif etmelerini bekledim. İlkin çavuş çıkageldi :

— Sana... dedi... ceza değil, madalya vermemiz lâzım!

Şubedeki bütün arkadaşlar toplanıp, kumandana verilecek raporu birlikte yazdılar :

«Namussuz haydut Kör Mehmet'in, insanüstü gayretler sonunda ele geçirilen damadı, kaçmak isterken ayağı kayıp alnını kayalara çarpmak suretiyle...»

Onlar yazarken ben ölüye bakıyor ve gıpta ediyordum : Ölümde bile öylesine emindi kendinden!

Raporun kelimesine bile inanmadı tabii yüzbaşı, ama buna karşılık soruşturma da açmadı. Sadece çavuşa basit bir öğüt vermekle yetinmişti :

— İleride daha dikkatli olun...

Savaşlara katılmış, yurdumun düşmanlarına ateş açmıştım ve gurur duyuyordum bütün bunlardan. Ama bu iş, ne gurur bırakmıştı bende, ne de kendime güven : Altüst olmuştum.

Ertesi gün şafakta, Çivril'e doğru yola koyulduk. Savaşın dehşeti içinde, bu anı da silinip gidecekti..

Çivril'de cephe sakindi : Birkaç anî baskın ve ufak tefek keşiflerle yetinmekteydik. Gözleme karakolunda nöbetçi olduğum bir gün, birden bir Türk belirdi ileride; elinde beyaz bir mendil sallıyordu. Yaklaşmasını bağırdım kendisine, ne istediğini sordum :

— Mustafa Kemal'in ordusundanım... dedi. Ama canı-

147

ma tak dedi artık. Bir an önce köyüme dönüp çoluk çocuğuma kavuşmak istiyorum...

Ağlamaya koyulmuştu.

Nöbetçi subaya gönderdim, ama yeni Efesli olan Yakumis tanımıştı adamı : 1914'te sayısız Hıristiyanın canına kıymış bir çeteciydi...

— Türklerin dövüşmekten yorulduğuna ve çiçek dikmeye karar verdiklerine saf saf inandınız demek! Bu herifin, hiç şüphesiz olmasın, önemli bir görevi vardır. İtalyan işgal bölgesine geçecek ve orada da bizim köyleri kırıp geçirmek için çete kuracaktır mutlaka!.

Başka bölgeden gelme iki asker, bu türlü düşünmenin yanlış olduğunu ileri sürdüler. Ve bu itiraz, Yakumis'i zıvanadan çıkarmaya yetti :

— Acısını ben bizzat çektim bunun! diye haykırdı. 1914'te iki aslan gibi kardeşimi kaybettim ben Amele Taburunda. Ve geçen yıl, Aydın olaylarında biricik kız kardeşimi, hem de daha beş günlük gelinken ölüme terkettim! Mutlaka Zeybek'lerin adamı bu herif... Başlarında da o namussuz, o vahşi haydut Yürük Ali var... İtalyan işgal mıntıkasındaki Türk acemi erlerini teşkilâtlandırıp, bizim tarafa bir akın yaptılar daha geçenlerde ve katliam başladı... Memleketin en güzel kızlarını toplamış Yürük, anadan doğma soymuş, göğüslerini okşamış birer birer, sonra da bıçağını çekip memelerini kesmiş! Zeybekler gülmekten kırılıyormuş bunu seyrederken; o da gülmüş bir süre ve bıyığını burarak : «Memelerden bir tesbih yapacağım! demiş. Dünyada hiç kimse daha böyle bir tesbih görmedi!»

Kel Mehmet'in sonunun ne olacağı besbelliydi sesinin tonundan. Nitekim iki gün sonra bir keşif dönüşünde, «Türk asker kaçağının bizden de kaçmaya teşebbüs ettiği sırada öldürüldüğü»nü öğrendim...

Yakumis, işi bütün ayrıntılarıyla anlattı bana sonradan; öylesine soğukkanlıydı ki, içinin içinde ne duyduğunu bir türlü anlayamadım :

— O akşam koğuşta nöbetçi yaptırdım kendimi. Herifi uyandırdım ve : «Kel Mehmet... dedim... küçük bir inek kaçmış, aşçılar bir türlü yakalayamıyor. Kalk çarıklarını çek de bize biraz yardım et!» Şaşırdı bir parça ama kalktı ve giyindi. Avlunun kapısına gelince': Yürü! dedim. Binanın arka tarafında bekliyor bizi aşçılar...» Yürüdü tabii. Otuz metre kadar uzaklaşmasını bekledim, sonra da sırtladım tüfeği. Bir yumurta gibi ikiye bölünmüştü kafası, görülecek şeydi! Sonra, iki kere havaya ateş edip: «Silâh başına!» diye bağırdım... Başçavuşa da Kel Mehmet'in kaçmaya teşebbüs ettiğini bildirdim. «Hangi hayvan nöbetçiydi?» diye sordu ve cevabı bile dinlemeden gidip askerleri yatıştırmaya koştu. Bölük kumandanı okumuş raporu. Teftişte gözlerini bana dikip: «Seğeroğlu dikkat et! Sen de hepsini bir seferde ödemeyesin sonra!» dedi, o kadar...

Hiç bir şey şaşırtmıyordu bizi artık. Kötülük arttıkça artmaktaydı. Ölülerin sayısı gibi.

Bölükte iyi nişancı diye şöhret yapmıştım. Bir keresinde elli metreden nişan aldığım, altı tasın altısını da vurmuştum çünkü. Ve o günden sonra da ne zaman bir keşfe çıkılacak veya güç bir pusuya yatılacak olsa, subaylar hemen: «Aksiyotis'i çağırın!» demeğe başladılar. Bir gün Işıklı yakınındaki Menderes kaynaklarının orada bulunan bir gözetleme karakoluna yolladılar beni. Yanımda dört arkadaş daha vardı. Söylenen yere henüz ulaşmıştık ki, bir kurşun yağmuru boşandı üzerimize, derhal yüzükoyun yere kapaklandık. Yirmiye yakındılar; aslında öldürebilirlerdi bizi, ama eski, sönmüş bir kireç ocağını siper aldılar nedense ve kurşunları hep boşa gitti. Bu arada biz cesaretlenip, misillemeye davrandık. Arkadaşlardan biri, nişan almak için doğrulur gibi olduğu sıra, of çekmeye bile vakit bulamadan devrildi. Bunun üzerine, bir başkası da tersyüz edip bölüğün yolunu tuttu. Kala kala üç arkadaş kalmıştık! Vaziyetimiz umutsuzdu. Çevirebilirlerdi bizi. Soğukkanlı bir nişancı vardı yanımda: Yani Pasi.

— Yani... dedim... kuşatabilirler bizi. Sen ve Lambros sağ tarafa göz kulak olun, sol tarafla ocağı bana bırakın.

— Tamam... diye cevap verdi. Tavşan bile geçemez, için rahat olsun.

Ve tam o anda sağ tarafta bir Türk belirdi. Yani, alnından vurdu adamı. Demeğe kalmadan bir ikincisi fırlamıştı soldan, onu da ben göğsünden vurup devirdim. Başlarını çıkarmaya bile cesareti kalmamıştı artık ocaktakilerin. Birden bir kurşun yağmuru geldi, sonra derin bir sessizlik çöktü havaya. Ne oluyordu acaba?

— Siz duvarlara ateş edin... dedim. Ben sıçrayıp bir el bombası atacağım.

Fırlattım el bombasını, hiç bir karşılık gelmedi. Hiç şüphe yolk kaçmışlardı. Ama niçin?

Çünkü bir takviye kıtası geliyordu bize! Hemen bir mitralyöz yerleştirdiler ve mevzi aldık, Türklerin gerilerini taramaya başladık. Sadece ufak bir kısmı ırmağı aşıp canını kurtarmıştı.

O zaman kireç ocağına bir göz atmak için davrandım: El bombamın kaç kişiyi hakladığını görmek istiyordum. Yani'yle birlikte ilerledik. Birbiri üzerine yığılmış kalmış üç ceset gördük. Ocağın ağzına yerleşip bacaklarımı sallandırarak:

— Eh... dedim. Bir sigarayı hak ettik artık, değil mi Yani?

Çakmağını çıkarmıştı, sigaramı yakmak için dönüp eğildim ona doğru:

— Aslını ararsan ucuz kurtulduk! Talihimiz varmış doğrusu... Ama zavallı Ksidakis pahalı ödedi...

Yani henüz cümlesini tamamlamadan, bir kurşun sesi duyuldu, sonra bir daha, bir daha. Ve yeniden sessizlik... Ve, sağ kalçamda müthiş bir ağırlık duydum: Kan akıyordu... «Hakladılar beni!» diye geçti içimden. Baştanbaşa bir ürperme sarmıştı vücudumu... Arkadaşlar hemen fırlamışlardı. Bir Türk'tü ateş eden, henüz ölmemiş bir Türk. Ve ölmeden önce, son kurşunu kendine ayırmak şartıyla, şarjörünü üstümüze boşaltmıştı.

— Vay anasını be! diyordu askerler beni taşırken. Canavar gibi savaşıyor herifler doğrusu! İyi dövüşüyorlar. Ölüleri bile komuyor yakamızı!

Yaram ağır değildi ama, kendimi İzmir'de bir hastaneye kaldırtmama yaramıştı. Katina'nın hatırası kemiriyordu içimi. Artık mektup falan yazmadan, meseleyi yerinde açığa çıkarmak istiyordum; peder Fotis'in mektuplarıma elkoyduğundan emindim artık. Katina'ya yaralı olduğumu ve kendisini bir an önce hastanede görmek istediğimi bildirmesini yazdım ablama.

Aradan bir hafta geçmeden, bir gün öğleye doğru hastabakıcı Strati :

— Tebrikler Aksiyotis! diye fısıldadı. Bir genç kız arıyor seni...

Olanca kanım beynime hücum etmişti sanki, boğuluyor gibiydim... Yatağa gömüldüm hemen, iyice etkilemek istiyordum Katina'yı. Bir yandan da tarağımı arıyordum. İzmirli Rum hanımlar tarafından yaralılara dağıtılan kolonya şişesine el attım sonra ve hayatımda ilk defa olarak ellerime koku sürdüm...

Peki ama nasıl karşılayacaktım onu? Tavrım ne olacaktı? Doğrulup sarılacak mıydım? Ne kadar acı çektiğimi anlatmakla mı yetinmeliydim yoksa? Yoksa peder eniştesine nasıl öfkelendiğimi bütün açıklığıyla söylemeli miydim? «Hayır... dedim sonunda. Gönlümden taşıp gelen şeyleri söyleyeceğim. Gerisini de bakışlarım söyler, o kadar : Katina! Seni istiyorum, gel! İhtiyacım var sana!»

Ve karşımda ablamı buldum. Sapsarı kesilmiştim. Öyle ki, korktu zavallı Sofiya, ağlayarak kollarıma atıldı :

— Manoli! Niçin sakladın bizden ağır yaralı olduğunu?

Yaramın aslında hafif, sağlığımın iyi olduğunu bin bir güçlükle söyleyebildim.

— Gözlerim yok mu benim, sanki senin halini görmüyor muyum! diye çıkıştı. Nasıl oldu bu Allahım!

— Nasıl mı?

Getiremedim gerisini. Hıçkıra hıçkıra ağlamaya başlamıştım birdenbire.

İlk olarak bir kadın için ağlamaktaydım. Kendimi küçük düşmüş görüyor ve utanç duyuyordum halimden... Ablam ne kadar acı çektiğimi anlayınca büsbütün tuhaflaştı. Neyi söyleyip, neyi gizleyeceğini iyiçe şaşırmıştı.

— Katina artık Kırkıca'da değil... diye başladı. Onun için görüp konuşamadık kendisiyle. Sanırım, seni hâlâ seviyor... Telâşlanma ne olur, isterse sevmesin! Bir alay kız var köyde yolunu gözleyen! Peder Fotis okuyormuş mektuplarını, onun için de karısını Aydın'da, Katina'nın yanında kalmaya razı etmiş. Zaten kendisi de gidip geliyor Aydın'a... İki kere gitti geldi, öyle ya... Söylediklerine göre, Katina'yı bir yüzbaşıyla evlendirmek istiyormuş. Bir gün de annemize : «Oğluna yaz bir daha mektup yollamasın, Katina'ya lâyık değil o!» buyurmuş ihtiyar domuz... Allah suçumu bağışlasın!

— Yeter! diye haykırdım. Yeter!

Fırlayıp atladım yataktan. Yerimde duramıyordum. Kaçmayı, gidip onu bulmayı ve : «Ben yüzbaşıyla evleniyorum! Azametten hoşlanıyorum ben, şatafatlı konaklardan hoşlanıyorum! Sen de haddini bil, artık bana sataşma!» dediğini kendi ağzından işitmeyi istedim...

Bütün geceyi koridoru arşınlamakla geçirdim. Yaralı bir hayvan gibi gürlüyordu yüreğim. Niçin bütün bu acı, niçin? Ne yapacak peki insanlar? Sevince doğru uzanmayacaklar mı hiç? «Söyle bana Katina, niçin kaybedecekmişim seni söyle! Sana lâyık değilmişim, öyle mi? Neye lâyık peki benim gibiler? Sadece köpekler gibi çalışıp savaşta ölmeye mi lâyık, söyle!»

Yüzü geldi değdi bir an yüzüme. Öylesine yakındı ki nefesini içime çekiyordum ve tertemiz geniş alnını görüyordum hemen yanıbaşımda. Gözleri kapalı kaldı hep, dudakları kabardı öpücüklerimden. «Katina! Ne yaptım sana beni böyle acıya boğman için? Katina!»

Büyük bir keder kaplamıştı içimi, dayanamıyordum artık. Bir uçurumun dibine yuvarlanmıştım. Yaralı ayağımla korkunç bir tekme savurdum duvarlardan birine; ancak o acı kendime getirdi beni... İyi yetişmiş genç kız ha? Topunu şeytan götürsün! Çok daha ciddî şeyler vardır hayatta... Memleketin kaderi ortada duruyor! Kör Mehmet'in damadı karısının koynuna dönebilirdi pekâlâ, ama ölmeyi tercih etti bak! Ya o ocaktaki yaralı? Yaşayamaz mıydı sanki? Pekâlâ yaşayabilirdi, ama bir Yunanlının üstüne ateş edip, kendini öldürmeyi yeğ tuttu işte! Mücadele etmek zorundayız Katina, mücadele! Güzel kızların ardında harcayacak vaktimiz yok bizim!

Sabahleyin müdüriyete gidip, cephede ön saflara sevkimi istedim.

XIII

Birinci Tümenin 4. Alayı için yol tezkeremi, 1921 Ekiminde aldım. Giritli bir askerle tanıştım trende. O da hastaneden çıkmıştı ve aynı alaya sevkediliyordu. Nikita Drossakis'ti adı. Öğrenciydi ve zararlı faaliyetlerinden ötürü, iktidar partisi «istenmeyen adam» olarak mimlemişti kendisini; kendisi gibi başka «istenmeyen» Giritlilerle birlikte daima ön saflarda görevlendirilmekteydi.

İnsanı delip geçen, gizli sırların kilidini zorlayan cinsinden, etkili ve çarpıcı bir bakışı vardı. İnsan canlısı bir çocuktu aynı zamanda; herkesle sohbet edebiliyor, rahatça arkadaşlık kurabiliyordu ve güldüğü vakit, sevgi ve iyilik saçılıyordu yüzünden. Olayları kökünden kavrayan konuşması, keskin ve berrak düşüncesiyle çekti beni. Cesurca konuşuyor, en ciddî şeyleri hafif ve şakacı bir edayla dile getiriyordu.

Vagonda askerler iskambil oynuyor, savaşa küfredip, kadınlardan söz ediyorlardı. Sadece bizim topluluğumuz politika konuşuyordu. İflâh bulmaz bir Venizelos hayranı olan Leledakis, Kulurili bir askeri ustaca hırpalamaktaydı :

— Söyle bakalım Statato, böyle yıllarca saçların ağarıncaya kadar silâh elde çırpınıp durduğun halde neden hâlâ serbest bırakmadılar seni? Kendilerine oy vermeniz için bir alay vaatte bulunmuşlardı, nerede o vaatler? Karını gebe bırakıp ayrıldın avanak, eve döndüğün vakit de Allah bilir ya torunların olmuş olacak!

Statato şaşkınlık içinde durmadan kafasını kaşıyor ve cevap bulamıyordu bir türlü :

Bir çavuş, durumu açıklığa kavuşturmak istedi :

— Her şey düzelir arkadaşlar, yeter ki Kotsos* sağolsun. Onu başımıza yolladığı için, Tanrı'ya şükretmek lâzım. «Konstantin'in verdiğini Konstantin alacak!» Ve göreceksiniz, yakında gireceğiz İstanbul'a... Benim söyleyeceğim bundan ibaret.

— Sen budalasın! diye bağırdı Leledakis. Hem de kocaman bir budala! Lefteris** olmamış olsa, ne İstanbul, ne Küçük Asya, ne de Yunanistan ayakta kalabilrdi! Müttefikler bizi piç gibi ortada bırakmış sölendiğine göre, iyi oldu işte...

Alay ettiğini gizleyen bir saflıkla Leledakis'e döndü Drossakis :

— Venizelos'un bakışları tatlı mıdır arkadaşım?

— Baldan da tatlıdır Drossakis!

— Tamam! Desene ki İngilizlerle Fransızlar onun o baldan tatlı bakışları için destekliyorlar bizi!

Çavuş bir kahkaha atmıştı. Drossakis ona döndü bu sefer :

— Gülmekte biraz acele ettin general! Sana da bir ufak sorum var. Meselâ, kralının ismi Konstantin olmayıp da Aleksandr ya da Wilhelm olsaydı, gene de İstanbul'a girebilir miydik?

Kapıda bir subay belirmişti, askerler, konuşmayı hemen kestiler. Sadece Drossakis eğildi bana doğru ve bir dost edasıyla :

— İşittin değil mi hepsini? dedi. Havada, sathî birtakım lâflar hep! Derdin kökünü aramıyor aptallar. Bir şarkı tutturmuşlar gidiyor : Venizelos, Konstantin! Peki ya büyük devletler? Peki ya bizi bir maşa gibi idare edenler? Giriştiğimiz işin, aslında bir ölüm dansı olduğunu hiç kimse anlamak istemiyor!

(*) Kral Konstantin.
(**) Venizelos.

154

— Neden? Durumumuz o derece kötü mü yani?

— Eskişehir ovasındaydım ben ve Sakarya'daydım Aksiyotis; bilgilerim sağlamdır. Bahar ve yaz mevsimlerindeki bütün gürültülü zaferler, Eskişehir, Kütahya, Afyon Karahisar'lar, bizi perişan etti. Cephe gerisinde pusulayı tamamiyle şaşırdık! Çalan çanlar, her yerde' bayraklar, vatan, millet nutukları, cilâlı makaleler... hepsi saçmaydı! Ve Atina'da iyi bir çözüm şekli için, stratejik bir geri çekilip toparlanma için önümüze çıkan fırsatı yakalamak yerine hükümet : Ankara'ya ileri! emrini veriyor... İleri ama neyle? Kiminle? Ve böylece ağustos ayında, Anadolu'nun o dayanılmaz sıcağında, Eskişehir yürüyüşü başladı! Güneş, bedenimizi yakıyor kavuruyor, içimizi kurutuyordu. Susuz tarlalar gibi çatlıyordu dudaklarımız, dillerimiz. Terimiz akmıyordu artık, salyamız yoktu, çişimiz bile gelmiyordu. Fişeklerin kurşununu emiyorduk biraz serinleyelim diye! Arkadaşım Oresti Bekiris çıldırıp damarlarını kesti sonunda, hiç lâfını etmeyelim! Biz, insan ve mühimmat olarak son ihtiyatlarımızı tüketmekteydik; düşmansa, mümkün olduğunca az kayıp vererek muntazaman çekiliyor ve bizi kendi istediği yere doğru sürüklüyordu!.

Başını eğip susmuştu. Devam etmek istemiyor gibiydi. Sırf konuşsun diye :

— Hürriyet pahalıdır... dedim. Hürriyet için savaşırken, aklın sesini dinlemeyeceksin. Bizim köyde bir söz vardır, işit bak : «Akıllı düşüne dursun, deli çoktan gidip geldi...» derler.

Uzun uzun baktı bana :

— Çok güzel bir söz Aksiyotis... dedi. Çok güzel ama bizim konumuzla bir ilgisi yok. Bak sana bir şey söyleyeyim : On kere dünyaya gelsem, on keresinde de hürriyet için canımı verirdim!

— Neye ilgisi yok bizim konumuzla?

— Uzun hikâye...

Yeterince güveni yoktu bana. Israr etmedim. Macerasının devamını dinledim dikkatle ve sözlerinden ne cins bir insan olduğunu kavramaya çalıştım.

— Sakarya'daki o yirmi günlük savaş bizi mahvetti... diye anlattı. Altmış ile yüz kilometrelik bir cephe üzerinde dövüşmekteydik. Sarp dağlarda, uçurumlar arasında... Yirmi beş kilometre derinliğinde olan düşman istihkâmları, Polatlı'dan Tuz Gölü'ne kadar münferit tepelere yayılmış durumdaydı. Her tepecik bir müstahkem mevki halindeydi sözün kısası. Yığın yığın metrisler, dikenli telörgüleri, gözleme karakolları vardı. Ve bu cehennemden canlı çıkmayacaklarına dair sanki yemin vermişti Türkler; inatla boğazlaşıyorduk. Depolar dolusu muhimmat ve cephane vardı ellerinin altında, uçakları bile vardı... Bizim, sadece süngülere dayanan yiğitliğimiz ne ifade edebilirdi ki? Yirmi beş bin delikanlı öldü savaşta! Hastaneler ağzına kadar doluydu. Havaya savurup attık kuvvetlerimizi, sonra da geri çekildik...

Nikita Drossakis'le o gün dost olduk; sonra birlikte yaşayacağımız tehlikeli anlar geldi ve bu dostluk büsbütün perçinlendi... Onu anlamakta biraz geciktim ben. «Gravaritis» lâkabını taktığımız sert çavuşumuz, Drossakis'in öğrenci ve hele Giritli olduğunu öğrenir öğrenmez zulmetmeye koyulmuştu ona. Drossakis'e «okumuş pislik» diyor ve bütün angaryaları ona yüklüyordu. Umurunda değildi Drossakis'in, alay ediyordu hep çavuşla. Ama meselâ odun yarmak söz konusu olduğu zaman tek başına kalmıyordu, ben hemen yardıma koşuyordum.

— Aksiyotis... dedi bir gün bana... toplum, aynı zamanda sana ve bana benzeyen insanlar çıkarmaya başladığı vakit, yaşamak çok keyifli bir şey olacak! Senden sadece kollarının, benden de sadece kafamın gücü istenmekte bugün.

Sonra baltayı elimden alıp önündeki kalası yarmaya çalışarak:

— Miskinin biri olduğumu sanma sakın... diye devam etti. Beni de yetiştirdi hayat, iyi çalışırım... Zavallı öğretmen babam, okurken para yollayamıyordu bana ve okumak için çalışmak zorunda kaldım... Garsonluk yaptım kahvelerde, sonra müsahhih olarak çalıştım. Hayatımı kazanmak için limon bile sattım, bilir misin!.

156

Arkadaşlar da Drossakis'i sevmekte geç kalmışlardı; bazıları, haberi olmadan kendisiyle, eğlenmek için bir çeşit *karagöz* durumuna sokmaya yelteniyordu onu. Mikromanolasis adında santur çalan bir memleketlisi, «Orlando'nun şapkası» ismini takmıştı ona: Delifişek Lefteri Kanakis'le daima Orlando adlı birinin şapkasından söz ettiklerini ve bizim Küçük Asya'da uğradığımız pislikleri hep bu şapkaya yüklediklerini işitmişti çünkü.

Bir gün söyledim ona, kendisiyle nasıl alay ettiklerini ve sordum ardından:

— Nedir kuzum bu Orlando'yla şapkası?

Kahkahalarla güldü:

— Sen hiç İtalyan Başbakanı Viktor Orlando'dan söz edildiğini işitmedin mi? dedi. İşte o Orlando söz konusu olan! Ama şapka hikâyesi, onlar istediği kadar güledursun, doğrudur: Dünya Savaşı son bulduğunda, Türkiye'yi parçalayıp bölüşmek için bir Barış Konseyi kurulmuştu. Bu konseye katılan Sinyor Orlando, Anadolu'dan bir parçanın mutlaka İtalya'ya verilmesini istiyordu; sonunda öylesine canını sıkmış ki Amerikan Cumhurbaşkanının, adamın sabrı tükenmiş ve azarlamış Sinyoru. Bunun üzerine de bay Orlando, şapkasını alıp kapıyı suratlarına çarparak çıkıp gitmiş. Çok geçmeden de İngiliz, Fransız ve Amerikalılar, İtalyan donanmasının Küçük Asya kıyılarında borda ateşine koyulduğunu öğrenmişler ve İtalyanların İzmir'e bir çıkartma yapmasından korkup çağırmışlar bizim Venizelos'u, sormuşlar: «Yunanistan, Küçük Asya'nın mandasını yüklenebilir mi?» Aslında hergelelerin Yunan ordusuna ihtiyacı var. Eh, Venizelos hazretleri de «Büyük Yunanistan» rüyasıyla yatıp kalktığı için, bizi Türkiye'nin üstüne saldırtmakta sakınca görmemiş... İşte şimdi burada o yüzden gebermekteyiz!

Birden öfkeye kapılıp yerimden fırlamıştım:

— Venizelos ne yapsın istiyordun yani!. diye haykırdım. Türkiye'nin leşini çıkarıp masanın üzerine sermişler; Yunanistan bu fırsatı kaçırsın mıydı yani? Gelip bizleri hürriyete kavuşturmasın mıydı? Bizim bütün büyüklüğümüzün kaynağı olan ve binlerce yıldır bize ait bulunan bu toprağı, hürriyete kavuşturmasın mıydı?

Gülümsüyordu Drossakis:

— Sizleri hürriyete kavuştursun tabi sevgili Manolaki... dedi. Kavuştursun ama, ölümünüze sebep olmadan kavuştursun!

Bir daha semtine bile uğramamak kararıyla bırakıp gittim onu.

Çok geçmedi, bir gün albay, tehlikeli bir keşif için ben ve sekiz asker arkadaşla birlikte Drossakis'i de görevlendirdi... Dişediş bir savaş başlamıştı etrafımızda: Toprak durmadan sarsılıyor, top ve tüfek gürültülerini bir erimiş kurşun yağmuru izliyordu. Çukurlar kazılıyordu ayaklarımızın altında, taşlar bir yelpaze gibi fışkırıp havaya saçılıyordu. Türküleriyle bizleri hep eğlendiren ufak tefek arkadaşımız Mikromanolasis, ağır yaralanmıştı ve kendisine yardım edemiyorduk. Yüzükoyun uzanmıştık yere, toprağa yapışmıştık sanki, gözlerimizi yummuş, nereden geleceği belli olmayan bir kurtuluş yolu bekliyorduk. Mertliğe hiç bir zaman toz kondurmayan çavuşumuz Gracaritis bile, öküz başını andıran iri kafasını bir deliğe âdeta gömmüş, korkuyla soluyordu.

Sadece Drossakis topladı soğukkanlılığını. Sürüne sürüne en yakın tepeye tırmandı, düşman harekâtını gözledi oradan bir süre ve gene sürüne sürüne inip bağırdı:

— Yaralıya destek olun, ben bir yol buldum. Çabuk, yoksa toptan mahvolacağız!

Kimse kımıldamamış, kimse ses etmemişti. İki üç kere daha tekrarladı emrini. Ama korku bizi sağır hale getirmişti sanki, en ufak bir davranıştan bile âciz, toprağa kenetlenmiş kalmıştık. Ve işte o zaman Drossakis.in, yaralı arkadaşımızı sırtlayıp ileri atıldığını gördük. Yapılması gereken şey, buydu aslında! Ben fırlamıştım onun arkasından, sonra da ötekiler... Tehlike uzaklaştıktan sonra Gravaritis, gene her zamanki teranesini gevelemeğe koyuldu:

— Topunuzu şeytan götürsün! Yürüsenize hergeleler! Pis korkaklar! Kıçınızı biraz daha kımıldatmamış olsanız, anamız çoktan gevremişti şimdiye kadar...

Drossakis'le yalnız barışmakla kalmadım o gün. Aynı zamanda onun hepimizden üstün olduğunu anladım ve söyledim de kendisine... Hiç hoşlanmamıştı bundan:

— Büyük lâf bütün bunlar Manolaki! dedi. Kendi canını kurtarmak derdi var ya, işte o dürtüyor insanı hep, o cesaretlendiriyor. Çavuş altına etmişti korkudan, birimizden birimizin bir şeyler yapması lâzımdı. İş başa düşmüştü yani...

— Benim de hayran olduğum bu ya işte...

— Hayran olduğun ne, avanak? Korkudan donumu doldurmak yerine fırlayıp kaçmayı tercih etmiş olmam mı? Asıl yiğitler başka yerde, burada değil!

Ve böylece, açık yürekli bir arkadaşlık başladı aramızda: Baştanbaşa kulak kesilmiştim; hayatımda ilk defa işitiyordum onun anlattığı şeyleri. Drossakis'i ilgilendiren, insanlığın kaderiydi.. Prometeus isimli bir «yoldaş»tan söz etti bana. Dediğine göre bu «yoldaş», bir vakitler, şimdi bizim ıstırap çektiğimiz bu topraklar üzerinde, bütün insanlığa ışık getirmek için ıstırap çekmişti!

— İlerleme damla damla oluyor Manolaki, kan ve alınteri pahasına oluyor. Ve tam: «İşte nihayet insanlar gözünü açtı! Nihayet ileri atılacaklar!» dediğin anda da, bir bakıyorsun ki, gerilemekteler. Bazıları cesaretini kaybediyor o zaman: «Şeytan götürsün! Ben mi kafa patlatacağım, değer mi bunlar için!» diyorlar. Böyle düşünen bir alay adam var, elbet. Ama düşünmüyorlar ki zamanla o gerileyenler de doğrulup ilerleyecek. Dünya tersine dönmez ki hiç bir zaman!

Sözlerinin yerine oturup oturmadığını anlamak amacıyla tepeden tırnağa bir süzdü beni:

— Sen Aksiyotis... diye devam etti. Sen ki nelerden geçtin! En ufak bir yenilik karşısında sen bile şaşırıyorsun ne yapacağını. Ama yarın zihnin açıldığında, sende de bir ilkbahar başlayacak görürsün....

Son cümlesi çok hoşuma gitmişti, cevap olarak:

— Peki ama Nikita... dedim... insanlar şunu yaptı, bunu yapmadı diyerek sen neye kendi kendini kemiriyorsun? İnsanlar benim gibi dar kafalı olunca, sen kendi işini görür, onları da başlarının çaresine bakmaya koyuverirsin olur biter...

— Tabii olur biter ama, insanlık böyle ilerlemez ki! Bir insanı kendi arzusuyla çamurun içinde debelenir görünce bile, umudunu kaybetmem ben; ahlâksız ve kötü değil ya... derim kendi kendime... zamanla düzeltir kendini, ayarlar. Bak buradakiler ne kadar hızlı uyandı!

— Uyanmaktan neyi kastettiğini bilmiyorum Drossakis. Ben kendi payıma bir parça toprak istiyorum, rahatça işleyebileceğim bir karış toprak, anlıyor musun!

— Kabul, ama bu toprağı gene «sen» kazanacaksın. Bunun için de iyiyi kötüden ayırman lâzım. Akıl denen bir şey var bu dünyada yahu! Neye bu kadar korkuyoruz biz bu akıldan?

— Köylünün ne özlediğini bilmek ister misin sen? Toprak... Kendine ait bir toprak istiyor, anlıyor musun? İyi fiyata satabileceği ürünler veren küçük bir tarla... Tüccar ya da tefecinin kendisini sömürmeyeceğinden emin olmak istiyor köylü... Yavrulayan sağlam hayvanlar istiyor... Hanım hanımcık bir eş, hayırlı evlât ve Tanrının taksidiyle mutlu bir ihtiyarlık istiyor. Gerisini düşünmüyor bile köylü, düşünse de zaten hiç bir şey anlamıyor!

Drossakis gülümsüyordu:

— Kim verecek sana bütün bunları?

— Bizim köyümüzde vardı bunlar. Eğer Venizelos iktidarda kalmış olsaydı, hem biz Küçük Asyalılar, hem de Yunanlılar için bugün her şey bambaşka olurdu!

— Gidiyorum... dedi. Gravaritis namussuzu bana gene angarya yüklemiş...

— Evvelki günkü hikâyeden sonra onu can düşmanın bil... dedim. Mutlaka bir kötülük yapacak sana, görürsün...

Ve yürüdüm onunla:

— Ben de geliyorum seninle. Müridin değilim ama geliyorum.

Bir sigara uzattı. Her zamanki gibi elleri ceplerinde, günlerdir uğraştığı bir şiirin mısralarını, mırıldanarak yürüyordu:

«Güneş der ki yeryüzüne:
Uzayda dönüp duran sersem,
Hâlâ çocuk gibisin
Ateşle oynayan bir çocuk gibi...»

Bir akşam karartmadan önce çadıra giren Drossakis:
'— Bu gece aramızda yeni birisi olacak:. demişti.

— Kim?

— Lefteri Kanakis.

— Arkadaşın mıdır?

— Arkadaşımdır, evet. Girit'in en büyük ailelerinden birinin yumurtasıdır. Kötü insan değildir ama. Sigara bakımından rahat ettirir bizi...

— İşittiğime göre Kanakis, yatağını Genel Kurmay Başkanının çadırına bile kurabilirmiş isterse. Hepsi avucunun içindeymiş.

Çılgınlıkları ve dört bir yana saçtığı zengin hediyeler dolayısıyla, basit acemi erlerden tümen kumandanı generallere kadar, Lefteri Kanakis'i tanımayan yoktu orduda. Atletik yapılı, hoşsohbet, iyi yürekli bir çocuktu aslında. İlk ufak sıkıntıda, yaşamaktan bıkmış usanmış gibi tavırlar takınırdı yalnız... Babası alabildiğine zengindi, bütün Avrupa.da işyerleri vardı. Venizelos'un ahbabı olduğu için, savaş patladığında büyük oğlunu Paris'e gönderecek vakit bulabilmişti. Ama hasımları, bu sefer bütün hınçlarını Lefteri'den almaya yönelmişlerdi. Vahşi ve derbeder arkadaşımızın acemi er üniformasıyla cepheye sevki, işte böyle olmuştu.

Belki bin kere İzmir'e nakil emri geldiği halde, daima bir yerlerde takılıp kalıyordu işi. Buna karşılık, başta çavuş olmak üzere bütün subay ve yedek subayların sevgilisiydi burada. Savaş bitince onun sayesinde kendilerine iyi bir iş bulabileceklerini düşünüyor, ağır ve tehlikeli hizmetlerden daima uzak tutuyorlardı onu. Ve konuşurken de, basit bir askerle konuşur gibi değil, sürgünde bir kumandanla konuşur gibi konuşuyorlardı.

Lefteri ile Drossakis'i birbirlerine bağlayan duygular neydi? Drossakis, daima kamçıyla döver gibi konuşuyordu

Lefteri'yle; ne o, ne de onun zümresi hakkında düşündüklerini gizlemiyordu. Ve Lefteri, zevklenerek dinliyordu arkadaşını. Bir alay isim takmıştı Drossakis'e: «Adaletli Aristides», «misyoner», «eğitici»... Paris ve Londra'dan kendisine gönderilen gazetelerle dergileri olduğu gibi özel mektuplarını da verirdi Drossakis'e ve onun sert, insafsız yorumlarını gülerek dinlerdi hep.

Küçük Asya seferi üzerine bir inceleme hazırlıyordu Drossakis; saatlerce sözlük karıştırıyor, kitap okuyor, yabancı dergileri gözden geçiriyordu. Notlar alıyordu durmadan, gazetelerden makaleler kesip dosyalıyordu. Lefteri böyle zamanlarda da rahat bırakmazdı onu, dalga geçerdi:

— Savaşmak yetmedi galiba sana? Bir de işin kulisini öğrenmek istiyorsun. Ne kazanacaksın anlamıyorum ki!

Ve bir mısra okurdu ardından:

— «Koyver kayığı süzülüp gitsin suda...»

Homurdanırdı Drossakis. Yazmaya başladığı vakit hiç kimseyle konuşmaz, pek nadiren başını masadan kaldırdığı olurdu... Neye bu kadar dalıp gittiğini bir gün ben de sormuştum kendisine. Kovmaya, terslemeye hazır bir tavırla şöyle bir baktı önce yüzüme; sonra da, iyi öğrencilerine rastlayınca şevke gelen bir öğretmen gibi, sevgi ve sabırla tartışmaya koyuldu.

Hemen atıldı Lefteri:

— Neye öyle bozdun âdetini bakayım? Aksiyotis'in uyanması, seni her şeyden fazla ilgilendiriyor değil mi?

— Doğrusunu istersen... Aksiyotis'in uyanması, senin veya benim uyanışımızdan çok daha değerli. Ve Aksiyotis'lerin sayısı bine ulaştığı zaman, artık eyleme geçebiliriz demektir.

— Gene mi o terane? Ama merak etme, seni üzmeyeceğim. Zaten biliyorsun ki aramızda fikir ayrılığı yok. Sadece, benim için sosyalizm... bir çeşit oyun diyelim. Düşünceyi törpüleyip yüreği ısıtan bir oyun.

— Hiç olmazsa samimisin ya!

Gürültülü bir kahkaha savurup gerinmişti Lefteri, kemikleri çatırdamıştı. Yanından hiç eksik etmediği konyak dolu matarasını, çekip çıkardı sonra, bize birer yudum verip dikti. Daha sonra da Müttefiklerden gelme bir paket açarak, uzun tıkız sigaralar ikram etti bize. Koskoca albay bile bir zavallı izmarite hasıet çekerken, o nereden buluyordu bütün bunları yarabbi!

Lefteri'nin bütün bu hareketlerini alaycı bakışlarla izlemiş olan Drossakis takıldı:

— Yorgun görünüyorsun gene... İçkiden kuvvet aradığına bakılırsa...

— Yorgun mu? Bitkin ve perişan, demek istiyorsun herhalde!.. Dün yüzbaşıyla şehre... vazifeye gittik de. Bilgi toplama şebekesinde genç *hanım*'ları kullanmak kararındayız. Aslında çok geç kaldık bu alanda. Oysa, Kemal!.

— Yüzbaşıyla senin başbaşa verip Türk kadınlarıyla ne çevirdiğinizi bilmem, ama artık biraz ciddi davranmanız gerekiyor derim! Yenilmemizin sebeplerinden biri de, doğru ve çabuk bilgi alamayışımız çünkü. İstihbaratımız eksik. Oysa, Kemal'in elinde mükemmel bir istihbarat şebekesi var... Ahali bizleri sadece işgalci bir kuvvet olarak görüyor ve elindeki bütün araçları bize karşı seferber ediyor. Bu arada küçük hanımları da tabi...

— İlâhi Drossakis! diye keşti Lefteri. Dertsiz başıma dert mi açmak istiyorsun sen benim! Beni ne ilgilendirir bütün bunlar, bana ne yani istihbarattan!.

— «Büyük Yunanistan»ı yaratmak, seni ilgilendirmezse kimi ilgilendirecek? Beni mi yoksa?

— Prensip ve iman adamları ortada durup dururken benim ille de taraf tutmam mı lâzım!.

Bir el işaretiyle askerleri göstererek devam etti:

— Hele bunlar dururken... O kadar aptal değilim! Cephede olmam yetmiyor mu yani? Yoksa buna da mı itiraz edeceksin?

— Tam tersine! İleride politikaya atılınca, bütün bunların acısını nasıl çıkaracağımı düşünüyorum... Şimdi senin partin iktidarda olsaydı, Atina veya İzmir'de ve kimbilir hangi «gizli» büroda keyif çatmakta olacaktın! Bugünse, babası

Yunan Halk Partisini tutan herhangi bir zenginin çocuğu, senin yerini almış bulunuyor. Haksız mıyım söylesene?

Kanakis yeniden dikmişti matarayı, ağzı içkiyle dolu bir halde cevap yetiştirdi:

— Dünya kadar haklısın! İşin ucunda ben bir tembellik havarisiyim o kadar... Ulu Tanrı beni imtiyazlı yaratmış, hayatın keyfini çıkarmak imkânını vermiş bana. Hem de elimi soğuk sudan çıkarıp sıcak suya sokmadan... Bu bir gerçekken, neye gelişigüzel şeyleri kendime dert edinecekmişim!

Seyyar karyolasına uzanıp esneyerek:

— İnsanoğlunun en değerli hazinesi tembelliktir... diye devam etti. Tembellik en tabii halidir çünkü insanın... Çalıştığın zaman ölürsün âdeta, düşünmeye vaktin kalmaz. Eski Çağın şaheserlerini esirler mi yarattı, söyle!. Zaten sen kendin deyip durmaz mısın hep, insanın ideali, fizik çabayı mümkün olduğu kadar azaltmaktır diye?

— Evet ama ben hiç bir zaman fizik çabanın hafiflemesinin, sömürü ve esaret üzerine kurulması gerektiğini söylemedim. Tam tersine, dedim ki ben...

— Peki Nikita peki... Bizleri aydınlatmak için en ufak bir fırsatı bile kaçırmıyorsun, aferin! Yalnız şimdi çeneni biraz kıs da, Yunan burjuvazisinin sevgili ve nazik yavrusu... Lefteri Kanakis'in hayatını yazmaya başladığın vakit sana son derece faydası dokunacak bir şey söyleyeyim...

Gülerek bana döndü birden:

— Sen de inkâr edemezsin dostumuz Drossakis'in en sonunda, bütün faziletliler gibi, monoton ve can sıkıcı bir hal aldığını; öyle değil mi? İlle de bize ikrar verdirecek, ille de sosyalist yapacak bizi! Ama gene de gıpta ediyorum ona vallahi: İnandığı şey için ölmeye hazır çünkü! Ne der bu, biliyor musun? Devrimcinin fedakârlığı... der... bir kahramanlık değildir; bir zorunluluktur; hayatın bir emridir devrimcinin fedakârlığı! Devrimciysen, niçin ölürsün biliyor musun? Hayatı sevdiğin için; her an baş kaldırmak üzere içinde uyuklayan yılanı, büyük egoisti, ben'i öldürdüğün ve kendini halk kitlelerinin yerine koyduğun için... Tarih sahnesinde şimdi halklar ilerlemekte ve...

Drossakis sözünü kesti onun:

— Gördüğüm kadarıyla iyice sarhoş olsun! Ver şu matarayı da bir kontrol edeyim bakayım....

Başit konuşmalara alışık olduğum için, onların, fikirleri bu derece rahat kullanmaları karşısında ağzım açık kalıyordum. Ve düşünüyordum ki, beni bu çocukların yanına, Venizelos'la Kral arasında bir tercih tartışması getirip koymuştu!.

Sonunda Lefteri, Nikita'yı tamamiyle susturup kendi hayat hikâyesini bitirmenin bir yolunu bulmuştu:

— Evet... dedi... Bütün ömrüm boyunca tembelin biri olarak kaldığımı kabul ederim. Kardeşim de ben de, taa küçük yaşımızdan beri kurulmuş bekleyen sofralara, ayıklanmış balıklara, su dolu banyolara alıştırıldık. Ders vermeğe eve gelirdi öğretmenimiz ve bir yüksek okula kaydolma vaktim geldiği zaman. da, sadece neyi tercih ettiğimi söylemem yetiyordu: Mühendis, doktor avukat, rahip... sözün kısası, ne istersem olabilirdim!

Birden farketti şaşkınlık içinde kendisini süzdüğümü ve Drossakis'e dönüp:

— Hey devrimci arkadaş!. diye haykırdı. Bu kadar şeyi bir arada işitince senin Aksiyotis pusulayı hepten şaşırdı. Şunun haline bak!. Ne düşünüyorsun öyle aval aval oğlum Manolaki! Söz konusu ister Sultan, ister Kemal, ister Venizelos, ya da Kral Konstantin olsun; senin için durum hiç bir zaman değişmez!

Taşı gediğine oturttu Drossakis:

— Sen onun için üzülme patron!. dedi. Yakında onun da sırası gelecek. «Geri basın namussuzlar! Şimdi sıra bende!» diyecek çok geçmeden bir gün halk...

Mevsim kış olduğundan, askerî harekâtlar sınırlıydı ve rahatça gevezelik edecek zaman buluyorduk. Bazı arkadaşlar katılıyordu bize; konuşulanları dinliyor, nadiren de fikirlerini söylüyorlardı. Simo Kepeoğlu'nun, Lefteri ile dostluk kurabilmek amacıyla, topluluğumuza girme fırsatını kollamağa başlaması,' işte bu sıradadır. İzmir'de tanımıştım ben Kepeoğlu'nu. Ama tenezzül etmez gibi hep uzaktan geçerdi: Beni küçük görüyor olmalıydı. Burada ise beni Nikita ve Lefteri ile arkadaşlık ederken görünce, gülümseyip pohpohlamağa koyulmuştu. Daha iyi yaranabilmek için Lefteri'nin nelerden hoşlandığını benden öğrenmeğe kalkıyordu salak!.

— Bu Giritli delifişek... dedi bir gün bana.. oturaklı insanlardan pek hazetmiyor da, daha çok ölçüsüz insanlardan hoşlanıyor galiba, ne dersin Manoli.. Aynı fikirde değil misin sen de?

— Benim henüz fikrim yok... dedim.

Hiç kimse sevmiyordu Simo'yu. Ama hiç kimse de, oynamağa hazırlandığı alçakça rolü, aklının ucundan geçirmiyordu...

Bir sabah endişe içinde çıkıp geldi Lefteri. Paris'ten aldığı bir mektup vardı elinde:

— Al bak şuna, kardeşim neler yazıyor, dedi. Eğer doğruysa, Küçük Asya'ya ebediyen elveda diyoruz!.

Drossakis'in yüzü, mektubu okur okumaz mosmor kesilmişti.

— Namussuzlar! dedi dişlerini gıcırdatarak...

Acı bir gülümseyişle lâtifeye vurmak istedi Lefteri:

— Desene. Sevr vazosu, fabrikadan kırık çıkmış!*

Konuşmalarına karışmadım, çünkü alçak sesle konuşuyorlardı. Ama Lefteri gidince, sordum Drossakis'e:

— Daha ne olsun istiyorsun Manoli!. dedi Fransızlar Kemal'le doksan yıllık bir anlaşma imzalıyorlar! İngilizler, Musul petrolü için pazarlık ediyor! Hatırlıyor musun Londra Konferansı için sana söylediklerimi? Bekir Beyi, sürüye dönen bir kuzu gibi sevgiyle karşılamışlardı; Yunanlıları ise, bir an önce başlarından defetmek istedikleri bir uzak akraba yerine koydular.. «İyonya ve Doğu Trakya nüfusunun çoğunluğunu, Yunanlıların teşkil ettiğini sanıyorduk biz... di-

---

* Kelime oyunu: Sevr, 1920 Antlaşmasıyla olduğu kadar, porselenleriyle de ünlüdür.

166

yorlar. Meğerse aldanmışız! Bu mesele yeniden incelenmeli. Uluslararası komisyonlar kurulsun yeniden, istatistik ve raporlar hazırlansın!» Bizden kanımızı dökmemizi istedikleri vakit, Küçük Asya ile Trakya nüfusunun hangi oranda kimlerden meydana geldiğini bilmiyorlardı sanki namussuz eşşoğlueşşekler!

Bir uğultu yerleşmişti kafama. Drossakis'e inanmak istemiyordum. «Niçin söylüyor bütün bunları bana? Kendi düşünme tarzımı bırakıp da onun gibi düşünmem için mi?»

Fısıldayan bir sesle:

— Biz kendi belâmızı kendimiz aradık... dedim. Eğer, bu Alman dostu Kral Konstantin'i istememiş olsaydık, durum şimdi bambaşka olacaktı...

Birden soğukkanlılığını kaybetti Drossakis:

— Ah Aksiyotis şunu iyice bir kafana çak ki, Kasım seçimleri ve yurttaşların birbirine düşmesi, doğrudan doğruya yabancıların eseridir. Bizi birbirimize onlar düşürdü. Bizim kralı isteyip istemememiz, politikasını değiştirmezdi onların, çünkü artık, menfaatleri değişmişti. Ve bir bahane buldular...

Dedikleri doğruydu aslında. Ama bunları kabul ettiğim takdirde, Küçük Asya'nın kaybolduğunu da kabul etmem gerekecekti ve ben her şeyden önce bir Anadolu çocuğuydum! Yavaş yavaş mırıldanmağa, muhakeme etmeğe ve suçlu aramağa başlamıştı askerler ve bu da ürkütüyordu beni.

Sık sık söylediği bir söz vardı Drossakis'in:

«Eğer askersen ve sorarsan kendi kendine: Ben ne için ölüyorum, diye... ayvayı yersin!» derdi.

Ve eklerdi hemen:

«Ne yani? Bir avuç mısırla mı yürüyecek bizim ordu Kızıl Elma'ya kadar? Oysa, Türkler için durum bambaşka: Tarlası için, camisi için, ailesi için savaşıyor Türkler. Sakarya demek, Termopil demekti onlar için. «Sakarya» diyor ve ölüme meydan okuyorlardı...»

Ve askerler bugün:

— Drossakis haklıymış!. demeye koyulmuşlardı.

XIV

Taarruz emri geldiği zaman, cephede bir telâş başlar. Olayları önceden gördüğünü belli etmez hiç kimse. Ve bir ziyaretçi çıkagelir çağırılmadan, oturur her birimizin yanına, sorar: «Ne haber?» Hiç kimse adını anmak istemez, bu bin kere lânetli ziyaretçinin; ama inatçıdır ziyaretçi, ayrılmak bilmez yanımızdan. Ve haykırmak istersiniz sonunda: «Hayır! Hayır! Hayır! Sıra bende değil! Tanrı bana daha çok seneler verdi yaşamam için! Acı çektim ben görmüyor musun, ne felâketlerden geçtim; yapacak bir alay işim var daha. Ve daha çok gencim!».

İzmariti dudaklarına yapıştırmış, heyecan içinde uzaklara bakan şu asker, cümlesini yarıda kesip sinirli sinirli gülmeye başlayan öteki ve onun yanındaki, çocukluğunu hatırlayan (hani hep kerhane sahneleri anlatırdı)... hepsi... hepsi... görünmez ziyaretçiyle gizli görüşmelere başlamışlardır. Ve ancak silâhı alıp, yanında kumanda eden bir onbaşı, bir çavuş, bir yüzbaşı, yaptığını bilen bir general ve açılmış bayraklar ve önde borazan sesleri, arkada topçu kuvveti, düşmana doğru atıldığında... ancak savaş başladığında değişir her şey: Düşünemezsin artık, sadece dövüşürsün.

Bir genel taarruzun an meselesi olduğu haberi dolaşıyor birlikte. Emirler, hazırlıklar, her şey bunu gösteriyor. Drossakis'in parmakları geziniyor durmadan yere yayılmış haritanın üzerinde. Bazıları eğilip bir göz atıyorlar, tek kelime söylemeden dönüp gidiyorlar sonra.

Aramızdan iki üç kişi, ima dolu mektuplar gönderiyor: «Ben belki de sağ salim dönerim. Ama...» Biri bir düğme dikiyor işte, kâğıtlarını gözden geçiriyor öteki, bir üçüncüsü yüzündeki ergenlik sivilcesini patlatıyor. Karısını ve çocuğunu kaybetmiş ve o güne kadar: «Allaha şükredelim!»den başka bir şey söylememiş olan memleketlim Filipos, birden yırtıyor sessizliği:

— Hiç bir vakit kötülük düşünmem ben.

Ama hiç kimseyi şaşırtmıyor, bu beklenmedik söz. Ne

düşünüp de söylediğini biliyoruz. Bazılarımız içimizden tamamlıyoruz o sözü, ihtiyacımız var. Midilli Gavrilelis'in ağzı işliyor işte gene ve Arsenis onunla dalga geçiyor:

— İyice tıkın ha! Bir de sigara tüttür ardından! Karnın tok gideceksin öbür dünyaya, tütünün keyfini çıkarıp da gideceksin!.

Bense postallarıma öfkelenmekteyimdir. Dar geliyor namussuzlar, bugün çıkardılar bu huyu! Yahut da ayaklarım şişmiş... Hınçla çekip sıkıştırıyorum bağcıkları, bin bir küfürle düğümlüyorum.

Tam bu sırada Lefteri görünüyor. Alnı ter içinde, şapkasının siperini her zamankinden daha yukarı itmiş. Bir işaret çakıyor Drossakis'e, yabancı kulaklardan sakınmak için bana doğru geliyorlar:

— İzmir'e iniyorum Nikita... diyor. Gizli ve âcil bir görev, anlıyor musun!

Kurnazca göz kırparak devam ediyor:

— Yüzbaşıyla senin için de konuştum. Her şeyi ayarladım gelmem için... Bir daha böyle bir fırsat bulamazsın.

Adeta zorla sürüklemişti onu. Uzaklaşmalarını seyrediyordum... Lefteri sık sık duruyor, koca koca hareketlerle bir şeyler söylüyordu. Düşünceli, dinliyordu Drossakis. Sonra o da konuştu. Bir boğuntu sarmıştı içimi.

Yüzbaşının bürosuna yaklaşmışlardı, kupkuru kesilmişti ağzım. Ölüm fermanımı dinleyecekmişim gibi ayağa kalktım... Lefteri, Drossakis'i kolundan yakalamış çekiyordu. Geri geri gitmek istiyordu öteki, direniyordu hep. Futbol maçlarındaki gibi bağırmak geliyordu içimden: «Dayan Drossakis! Haydi Drossakis!» diye... Ama elini Lefteri'nin omuzuna attığını gördüğüm an, bütün şevkim kırıldı; yüzbaşının eşiğini aştıkları zamansa, korkunç bir ürperiş kapladı beni: «Yenildi!.. dedim kendi kendime. Kaptırdı yakasını! Yazık!» Bir ter boşanmıştı vücudumdan; her yanım ağrıyor gibiydi. Ama bütün bu boğuntu birden bir öfkeye dönüştü. Suçu kime yükleyeceğimi bir türlü kestiremiyor ama, köpürüyordum: «Hadi bakalım, Nikita! Sen de geri hizmete aldır kendini! İzmir denen orospu güzeldir; öyle ya, adamın aklını başından alır kızları. Sabah ayrı, akşam ayrı bir kız bulursun Öğlenleyin de vatan, fedakârlık, Büyük Yunanistan üstüne şatafatlı cümleler döktürürsün. Bizler de burada, cephede okur mest oluruz. Zavallı halk, evet! Seni de şeytan götürsün Drossakis, seni de şeytan götürsün! Az kaldı inanıyordum sana, yazıklar olsun!»

Dönüp yürüdüm. Tiksintiyle tükürmüştüm yere, sonra da omuz silkmiştim: «Hay Allah kahretsin be! Ne var bunda üzülecek! O da namussuzun biriyse, beni ne ilgilendirir yani? Tanıyor muyum sanki onu, çocukluk arkadaşım mıydı? Orduda her cinsten adama rastlar insan, sonra da unutur gidersin...»

Karavana için kuyruğa giren askerlerin arasına karıştım ben de. Ve yoklama yapan çavuşun sesi yükseldi:

— Drossakis!

— ....

— Drossakis!

— Burda! .

Çok iyi bildiğim sesin geldiği yöne çevirdim başımı: Yüreğimde bir güneş doğmuştu sanki! Yaşşa arkadaşım! Allah seni esirgedi...

Akşam yatmağa giderken tek kelime konuşmamıştık. Sonra sigara aradığını gördüm. Kayıtsız bir edayla:

— Lefteri'yle birlikte sigaraları da kaybettik... dedim. Ne oldu? Seni de kendisiyle İzmir'e almak istiyordu galiba?

— Hergele! dedi. Benim haberim yokken her şeyi ayarlamış... Ama kendi canımı kurtarmak beni ilgilendirmiyor; başka bir şey benim kurtarmak istediğim. Neyse...

Yanlamasına uzandı yatağına, başını eline yaslayarak alçak sesle Lefteri'den söz etti:

— Hepten çürüyüp gitmiş olduğunu söylemek yanlış olur; ama bundan böyle düzelmesini beklemek de yanlıştır. İyi tarafları vardır her şeye rağmen... Emin bir yolla bana yabancı gazeteleri yollamasını istedim. Söz verdi. «Biliyor musun Drossakis... dedi... prensip sahibi olup da onlar uğrunda mücadele edenleri seviyorum ben. Aslanda başka bir insan olmak istiyorum, zorluyorum da kendimi, çaba da gös-

170

teriyorum; ama bana güvenme... Tamamiyle yüzeyde kalmış döneğin biriyim ben...»

Benim kendisini dinlediğimi unutmuştu sanki, kendi kendisiyle konuşur gibiydi.

— Bunları mı konuşuyordunuz bugün öğleden sonra? Bunun için mi bir türlü ayrılamıyordunuz birbirinizden?

Sözlerimin altında gizlenip yatan anlamı ve onu gidiyor sanınca duyduğum acıyı nereden bilecekti! Yatağıma doğru eğilip fısıldadı:

— Müthiş bir haberim daha var sana: Simo Kepeoğlu muhbirlik yapıyor! Hafiye olmuş, işitiyor musun! Ayağını denk al, dikkatli ol ona karşı...

Beklenen büyük tarruzu, bizim tümen başlatmamıştı. Geceleri durmadan siper kazıyorduk ve düşman da durmadan mevzilerimizi bombalamaktaydı. Köpürüyordu Drossakis:

— Bu iğrenç mermileri işitiyor musun Aksiyotis? Fransız orospuları bunlar. Fransızların Kemal'e hediye ettiği orospular... Bir de şunları dinle: Bunlar da İngiliz. Pis Musul petrolü karşılığında Londra'nın hediyesi! Patlayıcı maddeyle doldurdular Kemal'in depolarını, o da savunuyor işte böyle, umurunda değil! Hepsi ona silâh vermek için yarış ediyorlar; bütün o namussuz yabancı şirketler donlarını sıvamış, acaba bizi de düzer mi Kemal diye hasretle beklemekteler... Puştlar!.

Uzun süredir ordudan yükselen mırıltılar yavaş yavaş homurtu halini almıştı. Artık lâfını esirgemiyordu askerler, düpedüz bağırıyorlardı:

— Bıktık savaştan!

Kimisi kaçmayı düşünüyordu, kimisi de kendi kendini yaralamayı. Bir alayda ayaklanma olmuştu. Herşeyden mahrum kalmıştık bütün kış boyunca: Doğru dürüst bir yatacak yerden, üniformadan, gıdadan, ücretten... Sadece soygunculuğu düşünür olmuştuk. Türk köylerini talan etmeğe koyulmuştu askerler. Ve Kemal haklı olarak: «Düşmanın yaptıklarından ben utanç duyuyordum...» şeklinde demeç veriyordu. 1914'lerdeki Türk ordusunu hatırlatıyordu bana içine düştüğümüz durum, yüreğim sızlıyordu... Şimdi Türklerin tarafına geçmişti cesaret ve direnç. Kadınlarıyla çocukları bile, sırtlarına erzak ve cephane yüklenip ordularına ve çetecilere yardıma koşuyorlardı. Bütün ahali bizi casusluyordu; bakışlarıyla bile vuruyorlardı bizi. Kör Mehmet'in damadı ölmemişti, hayır. Tepeden tırnağa cesaret kesilmiş insanlar fışkırmıştı onun kanından... «Kemal'in direnme hareketi, Türklere yepyeni bir yürek verdi.» İlk söylediği zaman bana Drossakis'in boğazına sarılmak arzusunu veren bu cümle şimdi gerçeği dile getirmekteydi... Ya öteki söyledikleri? Onlar da mı doğru çıkacaktı yoksa? Haksız bir dava uğruna mı, bunca kahramanlık göstermiş, bunca kan dökmüştük yoksa? Ya söylediği gibi durum tam bir felâketin sadece başlangıcıysa? İşimiz ne burada bizim? Ne yapmak için buradayız biz? Hayır, bu türlü şüphelerle kazanılmaz bu savaş!... İman etmeliyiz!. Ama nasıl ve neye?

Drossakis'e söz ettim endişelerimden.

— Sende bir cevher olduğunu biliyordum... dedi. Olgunlaştı düşüncen. Şimdi artık açıklığa ermesi gerek namassuzun... Bir gün bana: «Hürriyet için mücadele...» demiştin. Kimin hürriyeti için?

Kararlı bir sesle kestim sözünü:

— Bu konuda bir tek kelime daha söyleme... dedim. Başlama yeniden. Başkaları düşünsün onu, hükümet düşünsün; generaller ve bilginler düşünsün... Küçük Asyalı bir askerim ben. Gözlerimi yumar, kulaklarımı tıkar dövüşürüm, vururum, ilerlerim...

Drossakis'in sağ kaşı, kızıştığı zamanlar olduğu gibi, titremeğe başlamıştı:

— Kafasını biraz olsun çalıştırmak zahmetine katlanmayıp da omuz silkenler, aslında büyük bir suç işliyor! Ve sen Aksiyotis, sen daha da suçlusun... Sanıyor musun ki tarihi yapanlar hükümet adamlarıyla generallerdir! Gözlerini yumar, kulaklarını tıkarsın ama onların uçuruma doğru ittikleri bir tekerlek olup çıkarsın. Ama sen böyle aciz bir âlet

172

değilsin ki Manoli, Halk'sın sen, Halk! Ve olayları değiştirebilmek için, anlamak zorundasın!

Durdurmak imkânsızdı. Konuşuyor, konuşuyor; kendi söylediklerini kendi dinleyerek ve kendi kendini heyecanlandırarak, durmadan konuşuyordu... Başka bir türlü düşünmek mümkün müydü? Mümkün müydü onun bu kadar açıkça gördüğü şeye karşı kör kalmak?

— Ben de dövüşüyorum işte, ne olmuş yani!.. diye haykırdı. Ben de hayatımı koymuş dövüşmekteyim. Ve ömrümün en güzel yıllarını Türkiye'nin dağlarına gömdüğümü de düşünmüyorum üstelik. Beni asıl ürküten, vatana ve halka zararı dokunacak bir hataya suç ortaklığı etmek!.

— Vatan sözü senin ağzına yakışmıyor... diye direttim.

— Yanılıyorsun Manoli... dedi. Ben de severim vatanımı. Yalnız onu, hükümet ve devletle karıştırmam.

Drossakis'in mantığı her seferinde bende bir yankı buluyordu ama, bir türlü cesaret edip de dinleyemiyordum o yankıyı; dehşete kapılıp kaçıyordum hemen. Ve gidip Kırmızıdis'in yanına oturuyordum. Zafere körce iman etmişti Kırmızıdis Fulacık'lıydı. Anasını, babasını, kardeşlerini, toprağını, sevdiği kızı... nesi varsa hepsini kaybetmişti savaşta; imanını kaybetmemişti. Köyünü yakıp yıktıkları vakit, sadece o kurtulmuştu ve Kırmızıdis uğradığı felâketleri anlatınca taşlar bile ağlamağa başlardı. Askerler ilkin saygı ve acı duyarak dinlemişlerdi onu; sonra kanıksadılar : Hiç bir şeyden etkilenmiyorlardı artık, sadece cinsel hislerini uyaran hikâyeleri dinliyorlardı.

— Kırmızıdis be! diyorlardı. Genç kızların ırzına nasıl geçiyordu o namussuzlar, asıl onu anlat bize sen... Biz bir Türk köyüne daldığımız vakit, küçük hanımları yumuşak bir şekilde çekeriz altımıza; boğazlamayız...

Derken bir başkası atılıyordu söze :

— Zaten hepsi azgın oluyor o yavruların!

Ve gülüyorlardı hep bir ağızdan! Ne olmuştuk... Niye böyle olmuştuk biz yarabbi?

1922 ilkbaharı başında taburumuz, Afyonkarahisar dolaylarında bir yaylada konaklıyordu. Askerler dağılmıştı. İki saat kadar bir soluk alma vaktimiz oluyor ve tehlikeyi düşünmüyorduk artık. Ortalık öylesine sakindi ki, harbi unutuyordu insan. Dağlar gurur içinde seriyordu gözlerimizin önüne kocaman kütlelerini; sık ormanlar, orada burada, kar lekeleriyle parıldıyordu. Yamaçların eteğindeki açıklıklarda ufak köyler seçiliyordu, dağılmış otlayan koyunlar gibi, her şeyin dışında, yer şeyden uzak ve tek tük ekili tarlalar, uzanmamız için serilmiş halıları andırıyordu. Dere yataklarında sular şırıldıyor, milyonlarca nilüfer fışkırıyordu eriyen karlardan. Ağaçlarda filizler kabarmaktaydı. Böcekler, sürüngenler, kuşlar, dört ayaklılar, hepsi sevişmeğe hazırlanıyordu. Ve biz bu tabiatın en sefil, en gadre uğramış yaratıklarıydık.

Güneşi içimize sindirmek için dolaşırken sık çimenlerle kaplı bir köşe bulup uzandık. Drossakis sırt üstü yatmış, büyük bir zevkle kaşınıyor; avuçlayıp burnuna götürüyor otları, kokuyu ciğerlerine dolduruyordu. Havayı kucaklamak istermiş gibi kollarını açarak :

— Ne güzeldir şu namussuz hayat! dedi. İnsan bazan çocukluğuna dönmüş gibi oluyor!

— Çocukluk! Onyo isminde bir merkebimiz vardı arkadaşım, onu hatırlatıyorsun bana. Bahar gelmeyegörsün, o da senin gibi otların içine yuvarlanır dururdu böyle... Nasıl da akıllı bir hayvandı, bilemezsin Nikita! Bütün gün boyunca oradan oraya dolaşır gezer, şakalaşır bizimle; velâkin yularla yükün kokusunu alır almaz kaybolurdu ortadan. Dört bir tarafı arar, bulamazdık bir türlü. Bağırırdık avazımız çıktığı kadar : «Onyo! Onyo!» diye... Ve sonunda elimize geçirdiğimizde, tıpkı bir insan gibi hem sert, hem de yumuşak bir edayla yaklaşır, her bir yanımıza sürterdi artık kocaman kafasını....

Birden garip bir duygululuk vermişti bana Onyo'yu hatırlamak... Bir süre daha söz etmek istiyordum hayvandan ve Drossakis'in kendi hatıralar ummanından başını alıp gittiğini farketmedim bile.

— Bak sana ismini neden Onyo koyduk, onu anlatayım. Hoş bir hikâyedir, değer! Çocukluk çağımdaydı... Kahveye bir yabancı geldi. Eski harabeleri gezmeğe gelenlerden biri... Zayıf ve upuzun bir adam... Şu anda bile, açık renk kedi gözleri ve seyrek kocaman dişleriyle görür gibiyim adamı...

— Ne istiyor bu İngiliz? diye sordu birisi. Bir şeyler söylüyor bize...

— Onon! Onon!. diyordu hep İngiliz:

— Ne demek bu yahu çocuklar? Bilen birisini çağırın bari...

Kayıkçı kaptan Nikola atıldı hemen:

— Ben biliyorum... dedi... merak etmeyin: Şarap istiyor adam... Onon, Eski Yunancada şarap demektir!

Köylüler hayranlık içinde haykırdı:

— Hay sen çok yaşa!

Ve konukseverliklerini göstermek için gidip fıçıdan bir okka şarap çektiler... Ama adamcağız gene aynı taraneyi tutturmuştu:

— No! No! dedi. No inon! O-non... Onon!

Tam bu sırada köy hekimi Haylaridis geçiyordu kahvenin önünden. İngilizce bilirdi o, çağırıp sordular.

— Ne istiyor bilir misiniz? dedi. Haşa huzurdan, bir eşek istiyor! Dimitro'nun eşeğini... «Onon», eşek demektir...

Nikita gülmüştü:

— Yahu Aksiyotis!. diye kesti sözümü. Bu çimen sana hatırlata hatırlata, sadece bir eşeği mi hatırlatıyor yani? Başka hiç bir şey hatırlatmıyor mu sana bu çimen? Sevgilini alıp da otlar üzerinde şöyle yuvarlanmadın mı hiç? Ve dayanılmaz bir arzuyla dolup taşmadı mı için?

Kolay kolay açılmaz köylü, hele bu meselede son derece ketumdur. Geceleri, daha hâlâ acısını çektiğim Katina'nın hatırası kutsaldı benim gözümde; nitekim Drossakis de, en ufak bir fırsatta uzun mektuplar yazdığı sevgilisinden hiç söz etmemişti. Üstelik, arkadaşlarımızın durup dinlenmeden kadın lâfı etmesi, bize bir çeşit tiksinti veriyordu... Ama şu anda durum başkaydı, izzet-i nefsimle oynanmış sayıyordum kendimi ve Adviye ile birlikte yaşadığım maceranın bir kısmını anlatmağa koyuldum.

— Anladığım kadarıyla... dedi... eğer Ankara'ya girecek olursak, orada bir evlât bulacaksın. Küçücük bir Mehmet!

Ama bu itiraf, beni teselli etmek yerine, büsbütün bulandırmıştı. Alevler içindeydi yüzüm : Haddinden fazla uzun bir süredir kadınlardan uzak kalmıştım. Drossakis, şüphesiz benimkine benzer düşüncelere dalmış,. bir ot koparıp emmeğe koyulmuştu...

— Rezil ettiler hayatımızı!. dedim... Savaş üstüne savaş derken, orasından çaldılar, burasından kırptılar hayatımızın; kuşa döndürdüler bizi!. Bir şeylere gebe bu çağ, ama bunca acılı bir doğumdan bakalım ne türlü bir çocuk çıkacak? Birazcık güzel gün yüzü görebilseydik hiç değilse!

Cümleyi tamamlamama kalmadan bir akrep sokmuş gibi ikimiz de fırlayıp dikilmiştik : Karşımızdaki tepeye, gözleme karakolunun arka tarafına doğru, sürüne sürüne Türk çetecileri tırmanmakta ve orada hiç bir şeyden habersiz nöbet tutan Kırmızıdis'e hücuma hazırlanmaktaydılar.

— Kırmızıdis! diye haykırdım avazım çıktığı kadar. Türkler geliyor!

Elim tetikte, yandaki yıkık çitin arkasına sıçradım. Uykumda bile yanımdan ayırmıyordum zaten silâhımı. Drossakis de bu arada kendi silâhına doğru sürünmekteydi. Çığlığımı işiten Türkler, hemen ateş etmeğe ve el bombaları fırlatmağa başlamışlardı. İyi nişancı olduğumdan, şarjörümü üzerlerine boşalttım; Nikita bu sayede kendini bir siperin ardına atabildi. Ve aynı anda Kırmızıdis'in olduğu yerde, şöyle bir dönüp yamaca yuvarlandığını gördük... Gene o anda, hemen yanıbaşımızdaki çalılıkların arasında sağır bir gürültü kopmuştu. Soluğumuzu kesip bekledik. Gitmişler miydi, ateş etmek üzere siperlenmişler miydi yoksa? Tam öğle vakti hücuma kalkmak! İyiye alâmet değil bu! Peki ama bizimkiler neredeydi? Bir çıkar yol bulabilmek amacıyla dört bir yanı tarıyordu bakışlarımız. Ve birden, yandaki çalılıktan dışarı taşmış iki postal çarptı gözlerimize. İki hareketsiz ayak! Bekledik bir an. Sonra daha iyi görebilmek için biraz sola kaydık : Bir askerdi bu! Türklerin attığı el bombaları ona isabet etmişti! Ve osaat ölmüştü tabii! Gözlerini kapamak için yaklaştım ve bir çığlık attım kendimi tutamayıp :

— Simo!

Önce şaşkınlık içinde baktı. Drossakis ölüye, sonra bakışlarında bir tiksinti ve öfke belirdi :

— Pis muhbir! dedi tükürür gibi. Bizi casuslamağa gelmiştin öyle ya?

Altı üstüne gelmiş bir haldeydi yüzü Simo'nun, aldandığımı sanmıştım. Bu derece aşağılaşacağına inanmak istemiyordum aslında. Kıvırcık saçlarına, benli kocaman burnuna bakıyordum. Onun saçları, onun burnuydu bunlar, evet. Ama gözler? Patlamıştı gözleri. Ve kalın dudaklarının yerinde de kocaman bir delik vardı! Ağız, dil ve dişler, hepsi birbirine karışıp erimişti sanki!..

Kimliğinden emin olmak için, ceplerini kurcalamak geldi aklıma. Sağ cebindeydi eli, kaskatı kesilmişti, özenle katlanmış bir kâğıt tomarına yapışmıştı sımsıkı : Tanıdım hemen; Drossakis'in notlarıydı bunlar. Onun kitap harflerini andıran yuvarlak yazısını ve Lefteri'nin verdiği ince pembe kâğıdı nasıl hatırlamazdım! Ve tomara, kendi el yazısıyla bir not iğnelemişti Simo... Kelimenin tam anlamıyla altüst olmuştum! Drossakis'i aradı gözlerim : Kırmızıdis'e yardım etmek için tepeye tırmanmaktaydı. Ve Kırmızıdis :

— Göremiyorum! Gözlerim! Gözlerim gitti!, diye haykırıyordu avazı çıktığı kadar.

Tomarı cebime sokuşturdum hemen ve bir ölünün üzerine balgam atıp günaha girmemek için, hızla uzaklaştım oradan... Drossakis'in kendini siperlemeksizin fırlamış olduğunu düşündükçe içim titriyordu. «Bu sefer işi bitiktir!» diye geçti içimden. Ve onu geri döndürmenin yolunu ararken, ateş sesleri yükseldi gene, Türkler görünmüştü. Şeytan gibi çıkıvermişlerdi ortaya. Bizimkilerden bir müfreze onları kovalamaktaydı. Ama gene de Drossakis'i nişanlamak için vakit buldular. Devrildi Drossakis; yaralanmış veya ölmüştü, bilmiyordum. Sadece karşı hücumu düşünüyordum artık : tüfeği omuzluyor, koşuyor, yeniden omuzluyordum.

Arkadaşlarımın attığı çığlıklar, bir vahşiden farksız kılmıştı beni... Ve tam gözümü kısıp nişan aldığım bir sıra, sol koluma bir kurşun saplandı.

Tek elimle nişan almayı denedim. Açık damarlarımdan ateş gibi bir kan akıyordu...

Drossakis ve Kırmızıdis'le aynı hastanede buldum kendimi. Ne olup bittiğini, anesteziden çıkar çıkmaz hatırlamıştım. Kollarımı, bacaklarımı oynattım, yerli yerinde olup olmadıklarını anlamak için. Sadece sol kolum ağrımaktaydı. Ucuz kurtulmuştum!.. Yeniden hareket ettirdim vücudumu, yavaş yavaş, tembelce... Çıplak ayağımın yumuşak yatağa temasından doğan ferahlık!. Yaralandım diye neredeyse sevineceğim! Dertler bir zaman için geride kalıyor işte!. Doğrulup kalkmayı denedim ama imkânsız : Deliksiz bir uykuya yuvarlandım yeniden.

Ertesi gün, kendi hastalığımı bir kenara atmıştım, çünkü Drossakis ölmek üzereydi. İki yatak ötemde yatıyordu, müthiş ateşi vardı ve durmadan bir bardak su istiyordu yanındakinden; yanındakiyse, işitmiyor görünmek için sırtını dönmüştü ona... Israrla su istiyordu Drossakis. Doktorların «Hiç kımıldamayacaksın...» dediğini unuttum o anda, kalkıp su verdim arkadaşıma. Sonra da yanındaki askere dönüp, tiksinti taşan bir sesle :

— Utan! dedim.

Ağlayacakmış gibi tepeden tırnağa süzdü beni, sonra bütün vücuduyla çırpınıp yorganını üzerinden atarak haykırdı :

— Bak! Bak şu halime!.

Her iki kolu da sımsıkı sarılıydı; birini bilekten, ötekini de dirsekten kesip almışlardı. «Bağışla beni!» demek istedim ama, sesim boğazımda tıkanıp kalmıştı. Kahkahalarla eşlenen küfürler yağıyordu üstüme :

— Aptal!

— Hayvanın biri işte!.

Ve ötekiler de açıyordu şimdi yorganlarını; eksik - güdük vücutlar gördüm boylu boyunca. Bir kaya parçası gibi çivilenip kalmıştım olduğum yere... Bir asker yaklaştı sonra yanıma, sırtımı dostça sıvazlayarak :

— Boşver üzülme... dedi. Zamanla alışır gidersin böyle şeylere. Sakat olup yuvaya dönmek, sağ kalıp cepheye gönderilmekten evlâdır işin ucunda!.

Başka bir koğuşta yatan Kırmızıdis'in gözlerini kaybettiğini ve Drossakis'ten de artık ümit kalmadığını aynı gün öğrendim. Benim talihim de, savaşta bütün dostlarımı kaybetmek olacak öyle mi? Hayır, kaybetmeyeceğim Drossakis'i... Yardım edeceğim ona; yaşamalı o, yaşamalı... Akşam karanlığı bastırmıştı çoktan, fırtınalı bir gece... Uğuldayarak esiyor rüzgâr, bardaktan boşanırcasına yağmur yağıyor, ardarda çakıyor şimşekler... Kolsuz asker uyuyalım diye bekliyor, sonra doğrulup kalkıyor yatağından : Uyuduğumuzdan emindir artık. Ve masasının üzerindeki tabağı, bir köpek gibi yalamaya başlıyor... Yaklaşıyorum :

— Söyleyeceğim şeyi kötüye yorma arkadaş : Bırak da sana ben yedireyim.

Başını kaldırıp Drossakis'i işaret ediyor bana :

— Sen asıl şu müşteriyle meşgul ol... diyor. Öyle sanıyorum ki soluğu kesildi...

Nikita'ya doğru attım kendimi, kulağımı ağzına koyup dinledim : Hayır, nefes alıyor daha. Ama yatağı bir kan gölü halinde... Ameliyat odasına seğirtiyorum yardım istemek için. Sedye dolu ortalık. Üstü başı kan içinde kalmış, doktorlar, ışığın azlığına küfrediyor durmadan.

Bütün sevimliliğimi, bütün kurnazlığımı seferber edip aşıyorum engelleri; başhekime yaklaşıyorum. Ellerini yıkıyor. Ve bana cevap olarak, hastabakıcılara haykırıyor hiddet içinde :

— Nasıl girebildi buraya bu? Hanginiz bıraktı bunu? Kör müsünüz yoksal.

Bana dönüp çocuk azarlar gibi kükrüyor sonra :

— Hemen yatağına defol!

Gitmeyeceğim, kararlıyım.

— Gitmem doktor diyorum. Mutlaka gelip görmeniz lâzım arkadaşımı, ölmek üzere...

— Defol diyorum! Rahat bırak da çalışalım! Çık dışarı!.

— Gelişigüzel birisi değil bu doktor, değerli bir arkadaş, koca bir bilgin!

— Atın bunu dışarı! Ne duruyorsunuz? Bağlayın yatağına! Delirmiş bu, tamamiyle delirmiş!

Hastabakıcılardan biri gelip arkamdan sarmıştı beni. Sağlam elimle koluna sımsıkı yapıştım. Gerçekten delirmiştim :

— Gelmesi lâzım doktorun! dedim. Ölürse siz sorumlusunuz!. Gel benimle, gel de bak inanmazsan... Bırakmam seni, geleceksin... geleceksin benimle...

Ve geliyor. Zorla getiriyorum. Sürükleye sürükleye.. Nikita'nın halini görür görmez bir iğne yapıyor hemen; sonra da, doktorun gelişine kadar ferahlatmak için neler yapmam gerektiğini gösteriyor bana... Derin derin soluyor Drossakis, su istiyor durmadan ve durmadan sayıklıyor :

— Niçin Manoli... niçin su vermiyorlar bize? Biliyorum ben... Eğil de söyleyeyim kulağına...

Başhekimin arkamızda dikilmiş bizi dinlediğini farketmemiştim... Beni kenara çekip Drossakis'e eğiliyor :

— Derhal ameliyat odasına!

Ve birkaç gün içinde dirildi Drossakis. Konuşuyor, yazıyor, okuyordu : İnanamıyordum gözlerime!. Simo'nun cebinde bulduğum tomarı hatırladım sonra birden. Kâğıtları bir çocuk sever gibi okşayarak :

— Ne vakit aşırmış bunları yarabbi!. dedi.

Ve hafiyenin, yaralandığımız günün tarihini taşıyan raporunu okuduk :

«Aksiyotis'le tenha bir yerde bir araya geldiler. Her ikisi de birlikten ayrıldıkları farkedilmesin diye tedbir almışlardı. Konuşmaları şüphe uyandırıcıydı : Harbe muhalif olduklarını ortaya koyan söz ettiler.»

— Kıyamete kadar o suratla kalır inşallah!

Cephedeki durum kötüye gittikçe, askerlerin maneviyatını yükseltmeye çırpınan hastane müdüriyeti, birtakım yalan yanlış söylentiler yayıyordu ortalığa : Aya Yorgi, Bozdağ ormanlarının sisleri arasında, atının üzerinde dörtnal giderken gözükmüştü ve dendiğine göre, Tanrının bizleri himayesine aldığına dair bundan daha kesin bir işaret olamazdı!. Gene de birkaç kişi inandı bu martavala... Aşağı yukarı herkes, hastanedeki ikametini her ne pahasına olursa olsun uzatmak tasasındaydı. Usturayla yarasının dikişlerini kesip, pis tırnaklarıyla kaşıyanlar vardı aramızda. Bir kısmı da, ateşini yüksek göstermek için, termometreyi çarşaflara sürtüyor, ya da bulurlarsa, kaynar suya daldırıyorlardı.

Drossakis'in, Lefteri'nin yolladığı gazeteleri okumak üzere bahçeye çıktığını gördüğüm her seferinde, kötü bir haber vardır korkusuyla uzaklaşıyordum. Vaziyet ne kadar kötüyse, o kadar az konuşulsun istiyordum hep. Drossakis de konuşmaya hevesli görünmüyordu... Dalıp dalıp gidiyor, «Bundan böyle ne desem boş!» diyordu sonra. Ve bu da beni, büsbütün endişelendiriyordu...

Sonunda bir gün, askerlerin gizlice elden ele aktardığı bir hükümet organında yayınlanan iki makale, benim de elimin altına düştü :

«Küçük Asya seferi, Yunanistan için bir kangren haline gelmiş bulunmaktadır. Müttefikler, Küçük Asya'nın derhal «tahliye»sini şart koşmaktadırlar. Sevres antlaşması çoktandır nazar-ı itibara alınmamaktadır. Ordu biran önce ve kuşatılma tehlikesini göze almadan yurda dönmelidir.

Bir boğuntu kaplamıştı içimi. Drossakis'e koştum :

— Bak hükümet gazeteleri ne diyor!

Sesimi alçaltmamı işaret etti.

— Bizim sırtımızda kaymak üzere hangi kızağı hazırlıyorlar, bilmek istiyorum... diye direttim. Nereye gittiğimizi, sonumuzun ne olacağını bilmek istiyorum, anlıyor musun! Konuş hadi! Bugüne kadar sen söyler, ben dinlemezdim. Ama bugün ben de istiyorum işte. Konuş!

Fırsatı kaçırmayacağını sanmıştım : Tam tersine... Çıkarıp bir sigara ikram etti bana, acelesiz bir sesle :

— Al bakalım... dedi. Dostumuz Lefteri'nin hediyesi bu. İzmir'de gezip gezip bize karşı utanç duydukça, hediye yolluyor...

Cevap vermedim. Titriyordum sinirden.

— Ne öfkeleniyorsun yahu! dedi. Yeni bir şey keşfetmiş gibi bir halin var üstelik! Ben söylerken inanmıyordun ama, onların gazetelerinde okuyunca koydu değil mi?

Yavaşça kalktı yatağından :

— Çıkalım... dedi. Çınar ağaçlarının altına gidip hava alalım biraz... Cesaretini kaybedeyim deme ha, ihtiyacın olacak!

Dağ rüzgârı ferahlık vermişti bana. Bir sıraya oturduk. Nikita inatla gözlerini ovalıyor, konuşmuyordu... Peki ama ne istiyordum ben bu adamdan? Acımasını mı bana? Beni teselli etmesini mi? Yoksa, her zamanki gibi beni, köpürtüp kendisine karşı hınçlanmaya sürükleyecek olan bir hakikati yeniden dile getirmesini mi? Tatlı ve üzgün bir sesle :

— Önce sana, konuşmakta niçin tereddüt ettiğimi söyleyeyim Manoli... diye başladı. Yaraya neşter vurmanın sırası mıdır, diye düşünmekteydim. Yaraya neşter vurmak : Yani... bugünkü durumun ötesinde, başımıza gelen felâketlerin kaynağına inip temel meseleyi sermek gözlerinin önüne... Küçük Asya seferi şartmıydı? Temel mesele işte bu, anlıyor musun? Böyle bir tartışmaya girebilecek durumda değiliz. Haklı veya haksız olarak, o güzelim gençliğimizi tuzağa düşürdüler burada. Burada... Anadolu'nun göbeğinde... Ve bugün, çepeçevre ihanetle kuşatılmış vaziyetteyiz. Hepsi birbirini suçlamakta bak...

Berrak bakışları bir an yüzümde gezindi. Anlayıp anlayamayacağımdan emin olmak ister gibiydi...

— Güneşi gece yarısı aramaya kalkışmak boşunadır Manoli! İtilâf Devletleri, Doğu meselesini kendi çıkarlarına en uygun şekilde ayarladığından beri, yani kapitalistler Osmanlı İmparatorluğunun parçalanmasını önlemeye karar verdiği andan itibaren, bizim Küçük Asya'daki davamız, ana rahminde ölmüş bir çocuktan farksızdır. Yunanistan'ın rahminde... Bizi Küçük Asya'ya bin bir vaatle göndermiş olanlar, şimdi bize : «Hoşt köpek!» diyor, anlıyor musun? Ama Aksisyotis'in yüreği paramparçaymış, ama Kırmızıdis'in gözleri kör olmuş, Golis ölmüş, Stepan öksüz kalmış... umurlarında bile değildir. Yunanistan'ın kaderi, onları şuncağız ilgilendirmez... Yabancı sermaye, kendi çıkarını hesaplar yalnız! Merhamet ve adalet beklemeyeceksin ondan. Temsilcileri, Londra ve Paris'teki bürolarına kurulup haritayı yayarlar önlerine, şöyle bir göz atarlar ve eğer menfaatleri tehlikeye girmişse, kendi kaderlerini kendi tayin etme hakkını hatırlarlar halkların, hürriyet ve bağımsızlık âşığı kesilirler. Ama menfaatleri öyle gerektirdiği vakit de; kırmızı kalemi alıp yeni bir çizgi çekerler haritanın üzerine, güzelim memleketleri ve koskoca halkları siler geçerler... Kırmızı kalem, şimdi bizim üzerimizde Manoli! Yunanistan'dan istediklerini bedavaya elde ettiler. Ve onların sıkmış olduğu limonun suyunu bugün Kemal içiyor...

Drossakis, «Yunanistan'ın rahminde ölen çocuk»tan ve bir kalem darbesiyle güzelim ülkemizi silip geçen canavarlardan söz ederken, çıldıracak gibi olmuştum. Göllerimizin suyu gibi, anayurdumun Menderes'i gibi yaşlar akıyordu gözlerimden ve düşüncem birdenbire sanki kanatlanıp, köyüme doğru uçtu. Bahçesi yasemin kokuları giyinmiş ve kirazları çiçeklere bürünmüş evimize... Drossakis, bağışla beni; utanıyorum! Hiç bir zaman gizlemediğin bir gerçeği söylemeni istedim senden. Ama bak inanmıyorum sana, inanmak elimden gelmiyor! Ne olur anla beni!

Elini omuzuma koymuştu. Beni korumak ister gibi... İçimde kopan fırtınadan habersiz, devam ediyordu :

— İşte böyle Manoli... Kendi suçumuzun cezasını çekmemiz neyse ne, ama başkalarının işlediği suçların cezasını da bize çektiriyorlar. Büyük devletlerin, Anadolu'yu bölüşmek konusundaki fikrine gelince...

Cebinden çektiği yabancı gazetelerden, gelişigüzel okumaya başladı :

«Yunanlılar'ın Küçük Asya'yı en kısa zamanda ve kayıtsız şartsız boşaltmaları lâzımdır. Biz onları, bir fütuhat için göndermedik oraya!»

«Önümüzde bir gerçek duruyor : «Yeni Türkiye...» Yeni Türkiye, tarihi görevinin şuuruna ermiş bulunmaktadır. Bu yenilik idealine karşı çıkmak, bizim bakımımızdan büyük bir hata olur...»

— Bütün bunların altında gizlenen şey nedir biliyor musun Aksiyotis? Petrol, kömür, demir, krom... Yani, Anadolu' nun el değmemiş servetleri üzerinde yabancıların kurmak istedikleri tekel!. Ah dostum ah! Büyüklerin okşayacağı tutar adamı, küçüksen güvenmeyeceksin onlara... Çünkü menfaatleri çatışır durmadan, kendi aralarında da anlaşma yoktur. Her biri kendi kanadının altında kalalım ister, zamanı gelince kullanmak için. Ve bir kere de yakanı kaptırdın mı, elini uzatır kolunu kurtaramaz hale düşersin; varını yoğunu alırlar. İşte Venizelos'un hatası bu... O ki, bizim canımız gibidir, tanıyordu hepsini; gidip ellerinde bir maşa oldu. Hele Kraldan ve Saraydakilerden hiç söz açmayalım! Belki bir ufak umut kalmıştı; ama beyzadeler, Venizelos'un hatalarına yeni hatalar ekleyip bizleri uçurumun dibine sürüklediler!

— Yeter Nikita! diye haykırdım. İşitmek istemiyorum artık! İsteyen benim ama, dinlemek elimde değil!

Fırlayıp kalkmak istedim. Tuttu kolumdan. Sapsarı kesilmişti :

— Ben de acı çekiyorum Manoli... dedi. Benim de canım yanıyor!

Kırmızıdis, santur çalıyor ve türkü okuyordu bahçede :

«Neredesin benim perişan köyüm?
Bir nefret çığlığı halindesin!
Ne anam kaldı, ne kardeşim, ne karım...
Sen benim tatlı güzel Yunanistan'ım,
Bütün umudum sendedir...»

Dördüncü Bölüm

BÜYÜK FELÂKET

XV

1922 ağustosunda, Kemal'in büyük taarruzu sırasında, Afyonkarahisar cephesine sevkedildim. Gece gündüz siper kazıyorduk; bütün yiyeceğimiz, peksimet ve kurutulmuş balıktan ibaretti. Dişimi sıkıyor, yüreklendirmeye çalışıyordum kendimi. «Bunun adına savaş derler Aksiyotis... diyordum hep içimden. Fedakârlık saati gelip çattı işte! Politikayla ne ilişiğin var senin? Sen sadece vazifeni yapıyorsun o kadar.»

Ağustos ayının ortalarına doğru (tam on beşi miydi ayın, yoksa on dördü mü, hatırlayamıyorum) aşağı yukarı beş yüz atlı tutan bir Türk kolu bir dere yatağından aniden fırlayıp cepheyi yardı ve bizi demiryolundan tecrit etmek üzere sağa doğru dörtnal ilerledi. Topçu birliklerimiz harekete geçti hemen; biraz sonra da düşman, ilerlemesini kesmiş ve kendi hatlarına çekilmiş bulunuyordu.

Birdenbire sustu toplar, ağır bir sessizlik çöktü havaya : Ordunun kalbi durmuştu sanki. Türk süvarileri bundan cesaret alıp yeniden hücuma kalktılar. Biz yukarıda siperlerin içinde beklediğimizden, hiç bir şey anlayamamıştık.

Ama facianın havada dolandığını seziyorduk. Birbirimize bakıyorduk durmadan. İdam mahkûmları gibi sessiz ve soluktuk. Şüphe ve korkular dudaklarımıza kadar yükseliyor ama ifade bulamıyordu bir türlü. Hain sessizlik! Top ateşi başlamayacak mı? Niçin hâlâ çalmıyorlar ateş borusunu? İnsanın canını çıkaran yürüyüş bundan bin kat iyidir! Ve gene bin kat iyidir bundan, daha dün lânetler yağdırdığımız savaş! Ölmek, böyle can çekişip beklemekten çok daha rahattır herhalde! Ne oluyor peki? Yoksa kuşatıldık mı? Türk çetecilerin gelip bizi nallamalarını mı bekliyoruz? Eğer cephane bittiyse, bizi neye burada küflendiriyorlar? Neye?

Bir mezartaşı üzerimize kapanır gibi bastı karanlık. Kimsenin uykusu yok. Sinirler alabildiğine gerilmiş, neredeyse çatlayacak. Karış karış karanlığı tarıyor gözlerimiz, düşmandan bir iz arıyor. Burun deliklerimiz ürperiyor. Çoktan başlamış kaçmaya düşüncemiz; burada çivilenmiş işkence çeken vücuttan uzakta, dörtnal gidiyor... Tuhaf tuhaf şeyler düşünüyor insan! Anasını düşünüyor meselâ; elinde bir fotoğraf, ağlarken... Kaç zamandır bir kadına sarılıp yatmadığını düşünüyor... Postacıyı hayal ediyor kapıyı çalarken : Elinde resmî mühürlü, kırmızı damgalı bir ordu zarfı : «Vatan uğrunda kahramanca öldü oğlunuz...» Ağlayanları düşünüyor insan. Ve sevinenleri. Ve malları bölüşen mirasçıları hayal ediyor...

Hiç bitmeyecek mi bu rezil gece? Şakacı arkadaşlara ne oldu peki? Neye bitler, açlık ya da orospular hakkında hikâye anlatmıyorlar? Neye?

Drossakis nerede acaba? O mutlaka bir şeyler sezer ve bu sıkıntıyı dağıtacak bir lâf bulurdu! Ama hastaneden döndüğünden bu yana, durmadan keşfe çıkarıyorlar çocuğu; en tehlikeli vazifelere onu gönderiyorlar... Ölüp gitsin istiyorlar, anlamayacak ne var bunda!.

Bir mırıltı dolaştı bütün siperi. Emirden çok bir yılan ıslığını andıran bir fırıltı. Gelip bize ulaştı ve kurtaracak yerde dehşete saldı bizi :

— Ricat!

Birkaç saniye ya sürdü ya sürmedi, pılı pırtımızı toplayıp yola koyulmuştuk... Bütün gece yürüdük. Korunma kaidelerine harfiyen riayet ediliyordu : Artçı kıtası, koltuk hattı bölüğü, irtibatlar, keşif görevlileri... her şey tamam! Ama sabahki ilk konakta gene de o korkunç manzara bekliyordu bizi : Nokta görevlileri, süngüyle delik deşik edilmiş ve o feci halde bırakılmışlardı! Biraz daha ileride, taşıtlar, toplar, çantalar, kasketler ve paramparça gövdeler, eller, ayaklar, başlarla örtülü koskoca bir yayla gördük : Şeytan sürüleri, hayatı yeryüzünden silip kaldırmak için bulutlar halinde gelip buraya yüklenmişlerdi sanki!

Dehşet içinde çivilenip kalmıştık; sancılananlar, kusanlar vardı aramızda. Nihayet birimiz, konuşmak cesaretini buldu kendinde :

— Ne demek oluyor yani bu? Eğer biz de bittiysek, söylesinler bilelim!

Kimse cevap vermedi.

Harabe haline gelmiş bir köyde, talimat beklemek üzere açıkta konakladık... Kalem kâğıdı olanlar, evlerine yazmaya koyuldu. Hiç bir posta servisinin, mektuplarımızı yerine ulaştırmayacağını bildiğimiz halde, son arzularımızı belirtmek ve birkaç tatlı söz söylemek istiyorduk. Dehşetten buz kesilmiş ruhumuz, bir genç kızın göğsünde ya da kollarında bir annenin, biraz olsun dinlensin ve ısınsın diye...

Yüzbaşı, yıkıntıların arasında Türklerin gizlenip gizlenmediğinden emin olmak amacıyla bir kol görevlendirmişti. Bizde bir umut uyandırdı bu : Belki de burada kalıp bir savunma düzeni kurmak mümkün olurdu. Aşçılar ateş yakmış, tencereleri yerleştiriyorlardı... İaşe çavuşlarının iki manda yakaladığı söylentisi dolaştı kulaktan kulağa, «Manda falan değil... dedi birisi. Çatlamış iki beygir!»

Filipo bıyık altından gülerek :

— Aldırmayın... dedi. Et yersek diriliriz, gerisin geri püskürtürüz Kemal'i...

Kol gezenler çok geçmeden dönmüştü. Midillili Gavrileli de onlarla birlikteydi, küçük bir bebek vardı kollarının arasında. İlerleyip yüzbaşıya gösterdi çocuğu :

— Çok aradım yüzbaşım... dedi. Ama nihayet bu küçük çeteciyi yakaladım işte! Mirasçım olmadığını gözönüne alarak, bu ufaklığı öldürmeyip bana bırakmanızı hararetle rica ederim.

Bir anda ıslıklar koptu, kahkahalar yükseldi, kendine gelir gibi oldu insanlar. Bunalmışlardı hepten, ferahlamak için bunu fırsat bildiler :

— Mirasçın kalmadıysa dölünde mi kalmadı hay Gavrileli! Bula bula Türklerin dölünü mü buldun yağma edecek!

— Adanızda yaptığınız o zeytinyağlar hiç bir işe yaramıyor desene aslanım?

Saatlardır uykusu gelmiş bir maymun gibi sessizce oturmakta olan Arsenis birden fırlayıp aramıza geldi ve hergelece göz kırparak :

— Susun da dinleyin... dedi. Bu yavrucağın gerçek hikâyesini anlatayım size : Gavrileli'nin kanındandır bu çocuk. Bu köye vazifeye geldiğimiz gün, bizimkinin küçük bir hanımla tatlı tatlı bakıştığını görmüştüm...

Yeniden başlamıştı gülmeler, Gavrileli kendini savunmak için kıvranmaktaydı :

— Vallahi yalan, billahi yalan! Benim falan değil, sadece buldum. Annesinin etrafında emekleyip duruyordu, ölmüştü annesi... Yalan söylüyorsam canım çıksın!.

O ana kadar susmuş olanlar, öfkeyle bağırdı birden :

— Kesin artık be! Ne güzel de buldunuz neşelenecek günü!.

— Yaşlı kadınların süslenmesine benziyor sizin bu haliniz... diye söylendi bir başkası. Hepimiz mahvolmuşuz, siz işin alayındasınız.

Saatlardan beri beklenen irtibatlar nihayet görünmüştü. Dayak yemiş gibiydiler. Soluk soluğaydı atları. Subayları alıp bir köşeye çekildiler. Ama böyle bir anda, sır saklamak olur mu hiç!. Haberler hemen yağdı :

— Cephe çökmüş!

— Alaylar darmadağınmış!

— Kumandasız kalan ordu, başıboş ve perişan, aklına geleni yapıyormuş!

— Kimisi dağlara, kimisi dere yataklarına doğru kaçıyormuş!

— Bir taşıtta yer bulabilmek için birbirini öldürüyormuş insanlar!

— İntihar edenler varmış!.

O zaman olup biteni, tasvir etmek imkânsız... Hiç kimse düşünmek, emir ya da öğüt dinlemek için saniye kaybetmedi. Aylardan beri hazırdılar ve sadece bu ânı bekliyorlar sanki! Kardeş dönüp de kardeşine bakmadan, kaçmaya koyuldular.

Her şeyin sonu olduğunu anladığım vakit bunun, tüfeğimi kapıp haykırarak koşmaya başladım :

— Nereye gidiyorsunuz arkadaşlar? Terketmeyin her şeyi! Durun! Durun da kendimizi savunalım!

— Ateş edin, devirin şunu! diye gürledi bir çavuş.

Yere attım kendimi, bir caminin arkasına doğru süründüm. Kurşun yağıyordu üzerime beni susturmak için. Ağlamak, bağıra bağıra ağlamak istedim ilkin. Sonra birden ben de paniğe kapıldım ve deli gibi kaçmaya koyuldum. Ve tesadüf beni, Drossakis'in üzerine atıncaya dek, durmadan koştum...

Bir asker çıkmıştı karşıma, kolumdan yakalayıp :

— Dur arkadaş! demişti. Şurada bir yaralı var, Türklerin eline canlı geçmemek için, kendisini öldürmemi istiyor. Ne yapsak ki?

Dönüp baktım yaralıya, rüya görüyor gibiydim :

— Nikita! Nikita!

Diz çöktüm hemen başına. Heyecandan gözleri yaşarmıştı, gözlerini kırpıyordu durmadan. Yaralı göğsünü ve kırık ayaklarını gösterdi bana. Gömleğinin bir parçasını yırtıp yaralarını sardım. Nasıl ihtiyacım vardı öğütlerine onun, öfkelerine, patlamalarına, gerçeği dile getirmesine! «Şimdi anlıyorum seni Drossakis ve hazırım gelmeğe ardından. Binlerce ve binlerce olacağız seninle!» Ama Drossakis, sadece ıstırapla mücadele halindeydi şimdi, yaptığı en ufak bir hareket bile bir işkenceydi ona.

Hemen oracıkta, sedye yerine geçecek bir şeyler yapabilmek için, beni durdurmuş olan askeri aradım; ama yok olmuştu ortadan : Saat ve para bulmak umuduyla, ölülerin üst başını kurcalamaktaydı çünkü...

Vakit kaybetmemek için sırtladım yaralıyı, hemen yola koyuldum. Zaman zaman durup dinlendiriyordum onu. Bir an gelip kaybetti kendini. Yere uzattım. Atlılar geçiyordu oradan, atlılarla birlikte Lefusis geçiyordu. Nikita'nın eski bir arkadaşıydı Lefusis, unutulmaz saatler yaşamıştık üçümüz hastanede. Görmüştü beni, durması için bağırarak fırladım :

— Lefusis! Drossakis var burada, ağır yaralı! Dur Lefusis, nereye gidiyorsun? Drossakis ağır yaralı diyorum Lefusiiis!..

Bir orman yolunda kaybolup gitmişti. Doğrulttum Drossakis'i, uyuyan küçük bir çocuğu kucaklar gibi kollarıma aldım. Zaman zaman gözlerini açıyor ve bitkin bir sesle :

— Git! diyordu bana. Bırak beni, git biran önce buradan...

— Seni kurtaracağım Nikita. Yaşayacaksın! Yaşaman lâzım anlıyor musun? Senin yaşaman lâzım...

İri ter damlaları akıyordu yüzümden, boynumdaki sinirler gerildikçe geriliyordu. Ellerimi duymuyordum artık, ilerliyordum... Gözlerimin gördüğü şeyi bir türlü kabul etmeğe yanaşmıyordu aklım. Önümde iki asker vardı; sandıklar, eşyalar ve halılarla yüklü bir arabayı götürüyorlardı. İhtiyar bir Türk'le ihtiyar karısını, ellerini kollarını sımsıkı bağlayıp oturtmuşlardı, arabanın üstüne. Ben konuşunca durdular :

— Yaralı için biraz yeriniz yok mu çocuklar?

Dilimden anlamaz gibi baktılar yüzüme, gözleri çakmak çakmaktı. Zilzurna sarhoştular. Paytaklaşmış bir sesle :

— Köprünün öte yanında bizi bekle... dedi birisi.
Sonra bir kahkaha savurup arkadaşına döndü :
— İyi demedim mi Timyo?

Bir rakı matarasını sırayla ağızlarına götürüp diktiler, günlerdir susuz kalmışçasına içiyorlardı. Beraber geçtik köprünün öbür yanına. Arabadan atlayıp halılarla eşyayı aşağı yığdılar :

— Tesalya'ya daha çok var... dedi Timyo. Yalan mıyım? Kırılıyorlardı gülmekten.

Ben, en ufak bir harekette acıdan kendini kaybeden Drossakis'in ayaklarını bağlamak için iki tahta buluncaya kadar, onlar köprüyü uçurmuşlardı. Köprüyle beraber ihtiyarları da! Bir an önce yola koyulmak için atı kırbaçladıklarını görerek koştum; bu fırsatı da kaçıracak olursam, Türklerin eline düşmemek mucize olacaktı... Fırlayıp gemlerinden yakaladım hayvanı; Drossakis devrilmiş, kan kusmaktaydı.

— Ben yolu biliyorum arkadaşlar... dedim. Tek başınıza kaybolursunuz bu yörede siz; sonra... arabayı elinizden almak için bizimkiler bile öldürür sizi...

Düşünmelerine bırakmadan Drossakis'i kaldırıp attım arabanın üzerine ve hemen atlayıp sürmeğe başladım : Düşünüp itiraz edecek durumda değildiler. Yiyip içmeğe koyuldular hemen; bir yandan da, yakası açılmadık lâflar edip gülüşüyorlardı... Geçtiğimiz yerlerde harabe ve kahırdan, yangından, cinayetten, ırz düşmanlığı ve soygundan başka bir şey görmedim. Sivil Türk halkı ödüyordu bizim bozgunun ceremesini : Binlerce insan deli gibi kaçıyordu oradan oraya; hiç bir şeyin anlamı, hiç bir şeyin değeri yoktu artık.

Alevler içinde yanan bir kasabanın kıyısında, vurulmuş oğlunun üzerine eğilmiş, yüzünü gözünü paralayarak iç yırtıcı çığlıklar atan genç bir Türk kadını gördük. İçkiyle kızışan askerler hemen baktılar kadına, sonra sözle de yetinmeyip :

— Dur! dediler bana.

İşitmezlikten gelince üstüme atıldılar:

— Dur dedim...

Tehdit dolu gözlerle başımı çevirip baktım. Birisi:

— Sen de canına susadın herhalde arkadaş! diye gürlerken öteki, tüfeğin namlusunu çeviriyordu üzerime.

Çaresiz, durdurup indim arabadan. Drossakis'i yeniden kollarımın arasına aldım ve rezilliği görüp işitmemek için uzaklaştım oradan.

Demiryolu hattı üzerinde ordu birliklerine rastlamamış olsak, ikimizin de işi bitikti. Orada Kızıl Haç'a teslim ettim Drossakis'i; yaşlı gözlerle kucaklayarak:

— Bir gün mutlaka buluşacağız Nikita! diye fısıldadım.

Dayanılmaz bir acı kaplamıştı içimi. Islak yanağımı okşadı yavaşça, boğulur gibiydim.

Yola koyuldum yeniden. Ölümden korkmuyordum artık. Yaşayanlardan korkuyordum şimdi sadece ve kulaklarımda hep, Nikita'nın o zehir gibi alaycı sözleri çınlamaktaydı: «Mağlûp olup ödlekliğini gizlemeğe çırpınan bu herifler mi kahraman?»

Bir tren bulabilmem için, tam iki gün mücadele etmem gerekti. Nihayet kırık bir kapıya kenetlenebildim ve katar yürürken tırmanıp çıktım vagonun üzerine. Yol boyunca binlerce kadın ve çocuk iniyordu köylerden:

— Türkler geliyor! Geliyorlar!. diye haykırıyorlardı.

Ve durmuyordu tren. Korkunç bir istif halindeydi vagonların içi. Asker ya da sivil, tüm erkekler kabadayı kesilmişti trenin içinde; bıçak çekip ateş ederek, dışarıdan girilmesine engel oluyorlardı. Dışarıda ise insanlar soluk soluğa koşuyordu trenin ardından. Yalvarıp haykırıyor, lânet ve tehdit yağdırıyorlardı:

— Alçaklar! Kalleşler! Namussuzlar! Niçin terkediyorsunuz bizi? Durun! Durun ne olur, bırakmayın!.

Soluk soluğa ilerleyen vahşi bir hayvan gibiydi lokomotif; yolu açabilmek için, süngü darbelerinden daha keskin düdükler öttürüyordu.

Aşağı' yukarı altı saat yol almıştık, gece yarısını aşmıştı vakit. Birden, depreme tutulmuşçasına sarsıldı tren. Damda tünemiş ya da tamponlara asılmış olanlar top gibi havaya fırladı. Tekerlekler, bir alay gövdeyi ezip de geçmişti. Hayatta kalanlar, mum ışığında, ölülerini aramağa koydu. Ağlayışlar yükseldi karanlığın içinden. Bir yanda anayla baba çocuğunu ararken, çocuk bir başka yanda onların ismini haykırıp ağlıyordu...

Henüz sürülmüş bir tarlanın ortasına düşmüştüm. Yarasız beresiz, ucuz kurtulmuştum bir kere daha. Sadece başım dönüyordu ve müthiş bir yorgunluk hissediyordum. Uyumak istiyordum sadece; bir daha uyanmamak üzere uyumak... Ama böyle anlarda bile insanın en değerli hazinesi hayattır... Ayakta durabilecek hale gelinceye kadar bir böcek gibi süründüm yerde. Sonra da, sahipsiz bir akorde gibi haykırıp inleyen, kıvranıp çırpınan kalabalığa karıştım.

Annesinin, dedesinin, ninesinin isimlerini umutsuzca haykıran bir çocuk koşuyordu, yanımsıra. Uygun adım yürümeğe çabalıyordu benimle, bütün varlığını gölgeme bağlamıştı. Bir an geldi aştım onu, yalvaran bir sesle haykırdı arkamdan :

— Ne olur beni bekle amca! Korkuyorum ben!

Çakmağımı çakıp yüzüne baktım : Sekiz yaşlarında ya var, ya yok, kafası usturayla kazınmış, kara kuru bir çocuk...

— Adın ne senin?

— Stelyo.

Tuttum elinden çocuğun. Yaralı bir kuş gibi titriyor eli. Baba oğuldan farksız yürüyoruz yanyana. Ve her topluluğa yaklaştığımızda incecik sesiyle bağırıyor çocuk :

— Nine! Dedeee!

Durup bekliyorum iyice arayabilmesi için.

Ve düşünüyorum : Şu anda benim köyümde de böyle şeyler oluyor herhalde! Kosta vaktinde İzmir'e atmış olabilse bari evi! Ya bir de haşat vaktini beklemeğe kalktıysa? Bir mektup yollamıştım onlara : Yeni felâketleri göğüsleyebilmek için mümkün olduğunca fazla para bulundurun demiştim. Ve üç aydır en ufak bir haber alamadım kendilerinden. Benim gibi cephede «bir yerlerde» savaşan kardeşim Stamati'den de hiç bir haber çıkmadı...

Ortalık aydınlanıyor işte, neredeyse güneş doğacak. Pembe, buğular içinde bir ışık iniyor dağlardan; bahçelere doğru yayılıyor yavaş yavaş. Üzümler iyice olmuş, gene de toplayamamışlar; salkımlar omcalardan sarkıyor. Ağaç dalları da öyle, hep yemiş yüklü... Ah bir mucize olabilse şu anda; Ve dudaklarımda bir türkü, kulağımda bir çiçek, evden çıkıp tarlalara doğru yönelsem; Katinam olsa yanımda, kucağında meme emen yavrumuz! Ve eskiden olduğu gibi, Türk dostlar belirse kapıların eşiğinde... «Akşamlarınız hayrolsun çorbacı!» deseler gülümseyerek, «Uğur ola efendi!» deseler... Ah Şevket! Neredesin kardeşim benim? Allahlarımız arkadaş olmadı, gördün mü bak! «Ne çare? Onları hep unutalım aziz hemşeriler!»

Ayakları şişmişti çocuğun, güçlükle ilerliyordu. İçimden gelmiyordu yola bırakmak, acıyordum... Her önüme çıkana, çocuk için bir tanıdık sormağa başladım; sonunda bir kadın buldum onun köyünden. Çocuğun dedesinin beklemekte olduğu çeşmeyi gösterdi kadın ve çocuk bunu işitir işitmez dört nal koşmağa başlamıştı :

— Çabuk gel amca, koş! diye bağırıyordu bir yandan bana.

Çok geçmeden gördüm dedeyi; bir ağacın üzerine tünemiş, ellerini gözlerine siper etmiş, etrafı tarıyor ve haykırıyordu içler paralayıcı bir sesle :

— Stelyu! Stelyuuu!

— Dedee! Dedeeee! diye bağırdı çocuk.

Yere bıraktı kendini ihtiyar, sımsıkı kucakladı çocuğu :

— Evlâdım benim! Stelyum benim! Neredeydin sen, neredeydin?

Bir vakit beraber yürüdük. İhtiyar anlatıyordu :

— Tren sarsıldığı zaman karımla kızım fırlayıp yere düştüler. Hanımın talihi varmış : Hemen oracıkta öldü zavallı! Kızımsa... iki ayağı birden tekerleklerin altında kalıp kesildi! «Ayaklarım gitti babacığım! Ayaklarım kesildi!» diye haykırıyordu. *Ah yavrum*, Elenisam! Biricik kızım benim...

Birden süzülmüştü Stelyu, maşa kadar kalmıştı. İhtiyar devam ediyordu anlatmağa :

— Bayıldı sonra... Kucaklayıp taşıyayım dedim amma gücüm yetmedi, ikimiz de yere devrildik, kalkamadık bir süre. «Baba... diye yalvardı. Stelaki'yi ara...» Onu bırakıp her bir tarafa seğirttim, aradım, sordum, soruşturdum, bulamadım bir türlü. Döndüm kızımın yanına, elimden başka ne gelir! «Stelaki'yi bul bana... dedi. Bırak beni, oğlumu bul!» Bir kenara çektim onu, hani gelip geçenler çiğnemesin diye... Torunumu aramağa koyuldum yeniden, her önüme çıkana soruyordum. Bir akrabamıza rastladım sonunda : «Gördüm Stelyu'yu ben, dedi... Şu dağa doğru gidiyordu tek başına!» Ah evlâdım, ah kızım, nasıl da bıraktım seni! Bin kere gebereydim de bu günü görmez olaydım! O kesik ayaklarınla tek başına orada! Canavarlara yem diye mi bıraktım!

Stelyu birden durmuş, sonra umutsuzluk içinde elleriyle yüzünü örtüp haykırmıştı :

— Anne! Anneciğim neredesin!.

Buna benzer bir çığlığı işiten var mıydı, bu yeryüzünde?

— Gidelim dede... dedi çocuk. Gidip annemi bulalım!

— Gidelim yavrum, gidelim!

— Deli misin sen ihtiyar! diye bağırıyordu bizi dinlemiş olanlar. Kendi canına acımıyorsan, torununa acı! Çeteciler kol geziyor etrafta, Pehlivan'ın adamları dağdan indiler!

Dedeyle torun, bu uyarmaları işitmemiş gibi uzaklaşıp kayboldu.

Ve gecenin karanlığı sardı bütün dünyayı... Bir Allahın elinden çıkmış olamazdı bu dünya, hayır! Böyle bir dünyayı, hiç bir Allah yaratmış olamazdı!

195

XVI

İzmir'e geldiğim vakit, rahatça soluk almak için şöyle bir durdum ve istavroz çıkardım. Birden bir neşe bürüdü içimi. İzmir, Rumlar için, sürekli bir güven kaynağı, bir sığınaktı. Türkler öteden beri «Gâvur İzmir» derlerdi bu şehre, sevmezlerdi ve doğruydu, gâvurdu onlar için bu şehir; biz Rumlar içinse, sevinç ve rahatlığın başkenti olmuştu hep... Hep yasemin kokar ve hürriyeti arardı. İster rıhtımlarında ya da yollarında gezinin, ister mağazalarına, çarşılarına yönelin iş bitirmeğe, ister Konak'ta oturup bir kadeh rakı için... hemen yumuşar yüreğiniz, ışık, arzu, cesaret dolar ve gökyüzüne bakıp : «Yaşamak istiyorum! diye haykırırdınız. Çalışmak, sevmek, kurmak istiyorum ben!»

Ama İzmir değildi bu gördüğüm, ölü bir şehirdi! Mağazalar, kahveler ve lokantalar sımsıkı kapalıydı. Bomboştu sanki evler, çıt çıkmıyordu. Ne en ufak bir gülüş, ne sokakta oynayan bir küçük çocuk!. Perişan yüzlü, çökük vücutlu bir sefil yaratıklar kervanı sürünüyordu sokaklarda tırtıllar gibi. Hazin bir manzaraydı bu! Anadolu'dan gelen mültecilerdi bunlar; yanlarında keçileri, tavukları, köpekleri ve hastalarını yatırmış oldukları sedyeler; denklerin ve çıkınların altında iki büklüm, oradan oraya savrulmaktaydılar. Kiliseler, kışlalar, okullar, fabrikalar... hep bunlarla doluydu.

Sersemlemiş ve yıkılmış, bizimkileri arıyordum. Uzak akrabalarımızdan birine, Jako'ya, rastladım bir ara; bizimkileri gördüğünü, annemin Stamati ve benim için ağlayıp durduğunu söyledi. Bir an önce bulmalıydım onları, toplayıp konuşmalıydım bir karara varmak için. Ama ayaklarım isyan ediyordu bana, bitkindim. Bir tek özlem vardı içimde o kadar : Yatmak... ve uyumak!

Kemeraltı'nda bir berber dükkânının önünden geçerken, aynada kendimi gördüm : ve donup kaldım birden! Ünivormam lime lime olmuştu, kan lekeleriyle doluydu üstelik; şapkam yana kaymış, sakalım bir karış uzamıştı. Beni bu halde görse, korkardı annem. Ve dükkân da açıktı. Neye girip yıkatmayacakmışım elimi yüzümü, neye bir güzel traş olmayacakmışım?

Zayıf, sevimli bir ihtiyardı berber, tereddüt ettiğimi görünce fırlayıp kapıya koşmuş ve kolumdan yakaladığı gibi koltuğa oturtmuştu. Bir yandan da, kırk yıllık ahbapmışızcasına :

— Gel hele gel!. demişti. Gel de seni bir biçime sokayım. Ne hale girmişsin bilsen! Ölüm bile korkup kaçar halinden!

Kendi lâtifesine kendi güldü bir süre, sonra da Türklere küfretmeğe koyuldu :

— Ahmak oğlu ahmaklar! Şeytanın dölleri! O bomboş kafanızla Yunan ordusunu ezdiğinizi sanmıştınız değil mi! Budalalar sizi! Alçaklar!

Üzerinde durmadım bile. Koltuğa oturur oturmaz, bir pamuk yığınının içine gömülmüşüm gibi, birden gevşeyip yayılıvermişti vücudum. Ama berber, sanki beni uyutmamağa yeminliydi! Başımı sağdan sola, aşağıdan yukarıya çevirip dikliyor; makaslarını şakırdatıyor durmadan; bu da yetmezmişçesine arada bir sarsıyordu beni :

— Uyuma oğlum uyuma! diyordu. Bu halde uyuyup kalacak olursan, kıyamet günü bile uyanamazsın mazallah! Ön hatlardan geliyorsun herhalde değil mi?

Ne ön ne arka hat diye bir şey kalmadığını söylemek istedim ama, dilim ağzımda büyüyordu. Daha çok miyavlamayı andıran bir sesle :

— Evet... diyebildim sadece.

— Dün iki üç askerin daha saçını kestim, aynen senin gibiydi onlar da. Ama fazladan, galiba akıllarını da oynatmışlardı : Yunan ordusunun Küçük Asya'da bir haftadan fazla dayanamayacağını söyleyecek kadar hem de, anlıyor musun!

Doğru dürüst işitemiyordum belki söylediklerini, ama çok iyi anlıyordum küçük ihtiyarı; gözlerimi açık tutamıyordum bir türlü, kirpiklerim demir gibi ağırlaşmıştı, başım uğulduyordu durmadan, yarı uykudaydım. Beni konuşturamayacağını anlayınca, bir sürahi soğuk su alıp başımı yıkamağa koyuldu; öylesine şiddetli yıkıyordu ki, tokat atsa daha az yorulurdum! Sunturlu bir küfür savurmak amacıyla göz kapaklarımı araladım: Ağlar gibi bakıyordu yüzüme.

— Zeki ve cesur bir çocuğa benzersin... dedi. Ötekiler gibi değilsin. Onlar hepten şaşırmış pusulayı. Küçük Asya seferinin bir hezimetle kapandığını söylüyorlar. Korkudan donlarına yapacaklar neredeyse! Hepsi Kemal'in ajanı olmuş, gönüllü ajan! Bak ben sana işin aslını söyleyim de öğren oğlum: Trikopis başkumandan tayin edildi ve hemen karşı taarruza geçti, anlıyor musun!

Hakikati söyleyip, deliye döndürmek istedim onu bir an; ama tutkulu hali kendi çırpınışlarımı hatırlattı bana; yapamadım. Devam ediyordu:

— Eğer bilmiyorsan öğren işte! Gemilere binip kaçmak için toplanmıyor ordu Çeşme'de, kıyılarımızı savunabilmek için toplanıyor! Çok kalmadan duyarız gazete satıcılarını: Fransızlar ne kadar kalleşlik etmiş olursa olsun, İngiltere bırakmayacaktır bizi, daima yanımızda olacaktır...

Sinekler gibi vızıldayan sözleri, uyuşmuş beynimi delik deşik ediyordu. Sabrım tükendi sonunda:

— Hangi Trikopis'ten söz ediyorsun sen amca! dedim. Trikopis mi kaldı ortada? Bütün ordusuyla birlikte çoktan esir düştü Trikopis... Atina'daki büyükler terketti bizi, halimizin neye varacağını artık sadece Allah biliyor! İngilizlere gelince, boşuna hayal kurma! İngilizler de, Fransızlar da, Amerikalılar da... hepsi... işitiyor musun! hepsi sattılar bizi... Mezarımızı kazan onlardır, kafana iyice yerleştir bunu!

İhtiyarın çenesi titremeğe koyulmuş, takma dişleri çatırdamıştı; kükürt gibi sapsarı kesilmişti yüzü. Ufaldı, sertleşti ve şaşılaştı gözleri birden; bir an, usturayı salladığı gibi boynumu vuracak sandım:

— Ne diyorsun sen oğul, yoksa aklını mı oynattın? diye kükredi. Kim anlattı sana bu iğrenç yalanları? Nimfayo' dan Sipilos'a kadar uzanan bir savunma kuruyor Trikopis; İzmir'in durumu ancak bu sayede sağlamlaşacak... Hem sonra, Trikopis senin dediğin gibi esir düştüyse, dünyanın sonu gelmedi ya! Bir alay değerli kumandan var koskoca Yunan ordusunda? Trikopis gider, Gonatas gelir yerine, Plastiras gelir. Onlar da büyük kumandan, üstelik hepsini şahsen tanırım!

İyimserliğini ve son dayanağını kurtarabilmek için umutsuzca mücadele ettiğini görüyordum karşımda ve bunun ne demek olduğunu çok iyi biliyordum ben! Neye daha fazla işkence etmeli zavallı ihtiyara? Nasıl olsa çok geçmeden o da hakikati ister istemez öğrenecek değil mi? Ağız değiştirdim birden:

— Küçük Asya savunma hattı da var... dedim. Onu nereye koyuyorsun babalık?

— Çok şükür şimdi adam gibi konuşmağa başladın! diye haykırdı. Dillerin dert görmesin! Tabii ya canım! «Savunma hattı» yeni bir şevk verecek bize, genel seferberlik ilân edilecek ve genç ihtiyar, kadın çocuk... hepimiz hizmete, savaşa koşacağız. Neyimiz varsa feda edeceğiz yuvalarımız uğruna, hürriyetimiz uğruna! Kutsal vazifenin saati çaldı işte...

«Çoktan çaldı o saat zavallı babacığım, çoktan çaldı da, yukarıdaki namussuzlar oralı olmadı ve her şey böylece mahvoldu! demek geliyordu içimden. Dört bir yandan ihanete uğradık: Büyük devletlerin menfaatleri, bizimkilerin ardarda işlediği hatalar yıktı bizi. Böyle başlayan böyle biter...» Ve daha bir alay şey söylemek geliyordu içimden: Drossakis, benim ağzımdan konuşmak istiyordu sanki... Ama tuttum kendimi. İhtiyar, yeniden kendi âlemine dalmıştı. Göğsünü yumruklayarak:

— Ben iman sahibiyim! diye haykırdı. Tanrıya inanırım ben! Ve Tanrının Türklerden yana olması mümkün değildir, anlıyor musun? Sabahleyin yalvarıp duruyordu karım dükkânı açmayayım diye: «Taso, çıldırdın mı sen, nereye gidiyorsun? diyordu ağlayarak. Aileyi bir araya topla ne olur ve bir yelkenli bul da adalara bıraksın bizi. Yoksa Türkler hepimizi kıtır kıtır kesecek! Bütün eşyayı hazırladım, çocukları alır gideriz hemen...» diyordu. «Hey gidi hanım! dedim... Sen de donuna ettin demek ki! Hadi git ateşi yak, güzel bir çorba yap bize ve bir daha onun bunun saçmaladığı ahmakça şeylere inanma sakın... Dükkâna gelince, neden açmayacakmışım hanım? Neden açmayacakmışım? Bir karış sakalla mı dolaşsın insanlar? Açacağım dükkânı ki hem nasıl!» dedim. Ne dersin asker oğlum? İyi söylememiş miyim? Böyle zamanlarda cesaret gerek, cesaret! Korkuyu atacaksın içinden; çünkü korku denen meret, asıl felâketten daha önce gelip öldürür seni! Korkuyu ben yeneceğim, bütün mahalleden sürüp çıkaracağım korkuyu, göreceksin! Ben dükkânı açınca : «Bak Taso açmış... diyecek bakkal. Demek ben de açabilirim...» diyecek, öyle değil mi? Lokantacı, kahveci, eczacı da yüreklenecek ardından. Yalan mı?

Tuhaf tuhaf bakmış olmalıydım yüzüne, şaşırıp kesti sözünü :

— Neye böyle bakıyorsun yani bana? dedi. Şu sefil halimle ben de yaşadım doya doya, ben de keyfini çıkardım hayatın. Şimdi sonum yaklaştı... Oysa, buraya, bize, Küçük Asya'ya gelen hürriyet... henüz yürümeğe alışan bir küçük kızdır. Mum yakıp kutlayamadık bile yaşını! Ama o hürriyet ölmeyecek, ölmemeli anlıyor musun! Onun öldüğünü görmektense, kendim daha önce geberip kara toprağa girmeyi evlâ bulurum...

Gözleri yaşla dolmuştu. Bir tek tarafını tıraş etmişti yüzümün daha ve bir türlü bitirmek bilmiyordu konuşmayı. Virgül şeklinde ayaklarla son bulan kupkuru vücudu, sinirli sıçrayışlarla sarsılıyordu durmadan. Devam etti:

— Her şeyimi feda ettim ben bu hürriyet için, neyim varsa verdim! *Patris*'ten *efzon*'ların rıhtıma çıktığı o mübarek mayıs sabahını hatırlıyorum. Yunan bayrağı çekmiş savaş gemilerimiz görünüyordu geride! Kim beni tutabilirdi ki artık! Hemen koştum evime, çifte kilitli çekmeceyi bir güzel açtım; evin kontratlarıyla kuruş kuruş birik-

tirmiş olduğum bahşiş paralarını aldım yanıma : Altmış yıllık emeğin ürünü bu, dile kolay! İyi bir ev kadınıdır benim
hanım, tutumludur eksik olmasın; ama iki kızım, dört tane
de erkek çocuğum var... Hepsini bir tamam aldım yanıma,
Yunan kumandanına koştum : «İşte kumandanım! dedim...
Kurtarıcı ordu için getirdim bunu! Berber Taso Kasabalis
tarafından diye kaydedin...» Tümen komutanı omuzumu sıvazlayıp teşekkür etti bana, Allah ömrünü uzun etsin, ama
kabul etmek istemedi parayı. Deli sandı herhalde beni... Ama
bırakır mıyım, askerî hapisaneye hibe ettiler... Altmış yıl
boşa gitmedi anlıyor musun evlât, güzel bir işe yaradı altmış yıl!. Karım bunu öğrendiği vakit, neredeyse ölecekti
derdinden : «Sen pusulayı iyice şaşırdın mı herif! dedi bana. Niçin yaptın bu budalalığı? Hiç ahir vaktimizi düşünmedin mi, kızlarımızı hesaba katmadın mı hiç!» diye çırpındı. «Merak etme hanım... dedim. Her şeyi bir tamam
tarttım düşündüm : Seni ve kendimi koydum terazinin bir
kefesine, üstüne çocukları koydum, bir de şu dünyanın bütün zenginliklerini ekledim cabadan... Neylersin ki, terazinin öbür kefesinde tek başına duran hürriyet hepsinden ağır
baştı...»

Güçlükle zaptediyorduk göz yaşlarımızı. Taso'nun torunu daldı tam o anda dükkâna bir rüzgâr gibi :

— Dede! diye haykırdı sesi tirtir titreyerek... Donanma
gitti dede, donanma gitti!

— Hangi donanma ahmak?
— Yunan donanması!
— Yunan donanması mı dedin?
— Yunan donanması!

— Demek Yunan donanması hergele! Al bakalım! Al
bunu da! Bunu da al bakalım!

Göz açıp kapayıncaya kadar üç tokat akşetmişti çocu
ğa. Kıpkırmızı kesildi çocuk, gözleri çakmak çakmak oldu.
Ağlamadı ama. Umutsuzca tekrarladı o kadar :

— Dede yalan söylemiyorum ben! Gidiyor Yunan donanması, gidiyor diyorum işitiyor musun, gidiyor!

Kolundan yakalayıp torununu hızla sürükledi ihtiyar. Yüreğimde bir amansız mengene, kalakaldım olduğum yerde, fırtınada bir kayık misali oradan oraya yalpalayan eğri bacaklı, kupkuru gövdesine baktım bir süre... Sonra tıraşımı tamamlamak üzere usturayı aldım elime. Donanma da gidiyorsa eğer. Türklerin şehre girişi, an meselesi demektir. Eğer mi? Ne demek «eğer»? Her şeyin bir daha başlamamak üzere bittiğini bilmiyor musun sen? Nasıl ve niçin bittiğini? Ne bekliyorsun öyleyse? Daha ne umuyorsun yani? Yunan ordusunda gönüllü piyade eri Aksiyotis... Afyonkarahisar muharibi Aksiyotis... İşitiyor musun beni? Her şey bitti işte! Her şey!

Deli gibi koşuyorum ve tam savaş gemileri demir alırken ulaşıyorum rıhtıma. Kapkara bir duman püskürtüyor bacalar. Dalgakıranların üzerine insanlar yığılmış. Hepsi taş kesilmişti sanki. Soluk bile almıyorlar artık, konuşmuyorlar, bakıyorlar sadece. Türk mezarlıklarının o muntazam taş kapaklarını andırıyorlar.

Çocuğunu gömen var mı içinizde? Tabutun mezara indirilirken çıkardığı gıcırtıyı işiten? Bizler için o anın ne demek olduğunu ancak, o anlayabilir...

Bir şey daha oldu sonra... Bizi uyuşukluğumuzdan tamamiyle sıyırıp alan namussuzca bir olay : Fransız zırhlısı *Waldeck-Rousseau*, birdenbire millî marşımızı çalmaya koyuldu! «Müttefikler», protokole uygun olarak, Yunan amiral gemisini «selâmlıyordu»!

Ve ıstıraptan donup kalmış insanlar, önünde durulmaz bir şelâle gibi sarsılıp atıldılar bir anda :

— Sterciyadis'in oraya!

— Versin bunun hesabını, versin bakalım!

— Açıklasın bizleri neye burada tuttuğunu, neye bırakmadığını!

— Silâhlanalım arkadaşlar! Silâhlanıp savunalım kendimizi!.

Ve kalabalığın dibinden doğru bir haykırış yükseldi :

— Gitti Sterciyadis!

— Kaçtı çoktan!

— İngilizler kurtardı onu, İngilizler kaçırdı!..

Yeni haberi sindirmek istercesine durmuştuk bir an. Sonra amaçsız ve anî bir öfke patladı. Gelişigüzel koşuyor, hareketler yapıyor, küfürler savuruyorduk. Kaybolan bir rüyayı kovalar gibiydik...

— Lânet olsun! Bin kere lânet olsun geldiklerine!

— Peki ama niçin... niçin bizi de birlikte yükleyip götürmediler?

— Ne olacak bizim halimiz şimdi?

— Korktular namussuzlar! Atina'ya varıp ihanet yuvasını başlarına geçirmemizden ürktüler!

Akşam karanlığı basar basmaz ıssızlaştı rıhtımlar. Herkes sığınacak bir dam buldu kendine, beklemeye koyuldu. Sadece korku, başıboş bir gece bekçisi gibi kimsesiz sokaklarda durmadan dolaşıyor ve Rumları sabahki o korkunç uyanışa hazırlıyordu şimdiden.

XVII

Kemer istasyonunda rastladım benimkilere. Yunan ordusunun kaçarken boşalttığı kulübelere sığınmışlardı. Heyecansız, sevgisiz, kupkuru bir karşılaşma... Bir köşeye çektim annemi :

— Üstünde ne kadar para var anne?.

Şaşkınlık içinde sordu :

— Para mı? Ne parası oğlum? Ürünü satacak vakit mi bıraktılar? Dişten tırnaktan artanı da harcadık. Fındık altınlarıyla eldeki bütün parayı teminata yatırdık.

— Ne teminatı?

— Kosta'nın yeni aldığı arazi için teminat... Yazmadı mı yoksa sana? Yazdı evlâdım, ben biliyorum ki yazdı!

Umutsuzluk içinde gözlerimi yumduğumu görnce, anladı hiç bir haberim olmadığını ve pişman oldu konuştuğuna. Sonra eli ayağı dolaşır gibi oldu, rengi attı birden; miras meselesindeki kavgayı andırır bir kavga çıkmasından ürktü ve bir solukta :

— Kosta'nın hatası değil bu oğlum... dedi. Hepimizin iyiliği için yaptı bunu. Tam bir kelepirdi bizim için... ve bedavaya geldi, inan! Bakkal Teodoros'un arazisi, düşün! Her şeyin en mükemmelini sever bakkal, bilirsin! Sadece kır evi bile tek başına bir harika!. ·

Sanki ezilmiştim. Bir yelkenli kiralayıp, adalara kaçmak hayal olmuştu artık... Dudaklarımı ısırıyordum durmadan, sigara üstüne sigara yakıyor ve çiğnerce içiyordum. Kosta durumu görüp hemen uzaklaşmıştı. İlerideki köylülerle tartışıyordu güya :

— En iyisini, kendi toprağında kalanlar yaptı... diyordu. Düşünün hele! Eğer bir on gün daha burada beklemek zorunda kalırsak, halimiz haraptır...

Ötekiler de aynı fikirdeydiler. Hâlâ anlamamışlar mıydı yarabbi! Ortalık yere fırlamış, nara atıyordu felâket! Kör müydü bunlar? Yahut da korkudan böyle yapıyorlar... Basiretleri bağlandı korkudan belki? Annem bile Stamati'den haberim olup olmadığını sormak cesaretini bulamıyor bir türlü kendinde... Ve birden, kardeşimin endişesi çöküyor içime. Askere çağırıldığı gün, mırıldandığı sözleri hatırlıyorum : «Bu sefer kurtulmam Manoli, göreceksin. Çekirge bir sıçrar, iki sıçrar, üçüncüde verirmiş yakayı ele...»

Bir basamağa çöküp gözlerimi kapadım; kendimi düşünmeye zorlamak için, avucumla hep alnımı ovalıyorum. Annem yaklaşıyor ürkek adımlarla yanıma, omzuma koyuyor elini, sıkıntılı bir sesle :

— Neye böyle kara kara düşünüyorsun oğlum? diyor. Yoksa daha çilemiz sona ermeyecek mi?

Haykırıyorum, elimde değil :

— İşit anne, iyice işit! Türkler, bir saate kalmaz İzmir'de olacak! Anlayın artık bunu, anlayın bunu, anlayın!.

İstavroz çıkarıyor dehşet içinde :

— Allahım! diyor. Sen bizleri korursun... Ağzından yel alsın evlâdım, hiç öyle şey olur mu! ·

İki felâketli evlilik teşebbüsünden perişan çıktıktan sonra, kendisine üçüncü bir nişanlı bulabilmiş olan zavallı kız kardeşim, ağlamaklı gözlerle baktı bana :

— Demek gelinlik tacı bu sefer de bana haram! diye mırıldandı.

Bıyıklarını buraraktan kahvesini höpürdeten kayınbiraderine döndüm Sofiya'nın :

— Ne işin var daha burada Nikola? dedim. Kaç Türk'ün canına kıydığını yoksa unuttun mu? Gel beni dinle, bir an önce kaç buradan; kaybedecek vaktin yok! İzmir'e neredeyse girecek Pehlivan...

Küçümseyerek bakmıştı bana :

— Yok canım! dedi... Abartıyorsun.

Annem perişan haldeydi :

— Hep başkalarına öğüt veriyorsun evlâdım... dedi. Sen ne yapmayı düşünüyorsun peki?

— Yeni aldığınız araziye gideceğim... dedim... biraz dinlenmek için.

Gözleri dolmuştu birden, yanakları büsbütün çukurlaşmıştı. Pişman oldum böyle imalı konuştuğuma.

— Şimdi artık hep sizlerle kalacağım anne... dedim. Çünkü belki de Türkler şimdi gidenleri savaş suçlusu kabul edecek ve geri dönmelerine izin vermeyeceklerdir...

— Bırak bu çocuklukları oğlum! Eğer Türk çetecilerinin insafına kaldıysak, hemen fırla ve git, bir dakika durma burada!

— Elleri boş gidip de ne yapacağım anne? Dilencilik mi yapayım istiyorsun yani Yunanistan'da?.

— Orada dilenmek belki de daha iyidir buradan... Tövbe! Kötülük olsun diye söylemedim oğlum, yanlış anlama! Allahım merhamet eyle bize, acı bize...

Sessiz sessiz ağlamaktaydı.

— Stamati'yi düşündükçe de perişan oluyorum... dedi. O yavrucak nerelerde acaba? Niçin daha dönüp gelmedi? Donanmayla gitmiş olmasın sakın?

Gözlerini kurulayıp kalktı. Bir valizi açtı; Katina'yla nişanlandığım zaman giymek üzere İzmir'de diktirmiş olduğum mavi elbiseyi çıkardı içinden. Hiç giymemiştim o elbiseyi... Okşarcasına silkti şöyle, paçalarını üfledi.

— Elbise değiştirmek istemez misin? Asker olduğun anlaşılmasın bari...

Sivil elbiseyi sırtıma geçirir geçirmez yeniden doğar gibi olmuştum...

— Limana gidelim... dedim. Yapabileceğimiz en doğru şey budur... Orada gemiler var hiç olmazsa, ne olursa 'olsun himaye ederler bizi.

Rıhtımda, savaş gemilerinin tam karşısında bir köşe bulmuştuk kendimize. Geceyi orada geçirdik. Soğuktan ve korkudan titreyerek... Bir İngiliz devriye kolu karaya çıktı şafak sökerken; kadınlı erkekli bu binlerce insanı toplayıp altmış kadar mavunaya yerleştirdiler. Mavunaları da gemilerinin yanına çektiler sonra.

Bu beklenmedik şans, Tanrının bir işareti gibi gelmişti bize. Güvenlik duygusu, bütün endişemizi bastırmıştı bir anda; tatlı ve cömert kişiler oluvermiştik yeniden ve iç kısımlarda kalmış ırkdaşlarımızın halini düşünmeye koyulmuştuk acı acı... Uyuz bir kediyi incir ve kuru üzüm sandıkları arasında kovalayarak oynamaya başlamıştı bile çocuklar. İzmirli güzel bir öksüz kız vardı yanımızda. Afrula isimli, ninesiyle beraber.. İlk işi, cebinden bir ayna çıkarıp, uzun kıvırcık saçlarını taramak olmuştu.

Hızla akıp geçti saatler. Güneş batmak üzereydi şimdi, pembe ışıklarla tarıyordu gökyüzünü. Yandan çarklı ufak körfez vapurları durmadan gidip geliyordu gene. Hemen de bomboştu hepsi... Serin bir rüzgâr, deniz kokusu getiriyordu.

Sonra gece bastırdı yeniden ve bütün gürültüler kesildi. Kendi köşesine büzüldü herkes, horlamaya ya da sessiz sessiz düşünmeye koyuldu. Henüz yıkanmış bir örtü atmıştı annem üzerime, sabun ve temiz su kokan bir örtü... Bizim oranın suyu... Hiç mi hiç uykum yoktu. Bir çift vardı solumda, bir türlü rahat edemeden oradan oraya dönüp duruyorlardı. Sağımda Afrula'nın ninesi, takma dişlerini koymak için bir bardak su istiyor. Ama torununun çok daha önemli bir işi var şimdi. Yatağını onun yatağına iyice yaklaştırmış genç bir delikanlıyla fıkırdaşmakta... Ve nine dua ediyor :

— İnayet eyle de İzmir güzel günler görsün Allahım!...

At kişnemeleriyle uyandık sabahleyin. Gözlerimizi ovalayarak ayağa fırladık : Türk atlıları kol geziyordu rıhtımda... Susup kaldık hepimiz. Cırlak bir çocuk sesi yükseldi o kadar :

— Ne yapacak şimdi Türkler?

İşin can alıcı tarafı buradaydı evet : Ne yapacaklardı? Rıhtımdaki tek tük Türk evlerinin balkonlarından alkış sesleri ve «Yaşasın»lar yükseldi. Sonra resmi geçit de bitti ve bir ölüm sessizliği yerleşti ortalığa.

Bütün mavunaların içinde kıyıya en yakın olanı bizimkiydi; ilkin biz işittik tellâlın bağırdığını...

— Ne diyor, ne diyor?

— Herkes korkmadan kıyıya çıkıp işine gitsin... diyor. Hiç kimseye en ufak bir kötülük edilmeyecekmiş!

— Zafer, herhalde insanların yüreğini yumuşatıyor... diye mırıldandı annem.

— Büyük devletlerin işi bu! Hıristiyanların kılına bile dokunulmamasını emrettiler mutlaka!

— Evet evet! Bugüne kadar dökülen kan yeter de artar bile!

— Bu kadar donanma, bu kadar savaş gemisi burada boşuboşuna mı demirlemiş bekliyor sandınız yani?

Bir tavuskuşu gibi kabarıp gülümseyerek bana yaklaşmıştı Kosta :

— Ya şimdi ne düşünüyorsun bakalım Manolaki... dedi... satın aldığım arazi hakkında? İyi mi etmişim, yoksa Teodoros'a kazıklanmış mıyım söyle?

Öylesine sevinçliydim ki, bin tane çılgınlık yapmış olsa, binini birden bağışlardım o anda!

Artık rahattık mavunada, huzura kavuşmuştuk! Kendi evimizdeymiş gibi yiyeceklerimizi koyduk ortaya : Tuzlu balıklar, yumurtalar, konserveler... ve karşılıklı kibarlık gösterisiyle birbirimize ikrama başladık.

Bu toplu sevinç havası içinde, birden bir acı çığlık koptu, sonra da bir uğultu :

— Yangın!
— Yangın var!
— İzmir'i ateşe verdiler!
Kırmızı siyah alevler yükseliyordu göğe doğru.
— Ermeni mahallesinin oradan geliyor!
— O taraftan geliyor evet!
— Gene Ermeniler ödüyor hepimiz adına!
— İzmir'i ateşe vermeleri imkânsız... Ne kazanırlar İzmir'i yakmakla? Şehir şimdi onların zaten!

Evet ama, biz ne kazanmıştık çekilirken Türk köylerini ateşe vermekle? Yangın gittikçe yayılıyordu. Her sokaktan, her delikten fırlayan, dehşetten çılgına dönmüş yüz binlerce insan, bir anda rıhtıma doğru hücuma kalkmıştı :

— Allahım imdada yetiş!
— Kurtarın bizi!
— Acıyın bize!

Gittikçe daha yoğunlaşıyor kaçanlar. İnsanlar birbirinden seçilmiyorlar artık. Ne ilerleyen, ne duran, gittikçe kabarıp dört bir tarafa taşan, simsiyah bir ırmak görüyorum sadece. Önde deniz var, arkada ateş ve ölüm! Şehrin dibinden doğru, ortalığa panik saçan bir uğultu geliyor :

— Boğazlıyorlar bizi!
— Merhamet!

Ve deniz, artık bir set olmaktan çoktan çıkmıştır : Binlerce insan denize atılmakta ve boğulmaktadır artık. İnsan leşleri yarışmaktadır suda. Sokaklar dolmakta, boşalmakta, yeniden dolmaktadır. Gençler, ihtiyarlar, kadınlar ve çocuklar birbirini çiğnemekte ve ölmektedirler. Saldırmalar, süngüler durmadan işlemekte, tüfekler durmadan çalışmaktadır :

— *Vurun keratalara!*

Akşam karanlığında bir kat daha artmıştı çığlıklar. Sadece, savaş gemilerinin projektörleri, rıhtıma çevrildiği zaman, boğazlaşmaya bir an için ara veriliyordu...

Mavunaya ölmeden erişebilenler, çeşitli mahallelerdeki durumu bir bir anlattılar : Pehlivan'ın adamlarıyla Nureddin Paşa'nın askerleri, önlerine çıkan bütün ev ve dükkânları talan etmekte, yakıp yıkmaktaydılar; henüz ölmemiş erkeklere işkence ediyor, papazları kiliselerde çarmıha geriyor, dayakta yarı ölü hale getirdikleri genç kız ve delikanlıları, mihrabın üzerine uzatıp, ırzlarına geçiyorlardı. Bir baştan öbür başa bütün şehirde, Türk bıçağı habire vuruyor, vuruyor, vuruyordu...

Yangın, gece boyunco devam etmişti. Duvarlar devrilip yıkılıyor, camekânlar uçuyordu havaya, her şeyi yutuyordu alevler, ne varsa eritip yoğuruyordu... Yüzyıllar boyunca göz nuru ve alınteri dökerek ne kurduysa insanlar... ev, fabrika, okul, tapınak, müze, hastane, kütüphane, tiyatro namına ne yaptılarsa, yanmış, yıkılmış ve sadece bir kül yığını kalmıştı geriye. Simsiyah bir duman ve yanık kokan bir kül yığını!

Dünya başımıza yıkılmıştı işte! İzmir, perişan olmuştu! Ve İzmir'le birlikte bizim de bütün hayatımız!... Ürkmüş kuş yavruları gibi yüreklerimiz, ümit etmeyi çoktan unutmuşlardı. Amansız bir yıkıcıydı tedhiş; insanları pençesine geçirmiş, yerle yeksan etmişti. Ve ölümü bile yenip susturmuştu sonunda... Ölümden korkmuyordu artık insanlar, tedhişten korkuyorlardı. Bir hamur yoğurur gibi yoğuruyordu işte insanlığı. Elbiselerden başlıyor, gelip yüreklere yerleşiyordu. Ve emrediyordu o amansız sesiyle : Diz çök Gâvur! Çöküyorduk. Soyun Gâvur! Soyunuyorduk. Bacaklarını aç Gâvur! Açıyorduk. Oyna Gâvur! Oynuyorduk. Tükür şerefine, tükür vatanına Gâvur! Tükürüyorduk. Allahını inkâr et Gâvur? İnkâr ettik onu da...

Peki ya koruyucularımız ne yapıyorlardı? Ne yapıyordu şeritleri altın yaldızlı amiraller, nazenin diplomatları İtilâf Devletlerinin, güngörmüş konsülleri? Kameralar yerleştiriyorlardı gemilerin güvertesine ve boğuşmayı filme alıyorlardı! Marşlar çaldırıyorlardı bandolarına, oyun havaları çaldırıyorlardı... ıstırap çığlıklarıyla dualar, tayfalarının kulaklarını tırmalamasın diye!. Oysa, ihtar mahiyetinde bir top atışı, bir tek emir.. zincirini koparmış saldırganları darmadağın etmeye yeter de artardı belki... Ama yapılmadı o top atışı, o emir verilmedi!.

Mavunamıza en son tırmanıp çıkanlar arasında peder Stergiyos da vardı. Lâtasız, takkesiz, lime lime kanlı bir fanilâ ve uzun donu içinde neredeyse çırılçıplak, darmadağın olmuş tek tük saçları, sakalları dikilmiş, gözleri yuvalarından uğramış haliyle başka dünyalardan gelme bir yaratığı andırıyordu peder. Sözlerinden ve jestlerinden anladığımız kadarıyla, bütün ailesi, bir Amerikan savaş gemisine tırmanmak isterken düşüp boğulmuşlardı. Katlanamamıştı bun ihtiyar, iflâs etmişti zihni. Bazen hiç konuşmadan hareketsiz kalıyor, bazen de mekanik bir şekilde ayağa fırlayıp bağırmaya koyuluyordu :

— Çocuklarım, beş! Karım, altı! Baldızım, yedi!. Apokalips'in yıldızı da yedidir! Cehennemde yedi şeytan kırbaçlayıp kanatsın sizi! Katiller! Katiller! Katiller!.

Ağzı köpükler saçarak yerlerde yuvarlanıyor, anlaşılmaz çığlıklar atıyor ve Amerikan gemisine doğru elini kolunu sallayarak «nah» çıkarıyordu...

— Bir örtünün üzerindeki ekmek kırıntılarını silkeler gibi silkeleyip attılar bizi kaptan köprüsünden aşağı! Birer ekmek kırıntısından farksızdık onların gözünde, evet! Tanrının kuşları doyacak bu kırıntılarla. Gırtlağına kadar doyacak hem de! Şeytanın kuşlarıyla kargalar da doyacak gırtlaklarına kadar!

Çocuklar da farketmişti pederin çıldırdığını. Çevresinde toplanmış, bir çalar saatin «guguk» demesini bekler gibi, haykırmaya koyulmasını bekliyorlardı.

Dumbaz köprüsünün ucuna çekilip oturdum. Suyla şişmiş iki ufak gövdeyi sallıyordu bir beşik gibi deniz. «Uyuyun haydi! Bu yeryüzünün çocuğa ihtiyacı yok artık!» Gelip gelip İngiliz zırhlısının teknesine vuruyordu küçücük kafaları garip bir ısrarla : «Açın da girelim!. der gibiydiler. Açın! Görmüyor musunuz bizi? İşitmiyor musunuz?» Görmüyorlar, işitmiyorlardı!

Büyük bir telâş başgösterdi birden bütün mavunalarda : Bir İngiliz zabiti, arkasında maiyetiyle, bızleri ziyarete gelmişti :

— Ne istiyorlar amiral?
— Niçin gelmiş?
— Sorun bakalım...
— Söyleyin halimizi...

Ve herkesten, ayrı bir can alıcı soru, ayrı bir şikâyet, ayrı bir niyaz yükseliyordu :

— Ne olacak halimiz böyle. Söyleyin bize!

Tercüman cevap verdi :

— O da bunu öğrenmek istiyor zaten. Nereye gitmek istiyorsunuz?

— Ölümden uzağa! Bir de soruyor musunuz?

Tercümanın ceketine yapışanlar bile vardı :

— Dinle! Söyle ona da Sisam'a götürsün bizi, Sakız adasına, Midilli'ye götürsün; fırtına geçince dönüp geliriz...

— Pekâlâ deyip gittiler.

Akşama doğru Türkler, mavunaları nişanlayıp ateşe koyulmuşlardı. Yaralananlar vardı aramızda, iki de ölü verdik. Ve bütün gece bir an olsun yummadık gözümüzü.

— Bir şeyler oluyor orada. Değişen bir şeyler var!

Gün ağarırken, römorkörler çekmeğe başladı mavunaları. Ve çok geçmeden de farkına vardık ki, bu römorkörler İngiliz değil, Türk römorkörleridir...

— Römorkörlerde Türkler var! diye haykırdı bir ses.

— Türkler mi?

— Boğazlamağa götürüyorlar bizi!

— Bağırın hemen, haber verin donanmadakilere! Türkler! Türkleeeeeer!.

Analar çocuklarını arıyor, kollarıyla sımsıkı sarıp bağıra çağıra ağlıyorlardı. Titriyor, çırpınıyor, vıyaklıyordu çocuklar. Erkekler oradan oraya koşuyor ve çıkınlarını düğümlüyor, yeniden açıp yeniden düğümlüyor ve düşünmeğe çabalıyorlardı.

— İhanet! İhanet ettiler bize!

— Sattılar bizi!

— Hepsine lânet olsun!

— Ne yapıyorsun amiral, ne yapıyorsun?

— Amiraaaal! Kurtarın bizi!

— Hazreti İsa adına bırakıp gitmeyin bizi! Küçük çocuklar var aramızda, ihtiyarlar, kızlar var!

— Sizler sorumlusunuz!

— Amiral! Amiraaal!..

Ve Türk römorkörleri yola devam etmekteydiler. Ve o zaman binlerce insan, bir sürü misali, denize attı kendini! Simsiyah kesildi su. Birbirlerinin saçlarına, boyunlarına yapışıyor ve bir arada boğuluyorlardı. Savaş gemilerine asılanlar vardı; ya kaynar su döküyorlardı üzerlerine gemilerden, ya da kafalarına demir çubuklarla vuruyorlardı. Birkaçımız soğukkanlı davranıp mavunalarda kalmıştık; hazırdık mücadeleye ve Türklerin hunharlığından çok, Müttefiklerin merhametsizliği korkutuyordu bizi.

Bir zabit, mavunaların rıhtımdaki babalara bağlanmasını ve etraflarına da nöbetçi dikilmesini emretti. Belleri kırmızı kuşaklı, tabancalı, kamalı çeteciler, gençleri ayırmağa koyulmuşlardı bile :

— Sen! Sen! Sen!

Genç kızlarla delikanlıların yakasına yapışıp gümrüğün arka tarafına sürüklüyordu kocaman iri eller; orada, başlarına çok kötü şeyler geliyordu. Afrula ile Rea'ya böyle olmuştu. Afrula'nın ninesi talihliymiş demek lâzım : Torununun ortadan kaybolduğunu görür görmez ölmüştü kadın. On dört yaşında bir öğrenci olan Rea'nın annesiyse çırpınıyor, yanaklarını paralıyor :

— Bırakın kızımı! Beni alın! diye haykırıyordu.

Kanlı elleriyle bluzunu kavrayıp yırttı sonra ve saldırganlara göğüslerini göstererek :

— Bakın! Beni alın onun yerine ne olur! Bırakın kızımı! Rea'mı bırakın!.

Ve hiç kimse hemcinsine acıyacak durumda değildi! Üç gün üç gece mavunaların üzerinde bıraktı bizi Türkler

212

ve bütün bu zaman boyunca ölümle korkunç bir saklambaç oynadık... Bir ırkdaşımla, Türklerin en ufak bir hareketini bile gözden kaçırmamak için, sırayla nöbet tutmayı kararlaştırmıştık. Arayıp bıraktıkları köşelere siniyorduk her defasında.

Dördüncü gün, bir başka zabit çıkageldi :

— Mavunaları boşaltın! Hadi çabuk, herkes karaya!

Her türlü yer değiştirmenin bize fayda sağlayacağı sanısıyla, fırladık mavunalarımızdan.

— Mezarlığa! Mezarlığa!. diye bir ses yükseldi. Korkuyor Türkler, oraya adım atmıyorlar!

Mezarlıkta iğne atılsa yere düşmeyecek, çoktan gelip doldurmuşlar. Çürümüş ölüleri çıkarmış atmış, yataklarını sermişler çukurların içine; çocuklarını uyutmaktalar. Doğuran kadınlar var ve ihtiyar kadınlar onlara yardım ediyor : Ölülerin kemiklerini yakıp, su ısıtıyorlar!

— Yer yok... dedi kızkardeşim umutsuzluk içinde...

Bir bir güçlükle çıkışa doğru bir yol açabildik. Bir kadın gördük, mezarlardan birinin üzerine yüzükoyun uzanmış, mermertaşı yumrukluyordu. Kocasına seslenmekteydi avaz avaz :

— Vrassida! Vrassida neredesin? Gör bak ne yapıyorlar kızına! O zambaklar gibi saf ve temiz kızına, Vrassida! Ufacık vücudunun üzerinde bir sürü insan! Kalk! Kalk da imdadımıza gel!

Bütün şehri taramıştık, sığınabilecek bir köşe bulmak için. Okullar, kiliseler, fabrikalar, depolar, şehrin kıyı mahalleleri ve tarlalar, binlerce ve binlerce mülteciyle doluydu. Türk ve Yahudi satıcılar türemişti hemen ve hemen karaborsaya başlamışlardı : Bir yudum su, bir damla zeytinyağı ateş pahasınaydı; hele minik Türk bayrakları, hilâlli pabuzentler ve Kemal'in portresini taşıyan kokartlar için, dünyanın parasını istiyorlardı...

— Alan kurtuluyor! Alan kurtuluyor!.

Tanıdıklarla karşılaştık bir fabrikada, bize de yer verdiler... Yorgunluktan ölü gibiydik, hemen uyuyacağımızı ve bir daha da kolay kolay uyanmayacağımızı sanıyorduk hep.

Ama uzandıktan sonra bir türlü kapanmak bilmedi gözlerimiz... Kundaklanan evlerin duvarları yıkılmağa devam ediyordu. Tüfek ve yaylım ateş gürültüjeri yırtıyordu sessizliği.

— Gene infaz var! diyordu her seferinde yanımızdakiler.

Ve titremeğe başlıyorlardı. İhtiyar Kosti şöyle anlatıyordu :

— Dün karşımızdaki eve girmişlerdi. Merhum Antoni Manzaris'in çocukları Dimitraki ile Mariya, daha Türklerin sesini işitir işitmez, babalarının ölümünü hatırlayıp dehşete kapılmışlardı. Ve sonunda gidip bir kömür yığınının içine saklanmışlar. Tam o sırada anneleri dışarıda bulunuyormuş. O da işitmiş adamların geldiğini ve çocuklarını korumak amacıyla, hemen fırlayıp koşmuş. Deliye dönmüş arayıp arayıp da bir türlü bulamayınca. Çocuklar pekâlâ görüyormuş analarını, işitiyorlarmış; ama ses çıkaramıyorlarmış korku belâsına. Zavallı kadıncağız en sonunda hepten aklını şaşırıp, başlamış yollarda koşuşturmağa. «Çocuklarım! Allah aşkına söyleyin, gören yok mu çocuklarımı? Aldılar elimden, alıp gittiler! Çocuklarım! Çocuklarım!» diye sorar dururmuş her önüne çıkana... Nihayet denize koşup atmış kendini, boğulmuş...

Uyumamış beklemekteydik. Su dökmeğe çıkan arkadaşlarımız korkuyla döndüler geri :

— Askerler fabrikayı kuşatıyor! Belki de tutuklayacaklar bizi...

Bir manga asker girdi sabahleyin içeri, Nureddin Paşanın emriyle, on sekiz yaşından kırk beşine kadar bütün erkekleri, yıkılan yerleri yeni baştan yapmak üzere savaş esiri olarak tevkif ettiler. Kadınlarla çocuklarsa Yunanistan'a gidebilirlerdi!

Hiç bir anne kabul etmek istemiyordu, oğlunun on sekizinden büyük olduğunu ve hiç bir kadının kocası, ellisinden aşağı değildi! Kosta'yla birlikte eğilip, bir daha hiç görmeyeceğimiz birini kucaklar gibi öptük annemizi.

— Anne... diye yalvardım. Hiç bir şeyden korkma anlıyor musun! Oğulların geri dönecek, bundan emin ol...

Gözlerinde korkunç bir ışığın yanıp söndüğünü görecek kadar vakit bulabildim ancak; bembeyaz kesilen dudakları titremeğe koyuldu. Kosta ağlamaktaydı; sezmişti sonunun ne olacağını. Stamati gibi... tıpkı Stamati gibi!.

XVIII

İki bin kişi, kol nizamı halinde, esarete doğru yola koyulmuştuk. Hiç birimizi hiç bir yere kaydetmemiş; bizi Manisa'ya sevkle görevli müfrezeye teslim etmekle yetinmişlerdi. Yola çıkar çıkmaz bizi toptan imha edeceklerini sanmıştık. Ama hücum, İzmir sokaklarında başladı : Gözü dönmüş ve intikama susamış bir kalabalık saldırdı üstümüze. Ellerinde sopalar, taşlar, demir çubuklar vardı.

Balkonlardan şişeler ve içleri pislik dolu saksılar yağıyordu başımıza. İçimizden ellisi, Basmahane'ye kadar öldü. Muhafızlar, yaralıları kol dışına çekiyor ve bıyık altından gülerek :

— Vah zavallılar vah! diye bağırıyorlardı. Hadi gelin bakalım, gelin de hastaneye gönderelim sizleri...

Ve hemen ilk köşede öldürüyorlardı. Ama biraz ileride, bundan da beteri beklemekteydi : Geçtiğimizi gören Türk köylüleri yol kenarına doluyor ve öfke içinde haykırmağa koyuluyorlardı :

— Biri benim bunların! Öldürdükleri çocuğuma karşılık!

— Karımın başı için birini bana verin!

—Evimi kundakladılar! Birini de ben isterim!

Dört kişiydik aynı sırada. Pontuslu öğretmen Lisandros'u çekip aldılar bir anda içimizden; bir bıçak darbesiyle karnına vurduktan sonra yürümesini emrettiler. Karnını elleriyle tutarak yürümesini... Gözleri açık mı, kapalı mı anlaşılmayacak kadar çapaklı bir ihtiyar suçlamaktaydı :

— Oydu işte! Oydu namussuz!..

Öğretmeni gösteriyordu eliyle. İki Türk, Lisandros'un üzerine atıldı. Ne yaşlı köylüyü tanıyan, ne de suçlama sebebini bilen öğretmen :

— Hayır! diye haykırıyordu. Ben değilim o söylediği, hayır!

Balta körleten cinsinden bir kalasa vurur gibi vurmağa koyulmuşlardı :

— Pıs gâvur! Yakarsın he mi bu fıkaranın evini!

— Günaha girmeyin! diye yalvarıyordu Lisandros. Ben değilim o, ben olmama imkân yok. Tanımam bile burayı, ilk defa geliyorum. Hiç gelmedim daha önce buraya ben. Hiç gelmedim... Hiiiç!..

Bıçak çoktan dalmıştı karnına. Karşısındaki Türk, barsaklarını avuçlayıp :

— Tut! dedi. Al bakalım ücretini... Ve yürü! Yürü dedim, duymuyor musun!

Yakasına yapışıp ayakta tuttu bir an; ama Lisandros, yırtılan bir elbise parçası gibi durmadan kayıyordu; birkaç adım attıktan sonra da devrilip yuvarlandı.

Kupkuruydu ağzımız, yutkunamıyorduk. Ciğerlerimiz kavruluyordu susuzluktan. Susuzluk, sıcak ve umutsuzluktan... Üç gündür yürüyorduk ve bir yudum su içmemiştik. Koca ırmaklar aşıyor; çeşmelerin, kuyuların. kaynakların yanından, derelerin, çayların içinden geçiyorduk. Ve dudaklarımızı suya değdirmek bile yasaktı. Dayanamayıp da içeni, hemen oracıkta deviriyorlardı.

Muhafızlardan biri, bir ırmağı geçerken, ayakları ıslanmasın diye kardeşimin sırtına binmişti. Postallarıyla durmadan tekmeliyor ve gülerek bağırıyordu:

— Deh! Deh dedik! Deeeeh!...

Kosta'nın boyun damarlarının, çatlayacak gibi kabarıp şiştiğini görüyordum. Yüzü beyazlaşıyor, gözleri yuvalarından kayıyordu. Nasıl mağrur ve yiğit kişi olduğunu bildiğim için, her an yüreğim daralarak, cellâdını alaşağı edip boğazına sarılmasını beklemekteydim. Ama Kosta, sudan gayri hiç bir şey düşünmez olmuştu :

216

— *Aman!* diye inliyordu... Bak bir hayvanım ben! İnsan hayvanını sulamaz mı hiç?

— Deh pis gâvur, deeeh! Hayvan değil, gâvursun! Hayvanlar masum kalır senin yanında, kan içici değildir onlar!

— Aman bırak da dilimi ıslatayım! Allah aşkına bırak!

— Hayır pis gâvur, hayır! Yürü!..

Saat öğleden sonra iki sularındaydı. Yıkılmış cephane depolarına atmışlardı bizi dinlenmek için. Henüz ateşlenmiş bir fırın gibiydi içerisi : Zemin sanki yanıyor, duvarlar kavruluyordu. Aramızdan pek azı sağ çıktı bu istirahatten! Nice varta atlatmış dev yapılı adamlar, kendilerini yere fırlatıp, yaralı yılanlar gibi kıvranıyorlardı :

— *Suuuu! Suuuuuuuu!*

Sonra sesler yavaş yavaş sönüyor, gözler sabitleşiyor, ağızlar açık kalıyordu. Susuzluktan ölümü anlatacak değilim, görenler bilir.

Ölmemiş olanları beş yüz başka esirin yanına katıp, dikenli telle çevrili bir kampa doldurdular. Ve çitin hemen dışında, üç ayrı ağızdan üç yalağa su akıtan koca bir çeşme vardı. Türkler sıralıydı önünde çeşmenin; bizimle alay ederek hayvanlarını suluyor, kendi susuzluklarını doya doya gideriyorlardı. Yiyecek gibi bakıyorduk onlara dikenli telin ardından. Ve sonra... nasıl oldu bilemiyorum... gizli bir işaretle anlaşmış gibi hücuma kalktık. Bir anda sökülüp parçalandı çit. Biz değil, bir uğultuydu çeşmeye gelen ve bir an önce su içebilmek için birbirimizi vahşice tekmeleyip dövmeğe koyulmuştuk... Bir anda evet, göz açıp kapayıncaya kadar,,, hem suyun başında, hem de boğaz boğazaydık! Ateş etmek şöyle dursun, kılını kıpırdatmadı hiç bir nöbetçi : Birbirimizi şuursuzca ısırıp tekmelememizi seyre koyulmuşlardı!

Ahmetli'ye gelmeden önce, aramızdan gelişigüzel üç yüz esiri seçip, Aydın köylerini imara giden bir muhafız kıtasına verdiler. Ben ve arkadaşım Pano Sotiroğlu da bunlar arasındaydık. Kardeşimi son anda cellâdı yakalamış :

— Sen burada kal! demişti. Güçlü kuvvetli bir katırsın sen: İşime yarıyorsun!

Veda edecek zamanımız bile kalmadı. Uzaklaşmasına baktım ardından... uzaklaşıp, yola bir çamurlu su gibi boşalan kalabalığın arasında kaybolmasına. Manisa'ya gidiyorlardı... Ve orada, kırk bin savaş esirini, bir dere yatağına doldurup, mitralyözden geçirdiklerini, işittik çok geçmeden.

⁂

Yeni muhafızlarımız daha insaflıydılar: Geceleyin, sönmüş bir maden ocağında uyumamıza izin verdiler. Uyku arasında, yakıcı nefesler hissettik, yüzümüzde ve vücudumuzu yoklayan eller. Gözlerimizi araladık: Sakallar, sarıklar ve sarı dişler gördük. Bir alay fakir köylü, ellerinde meşaleler ve fenerlerle seğirtmiş, elbise ve ayakkabılarımızı inceliyorlardı:

— Soyunun!

Anlamazlıktan gelip kımıldamadık.

— Çıkar!

Soyunmağa pek hevesli olmadığımızı görünce hiddetlenip, suratımıza, midemize, hayalarımıza rastgele vurmağa başlamışlardı. Bağırarak askerleri çağırdık bir süre, hiç kimse görünmedi: Allah bilir, danışıklı dövüş halindeydiler!

İş işten geçtikten sonra bir askerağa çıkagelmiş ve aramızdan kimini anadandoğma görünce kasıklarını tutarak gülmeye koyulmuştu. Böyle bir seyirden mahrum kalmamaları için arkadaşlarını çağırmayı da ihmal etmedi!.. Ayağa kalkmış ve olduğumuz yerde donup kalmıştık: Bu hakaret perişan etmişti bizi; öfke duymaktan bile âcizdik artık... Gına getirinceye kadar gülmesini bekledim askerağanın, bitirince yaklaşıp:

— Kusura bakmayın ama efendi... dedim... kadınlarınız, erkeklerin böyle çırılçıplak geçtiğini seyredecekler mi?

İki şamar indirdi yüzüme. Burnum kanıyordu ama memnundum... Yola çıkmadan önce de, elbiselerimizi alan köylüler gelip kendi döküntülerini verdiler bize.

Yol gittikçe sarplaşıyor ve bazılarımız dayanamaz oluyordu yorgunluğa. Sırayı izleyemeyenler, kafalarına bir kurşun yiyip hemen oraya çivileniyorlardı. Buna karşılık, bu dağlık bölgede geçtiğimiz iki üç köy tamamiyle sakindi. Savaşta zarar görmemişlerdi ve kayıtsızlıkla baktılar bize. Gene bu arada konakladığımız bir kasabada da, rahatça su içmemiz için, çeşmenin önünü boşalttılar! Hattâ bir ihtiyar, iki sepet üzüm getirip hepimize dağıttı, sonra da :

— Bunca zaman beraber yaşadık! diyerek açıkladı tavrını.

Yoksa dinmiş miydi artık fırtına? Dinmemişti, hayır! Harabeye çevrilmiş bir başka kasabanın yanından geçtik ve ellerinde demir çubuklar, sopalar, bıçaklarla, gözü dönmüş bir kalabalık saldırdı üzerimize. Aramızdan birçoğu haykırmağa koyuldu :

— *Yaşasın Kemal!*
— *Kahrolsun Yunan!*
— *Türk olacağım!*

Bu türlü bağırarak kendini küçük düşürenler, ötekilerden daha az dayak yemedi. Ortalık durulunca, yanımdaki arkadaşın yarılmış başını sarmasına yardım ederken sordum dayanamayıp :

— Ne kazandın Sotiro?

Muhafızlardan birinin hemen arkamızda olduğunu farketmemiştim : Elini omuzumda hissettiğim an, işimin bittiği duygusuna kapıldım ve garip bir ürperme dolaştı vücudumu. Ama asker, bembeyaz sağlam dişlerini göstererek gülümsüyordu :

— Doğru söyledin *Yunan!*

Güvensizlik içinde baktım yüzüne. Bakışlarında hiç bir kötülük izi yoktu. Kırk yaşlarında olmalıydı, şakakları ağarmıştı hafiften... Manalı bir şekilde başını sallayarak :

— Ne şaşıyorsun? dedi... Ben de savaştım. İş savaşa geldi mi titir titretirdim bütün ortalığı. Yavuz kimdir diye sorarsan, öğrenirsin! Ve işte zafer de bizim oldu çok şükür! Keyifli olmasına keyifliyim ama size el kaldırmam. Nâmert değilim ben!..

Askerin sözleri daha kulaklarımda çınlıyordu ki, birden bir *müezzin* fırladı yolumuza. Deli gibiydi. Stefani isminde bir çavuşu arıyordu. Buldu çavuşu, yakalayıp çekti sıradan. Stefani de, çaresiz, olanca gücüyle hücuma geçmişti. Ama boşuna : Beş, altı kişi üzerine çullanıp, elini ayağını sımsıkı bağladılar.

Müezzin, takım komutanının kulağına bir şeyler fısıldayıp ortadan kaybolmuştu : Durup bekledik. Stefani, vahşi gözlerle bakıyordu etrafına; bütün vücuduyla mücadele ediyor, dişleriyle koparıp parçalamağa çalışıyordu iplerini... Ve müezzin dönmüştü; on iki yaşlarında bir çocuğu tutup getirmişti elinden ve Stefani'yi işaret edip :

— Annenin ırzına geçen, işte bu namussuz! demişti.

Sonra da, çocuğun eline bir bıçak verip tamamlamıştı :

— Gör hesabını!

Bıçağı yere atıp, ağlamağa koyulmasını beklemiştim çocuğun. Ama hayır! Sabırsızlık içinde haykırdı müezzin :

— Hesabını gör dedim!..

Çocuk acemice kaldırdı bıçağı ve kulakla boyun arasında bir yere indirdi. Bir anda fışkırdı kan. Bembeyaz oldu çocuk ve bütün vücuduyla titremeğe başladı.

Daha da vahşi bir sesle çınlattı ortalığı babası :

— *Vur!*

Ufacık eller, o zaman hızlı ve kuvvetli darbeler indirdi ardarda. Durmadan inip kalkan bıçağı görüyorduk sadece ve soluk soluğa kalan çocuğun ifadesiz gözlerini...

Bir ah bile çıkmamıştı Stefani'nin ağzından. Vücudu ardarda birkaç kere çırpınmış, sonra da kaskatı kesilivermişti... Bize gelince, yürümekten paramparça olmuş ayaklarımızı, hiç değilse birazcık dinlendirebilmiştik... Ve Pano, kulağıma eğilip :

— Hep böyle eli kolu bağlı mı kalacağız? diye fısıldamak fırsatını bulmuştu. Neye kaçmıyoruz yani?

Birden uyandım : Öyle ya, neye kaçmıyorduk sanki! Karış karış biliyorduk bütün bu bölgeyi : Kırkıca'dan geçip dağın eteğinden dolanarak denize kadar inmek yetiyor! Oradan Çağlı'ya kapağı attın mı, Sisam'ı görürsün... Pano ise bir başka yönden plan kurmakta :

— Gözlerinin içine baka baka kaçacağız hem. Ve farkına bile varmayacaklar, göreceksin!

Sabırsızlıktan neredeyse çıldıracağım :

— Hemen bu akşam... diye fısıldıyorum.

Cevap veriyor :

— Tamam.

Yeniden yola koyulduk. Akşam, eski bir kışlada mola verildi... Kapımızda, sabahleyin benimle konuşan asker nöbetçi... Herkesin tamamiyle uyumasını bekledik; sonra ellerimiz karnımızda, gövdemiz iki büklüm, yanaştık askere : İshal olduğumuzu söyleyip, yandaki tarlaya gitmek için müsaade istedik. Bir an tereddüt ettikten sonra :

— Çabuk olun! dedi.

Yeterince uzaklaşınca Pano'yu arkama aldım, kalçalarıma koydurttum ellerini, başını iyice eğdirttim; ben de eğildim sonra : Otlayan bir at sanabilirlerdi bizi rahatça karanlıkta... Nitekim öyle de oldu, aldandı muhafızlar; hileyi sezdikleri vakit de atı alan Üsküdar'ı geçmişti artık! Bizim dağlarımızdı bu dağlar; talih bu sefer bizimle beraberdi...

Ancak ertesi akşam, küçük bir Türk çocuğuna rastladık dağda, ortalığın neye böyle tenha olduğunu sorduk :

— Yunan gitti diye şenlik var... dedi. Şehre indiler hepsi!

Kırkıca yakınlarında, şöyle bir titrer gibi olmuştu yüreğimiz. Köyde hiç kimse olmadığını anlayınca, bir süre sokaklarda gelişigüzel dolaştık. İki hırsız gibiydik duvarların altında. Ay ışığı çıkmıştı ve rüzgârda gıcırdayıp çarpan kapı kanatlarını rahatça seçebiliyorduk. Bir veba salgını çökmüştü sanki köye ve canlı namına ne varsa alıp götürmüştü! Çarşı yerinde, meydanda, sokaklarda bir alay sahipsiz elbise, ev eşyası, kırılmış çanak çömlek sürünmekteydi. Bir köpek uluyordu zaman zaman, bir kedi miyavlıyordu ve yalnızlık, daha da kahredici bir hale geliyordu... Ve bizim yüreğimizle, bizim anımızla yoğruluydu burada her ev, her dar sokak, her ağaç, bu toprağın her taşı!

Bir öfke bürüdü birden içimizi : Bizim evlerimiz değil miydi bu evler? Bu tarlalar, bu ekinler, bu ağaç? Burada büyüyüp yetişmemiz miydik biz? Buraya emek vermemiş miydik? Babalarımız burada gömülü değil miydiler?

— Gidelim... dedi Pano. Birisi görecek olursa, köpeklere bir kemik bile kalmaz ikimizden!

Köyün büyük *ağası* Seferoğlu'nun evine yöneldik. İhtiyacımız olan her şeyi, yalnız o evde bulabilirdik : Suda batmayacak cinsinden bir kaç tulum, bol bol ip, elbise, fener, yiyecek... Dağ başında kurulu olduğundan, yağmalanmamıştı henüz. Sadece sürüler eksikti. Tavuklar bizi görür görmez kanat çırptılar. İşimize yarayacak ne varsa topladık vakit kaybetmeden. Gitmek üzereyken, Pano koluma yapıştı :

— Dur biraz... dedi. Müthiş et yemek istiyor canım!

Bir koşuda iki tavuk yakalamış ve kesmek üzere bıçağını çekmişti. Sapsarı kesildi birden : Elleri titriyordu. Salıverdi hayvanları :

— Yapamayacağım... dedi. Yürü gidelim!

Ormanda bir mağara misafir etti bizi. Dostumuz Seferoğlu'nun peksimetleriyle kuru incirlerini yedik bir güzel, rakısını yudumladık; bir de sigara yaktık ardından... Ve çok geçmeden de ıssız bir kumsala ulaştık. Çağlı'yla Sisam arasında boş bir adacık biliyordum. Oraya sağ salim vardığımız takdirde, Sisam'a atlamak işten bile değildi! Bir tek tehlike vardı sadece : Türklerin adaya gözcü yerleştirecek kadar vakit bulmuş olması...

Şafak sökerken yaklaşmıştık denize. İçimize sınırsız bir korku dalgalanıyordu; en ufak bir gürültüden deliye dönüyorduk... Bir konuşmadan parçalar getirdi bize rüzgâr. Önümüzde bataklık vardı, çamurun içine daldık. Pano dayanamayıp başını çıkardı. Ama Türkler geçip gitmişti... Bataklıktan o çekti beni. Aşınmış kayaların arkasına gizlendik. Durmadan çalkalıyordu denizi rüzgâr, kayalarda kırılan dalgalarının sesiyle inliyordu ortalık...

Tulumları şişirdik hemen : Artık hazırdık işte!.. Ama son anda korkacağı tuttu Pano'nun. Yüzmek bilmiyordu, hiç girmemişti ömründe suya... Ona cesaret vermek için ilkin ben daldım ve tulumların, nasıl insanı su yüzünde tuttuğunu gösterdim :

— Dal hemen! Kaybedecek vakit yok!

Ömründe hiç bir şeyden korkmamış olan Pano, denizin önünde tirtir titremekteydi! Geri geri gidiyordu adımları hep! Çıktım ben de sudan...

— Elimde değil... dedi... yapamıyorum işte! Ben gelmeyeceğim... Zaten Türkler çoktan gözcü koymuştur o senin adaya!

— Pano, bunu sen mi söylüyorsun? Sen! Üstüne atılırız nöbetçilerin! Hadım ederiz onları! Boğarız Pano, boğarız! Yürü gel hadi, bir daha böyle bir fırsat nerede bulunur? Çabuk ol hadi, kımılda!

Ayaklarını kumun içine gömmüş, bir katır gibi dikilip duruyordu karşımda. Yaklaşıp tatlılıkla konuştum önce, sonra küfrettim, o da sökmeyince tutup kolundan sürüklemek istedim. Ama boşuna! Biraz daha ısrar etsem, birbirimize girmemiz işten değildi. Ve hızla akıp geçiyordu zaman.

— Ne duruyorsun? diye bağırdı öfke içinde. Tutan yok seni, git. Bir an önce git hadi!

— Pano! Çok yazık! Yazık olacak sana!

Başını önüne eğdi. Ben hazırlandım.

— Elveda Pano!

Heyecanlanmıştı birden :

— Bir kayık bulursan... dedi... ve eğer mümkün olursa, gel buradan al beni. Seni burada beklerim. Eğer beni göremeyecek olursan, başıma bir iş geldi demektir : Hiç yaklaşma kıyıya!

Maneviyatının sıfıra indiğini ve taş çatlasa gelmeyeceğini anlamıştım artık; girdim suya... Dalgalar hareket etmeme engel oluyordu, acemice oynatıyordum elimi kolumu, soluğum kesiliyordu sık sık. Hareketlerime olduğu kadar sinirlerime de hükmetmek zorundaydım aslında. Aklımı hep aynı soru kurcalıyordu : Ya Türkler adada karfakol kurduysa? Kıyıya ulaştığımda yorgunluktan bayılacak gibiydim. Biraz kumsala uzanıp toparladım 'kendimi. Sonra da tepeden tırnağa kulak kesilip, önümdeki yarı tırmanmağa koyuldum... Bir gürültü geldi aniden. Durdum hemen. Kuru dalları oynatıyordu birisi! Dört ayak üstünde ilerledim sessizce. Gürültü gittikçe artıyordu, soğuk terler boşanıyordu sırtımdan. Ve solum da birdenbire bir kanat çırpması duydum! Yuvalarında oynaşan martıları görünce, çığlığı koyvermiştim :

— Of be!

Ada, tahmin ettiğim gibi bomboştu. Adımlarımı açıp rahatça yürüdüm artık, ağaçsız bir tepeye tırmanıp Sisam'a doğru döndüm ve denizi taramağa başladım... Topu topu bir fersah mesafe var aramızda! Yunanistan'a bir fersah!.. Beyaz bir kuşağı sallıyorum durmadan, mekânı gözlerimle yutar gibiyim! Zaman geçiyor işte. Karnım aç.

Yavaş yavaş duruluyor deniz : İyiye alâmet! Mutlaka bir şeyler olur artık, mutlaka bir şeyler çıkar : Ya bir balıkçı kayığı, ya da bir yelkenli... Olmazsa yeniden yüzmem gerekecek... Pano hergelesi gelmiş olaydı, çok daha kolaylaşırdı iş!

Ve nihayet bir siyah nokta gördüm ufukta! Bir kuş olmasın sakın? Aman oğlum Manoli, yok yere umutlanma! Sinirlerin lâzım olacak!.. Ama hayır, kuş değil... Kaya da değil, hayır! Kımıldayan bir nokta bu, hareket eden bir nokta, evet! Bir kayık! Bir balıkçı kayığı! Yelkenlerini fora ediyor, gördün değil mi? Kürekleri de görüyorsun değil mi, kürekleri! Görüyorum tabii! Ve kürek çekenlerin o kesik, o yeknesak gürültüsü geliyor!..

Ciğerlerimin olanca gücüyle bağırıyorum artık; var kuvvetimle sallıyorum kuşağı ve ıslık çalıyorum... Neden görmediler beni, neden işitmediler daha? Yoksa gördüler de ürküp geri mi döndüler? Koş, zaman kaybetmenin sırası değildir! Fırla kumsala! Tulumlar şişik bekliyor, at kendini denize!

Bordaya çıkardıkları vakit, konuşamaz haldeydim. Yanaklarımdan süzülen sıcak yaşları hissediyordum sadece... Bana içki verdiler... Biraz sonra geldim kendime, durumu anlattım ve gidip kıyıda kalan arkadaşımı da almamızı yalvardım... İki kişiydiler. Susuyorlardı... Nihayet içlerinden en yaşlı olanı, Leandros :

— Bak hemşerim... dedi... lâfı uzatmağa lüzum yok : Türk karasularına sokulamayız biz! Evde benim elime bakan tam on tane yavru bekler, anlıyor musun! Bir adamın canını kurtaralım derken o on masumun öksüz kalması, Allahın hoşuna gider mi?

Öteki de aynı fikirde, işin kötüsü... Küreklere sarıldılar bile. Tornistan ediyoruz... Pano'nun son sözlerini tekrar ettim onlara :

— Bize hiç bir şey olmaz ki... dedim. Çektiğim bunca acıdan sonra, ben de biraz yaşamak istiyorum...

— Boşuna çeneni yorma arkadaş! Buraya gelmekle göze aldığımız tehlike yeter de artar bile...

Ve bütün hınçlarını, küreklerden çıkarmak istercesine yüklenmişlerdi.

Bırakmayacağım Pano'yu, hayır! Bırakmayacağım! O verdi bana kaçmak fikrini ve Çağlı'ya kadar hep birlikte sıyrıldık hikâyenin içinden... Ne biçim bir insan olmalıyım ki ben, Pano'yu bırakmalıyım! Bir sıçrayışta atladım suya... Tulumlar sönüyordu; dalgaların içinde bir süre çırpınıp durdum... Balıkçılar kürekleri bırakmış : Pişman olmuş gibi bir halleri var. Dudaklarını ısırıyor Leandros, gözlerini kısıyor, dudaklarının arasında sinirli sinirli eziyor sigarasını, mesafeyi ölçüyor, sonra arkadaşına dönüyor aniden :

— Hey Grigori, ne dersin ha?
— Gidelim bari... diyor Grigori.
— Gidelim Allah kahretsin!

Kendi kendine söyler gibi ekliyor :
— Bundan böyle bu saatte denize çıkanın da anasını eşek tepsin inşallah!

Bizi görünce sevinmiyor Pano : Sevinmek denmez buna! Kanatlanmış uçuyor... Ve bir türlü inanamıyoruz kurtulmuş olduğumuza.

Bizi bağrına basmağa hazırlanan adayı görmek nasip olmadı : Bir devriye motoru gelmiş ve başka mültecilerle birlikte bizi de, demir almak üzere olan bir gemiye aktarmışlardı.

— Sisam mülteci dolu. Başka bir yere gidin...
— Bütün adalar, bütün limanlar tıklım tıklım durumda...
— Mülteciden geçilmiyor ortalık! Bir buçuk milyonmuş kaçanların sayısı...

Üzerimizde lime lime giysiler, elimizde çıkınlarımız, bir kumsaldayız işte. Perperişan haldeyiz. Ve bilmiyoruz henüz, kaderin bizler için daha neler düşünüp kurduğunu.

Sarsılıyor işte gemi. Demir alıyoruz, kalkacak. Yeni menzili hiç birimiz bilmiyor. Gözler gözlere sormakta :

— Sen biliyor musun?
— Ya sen? Yoksa biliyor da söylemiyor musun?
— Söküp aldılar kollarımdan oğlumu...
— Benimkine kız elbisesi giydirmiştim, hemen farkına vardılar...

— Komşulardan biri, gidip kerhanede saklanmamızı öğütlemişti : Bütün orospuları kanlar içinde bulduk.

Gene başladı işte felâket hikâyeleri. Burgu gibi gelip saplanırlar adamın kulaklarına! Bir bunağın kafasında çınlayan hayalî çığlıklar gibi...

226

— İnanmazsın ama öyle : Cesetleri görünce sevinmiş Yanakos, bari şunların altına gizleneyim demiş. Gizlenmiş de zavallı... Sonra bir de ne görsün! O kendisini kurtaran cesetler, karısının ve çocuklarının ölüsü değil mi!..

— Anesti'nin başına gelenlerin yanında, bu seninki hiç kalır! Silâhlı Türk çetecileri dalıyor kır evine. Hemen ambara koşup, ortadaki tütün çubuklarının altına atıyor kendini can havliyle. Çok geçmeden altı kişi geliyor ambara, yanlarında sürükledikleri baygın bir genç kızı yere yatırıyorlar. Nefesini kesip bekliyor zavallı Anesti... «Geberdi ulan!» diye homurdanıyor sonunda adamlardan biri. Bakıyorlar ki hakikaten ölmüş kız, üzerine bir balgam atıp gidiyorlar. Ve Anesti gizlendiği yerden, sevinçle çıkıyor. Birden ölüye takılıyor ayağı, yuvarlanıyor yere, çocuğu görür görmez de delice bir çığlık atıyor : Kız, kendi öz evlâdıymış meğer! Düşün o anda insan ne hale gelir!

Askerlere geçelim : Yenilginin sebep ve sorumluları hakkında tartışmaktalar :

— Gemileri yollamış olsalar tamamdı : Hepsini kurtarmışlardı şimdi!

— Neye yapmadılar, anlayamıyorum... Bir deniz yüzbaşısı itiraf etti bana : Tam doksan iki büyük gemi, Küçük Asya kıyılarından adam toplamak için Pire'de toplanmış. Ama denize açılır açılmaz, gizli bir telgraf almışlar hükümet başkanından : «Taşıma mecburî değil, ihtiyarîdir.» diye... Ve doksan iki gemiden sadece on yedisi devam etmiş yoluna! Bunu hayatım boyunca unutmayacağım! Otuz bin kadınla çocuk bekliyordu Akçay'da... Biz, on bin piyade eri Edremit'ten gelirken...

Ancak gecenin karanlığı son verir bu konuşmalara; çaresiz susarsın. Uyumayı başarabilenler horlamağa koyulur. Ve keder yüklü göğüslerden kesik ve düzensiz hırıltılar yükselir. Ama benim gibi uyuyamayıp da örtülerin altında büzülüp kaldıysan, hele bir de yumulu değilse gözlerin, sabaha kadar pis korkunç hayallerle cebelleş dur artık. Boğuk bo-

227

ğuk, durmadan ağlayanları dinle... Uykunun bittiği yerde halkın dayanılmaz acısı başlamaktadır.

♣

Gölgeler gidip geliyor gecenin içinde. Saldırmalar bir vuruşta bir kelle uçuruyor. Ter içinde vücutlar, kudurgan bir hınçla aralıyor genç kız bacaklarını ve bu lânetli aşkı tamamlamak için de lekesiz göğüslere bir bıçak saplıyorlar... İnsanlar! Siz bu dünyadan değil misiniz! Hangi şeytan teslim alıp öldürdü ruhunuzu?

Karşıda... Küçük Asya kıyılarında... minicik ışıklar yanıp sönüyor. Ve kocaman gözler var, yanıp sönen... karşıda. Ve tertemiz evler var... Gizli deliklerde paralar yanıp sönüyor, ikonostazda gelin güvey taçları. Mezarlarda atalar yanıp sönüyor... Göz kırpıyorlar sırayla karşıdan... Küçük Asya kıyılarında evet, karşıda... çocuklar, akrabalar, dostlar bıraktık. Gömülmemiş ölüler, barınaksız diriler bıraktık ve şimdi hayaletler misali, oradan oraya savrulan düşler... Küçük Asya kıyılarında evet! Daha dün yurdumuz olan karşıda...

Dipsiz gecenin içinden, tanıdık gölgeler kayıp geliyor... Kirliceliler ve Şevket... İsmail Bey, Kerim Efendi, Şükrü Bey... ve Ali Dayıyla kızı... Boşuna!.. Hiç biri imdada koşamaz artık... Yıkılıp gitti herşey!

Yeknesak çan sesleri işitiyorum. Devenin o yumuşak, o edalı yürüyüşüne işarettir bu çan sesleri! Hörgüçünde üzüm küfeleri, kuru incir sandıkları ve zeytin çuvalları, pamuk ve ipek balyaları ve gülsuyu küpleri ve şarap fıçıları taşıyıp gelen devenin!

Deveci heyy! Kulağında karanfil, nereye gidiyorsun? Beni de al yanına! Geliyorum işte, bekle! Ve boşuboşuna haykırıp durma o güzel türküyü: Yüreğini sımsıkı kapamış herkes, işitmiyorlar!

Şevket! Tanımadın mı yoksa beni? Ben, senin dostun... ben, senin arkadaşın! Yıllarca birlikte gülüp, beraber ağla-

228

dık... *Ne yapıyor Şevket?* Ah Şevket; Şevket! Vahşi birer hayvan kesildik! Karşılıklı hançerledik, paramparça ettik yüreğimizi! Durup dururken!..

Ve sen... Kör Mehmet'in damadı. Hele sen! Neye öyle tiksinerek bakıyorsun yüzüme? Öldürdüm evet seni, ne olmuş! Ve işte ağlıyorum... Sen de öldürdün! Kardeşler, dostlar, hemşeriler... Koskoca bir kuşak, durup dururken katletti kendi kendini!..

Bütün bu çekilen acı, bir kötü rüya olsaydı ah!.. Ve yanyana...' omuz omuza verip yürüseydik tarlalara doğru yeniden!. Sakakuşlarının türküsüyle şenlenen ormanlara doğru yürüyebilseydik! Ve her birimizin sevdiceği kendi kolunda, çiçeklere bürünmüş kiraz bahçelerinden gülümseyerek çıkıp, yanyana eğlenmek üzere... şenlik meydanlarının yolunu tutabilseydik!..

Anayurduma selâm söyle benden Kör Mehmet'in damadı! *Benden selâm söyle Anadolu'ya...* Toprağını kanla suladık diye bize garezlenmesin... Ve kardeşi kardeşe kırdıran cellâtların, Allah bin belâsını versin!.

ÇAĞDAŞ EDEBİYAT DİZİSİ:

YAŞADIĞIMI İTİRAF EDİYORUM
Pablo Neruda

★

KENT VE KÖPEKLER
Mario Vargas Llosa

★

ÖDÜL
Anna Seghers

★

İLAHİLER
Gülten Akın

★

İNSANIN YAZGISI
Mihail Şolohov

★

KAYIP/Missing
Thomas Hauser

★

KATALONYA'YA SELAM
George Orwell

★

BAROK KONSER
Alejo Carpentier

★

BÜYÜDÜKÇE
Julio Cortazar

★

ŞAFAK TÜRKÜSÜ
Nevzat Çelik

★

MÜEBBET TÜRKÜSÜ
Nevzat Çelik

★

YAĞMUR YAĞMASAYDI
Nevzat Çelik
SUDA SEKEN HAYAT
Nevzat Çelik

★

RAZUMOV'UN ÖYKÜSÜ
James Conrad

SEYRAN DESTANI
Gülten Akın
★
AŞKIN VE SAVAŞIN GÜNDÜZ VE GECELERİ
Eduardo Galeano
★
GÜNEŞTEKİ ADAMLAR
Hasan Kanafani
★
42. GÜN
Gülten Akın
★
CUNTAYLA SAVAŞIM
Melina Mercouri
★
KÖPEK KALBİ
Mihail Bulgakov
★
YILDIZLAR VE SEN
Mario Benedetti
★
BİR AĞIZDAN
Mehmet Çetin
★
YARIN BAŞKA BİR GÜNDÜR
Ruben Gallucci
★
FİRARİ RENGİM KIRMIZI
Sualp Çekmeci
★
BERLİN ALEXANDER MEYDANI
Alfred Döblin
★
LANETLİ ÖMRÜN KIRLANGIÇLARI
Nihat Behram
★
SÖMÜRGE KENTLERİN AYSIZ GECELERİ
Hüseyin Şimşek
★
ONCA ÇİLEDEN SONRA
Perihan Akçam
★
LALİ BERTE'YE MEKTUPLAR
Mecit Ünal
★
DEMİR ÇAĞI
J.M. Coetzee

BİLİM DİZİSİ

BİLİMSEL DEVRİMLERİN YAPISI
Thomas Kuhn
*

TARİHTE NELER OLDU
Gordon Childe
*

TOPLUMSAL EVRİM
Gordon Childe
*

ULASLARIN ZENGİNLİĞİ
Adam Smith
*

OSMANLI MALİYESİNDE BUNALIM
Yavuz Cezar
*

BÜYÜK DÖNÜŞÜM
Karl Polanyi
*

LATİN AMERİKADA ASKERİ DEVLET
Alain Rauguie
*

MODERN DOĞA ANLAYIŞI VE KUANTUM TEORİSİNE GİRİŞ
Max Planck
*

GÖSTERGE BİLİME GİRİŞ
Fatma Erkmen
*

DÜNYA KAPİTALİZMİNİN BUNALIMI
Hobsbaum/Innes/Lipietz/Mac Evan/Mandel/Massarat
*

FRANSIZ DEVRİMİNİ YORUMLAMAK
Francoise Furet
*

SENARYO VE YAPIM (3 Cilt)
Mahmut Tali Öngören
*

ÇALIŞMA EKONOMİSİNE GİRİŞ
Kuvvet Lordoğlu
*

ORTADOĞU
Alain Gresh-Dominique Vidal
*

İMPARATORLUKLAR BEŞİĞİ
René Cagnat - Michel Jan